음식의 문화학

Food and Cultural Studies

밥 애슬리·조안 홀로스·스티브 존스·벤 테일러 지음

박형신·이혜경 옮김

한울
아카데미

이 도서의 국립중앙도서관 출판시도서목록(CIP)은 서지정보유통지원시스템 홈페이지
(http://seoji.nl.go.kr)와 국가자료공동목록시스템(http://www.nl.go.kr/kolisnet)에서 이
용하실 수 있습니다. (CIP제어번호 : CIP2014012525)

Food and Cultural Studies

Bob Ashley, Joanne Hollows,
Steve Jones and Ben Taylor

Routledge
Taylor & Francis Group
LONDON AND NEW YORK

|차례|

Food
and
Cultural
Studies

│ 알리는 글 │

<그림 2-1>과 <그림 2-3>은 클로드 레비-스트로스의 '요리의 삼각형'에서 따온 것이다. 그것은 *Partisan Review*(volume 34, number 4, 1966)에 처음으로 실렸다. 레비-스트로스 교수의 허락을 받아 여기에 실었다.

제10장의 일부는 다음의 제목으로 이미 출간되었다. Steve Jones and Ben Taylor, "Food writing and food cultures: the case of Elizabeth David and Jane Grigson"(*European Journal of Cultural Studies*, volume 4, number 2, 2001). 새이지 출판사의 허락을 받아 여기에 다시 실었다.

머리말

이 책은 먹기, 요리, 음식쇼핑이 우리의 여가시간을 점점 더 많이 지배하고 있다는 인식을 공유함으로써 시작된 새로운 교육과정인 '음식문화The Culture of Culture'를 우리가 팀티칭한 경험으로부터 나왔다. 이 교육과정이 구상된 후 곧 데이비드 벨David Bell과 길 발렌타인Gill Valentine의 『지리 소비하기Consuming Geographies』(1997), 앨런 비어즈워스Alan Beardsworth와 테레사 케일Theresa Keil의 『메뉴의 사회학Sociology on the Menu』(1997), 앨런 워드Alan Warde의 『소비, 음식, 취향Consumption, Food and Taste』(1997), 그리고 케롤 코니한Carole Counihan과 페니 반 에스터릭Penny van Esterik의 독본 『음식과 문화Food and Culture』(1997)와 같은 관련 서적의 출간이 봇물을 이루었다. 우리가 볼 때, 이들 책 모두는 하나의 특수한 문화적 열광에 대한 서로 다른 분과학문적 관점의 산물인 것 같았으며, 따라서 우리는 점차 그러한 문화적 열광과 문화연구라는 학제적 분야의 관계에 관심을 가지게 되었다. 이 교육과정의 틀을 논의하던 중에 우리는 음식이 문화연구에서 주기적으로 관심의 대상으로 떠올랐지만 실제로 하나의 연구 영역으로 발전되지는 못했다는 생각에 도달했다. 이 문제를 탐구하기로 한 우리의 결정이 이 책을 낳았다. 그렇기에 이 책을 읽는 방법 중의 하나는 이 책을 음식문화의 탐구를 통해 문화를 연구'하기' 위한 하나의 입문서로 읽는 것이다.

이 책은 음식문화 연구의 핵심 쟁점들의 일부를 전면에 부각시키는 일련의 별개의 장들로 구성되어 있다. 우리는 이 책이 소개하는 몇몇 핵심적인 이론적 틀이 음식문화를 이해하는 데 도움을 주는 동시에 일련의 사례연구를 위한 새로운 아이디어를 발전시킬 수 있기를 기대한다. 만약 모든 장을 관류하는 하나의 근원적인 줄거리가 있다면, 그것은 아마도 문화회로circuit of culture 관념일 것이다. 이 개념은 리처드 존슨(Richard Johnson, 1992)이 최초로 발전시켰고, 그 후 피터 잭슨(Peter Jackson, 1992)과 오픈 유니버시티의 문화, 미디어, 정체성Culture, Media and Identities팀(Du Gay et al., 1997)이 이용하고 세련화시켰다. 어떤 음식문화 현상 ― 음식물, 식생활, 테이블 매너― 의 의미 또는 '일대기'는 다섯 가지 주요한 문화과정, 즉 생산, 규제, 표상, 정체성, 소비와 관련하여 이해될 필요가 있다. 이를테면 우리가 점심에 먹기로 결정할 수도 있는 베이컨 샌드위치는 돼지 사육에서 음식소매에 이르기까지 일련의 규제를 받는(아마도 집약사육) 생산과정을 거친다. 우리의 샌드위치 소비는 우리가 그것을 어디에서 어떻게 소비하든 간에 어쩌면 돼지고기가 상징해온 역사적 형태뿐만 아니라 특정 계급, 젠더, 인종적·종교적 정체성으로부터 파생되었을 수도 있는 함의를 담고 있다. 이 회로를 도는 여정에는 어떤 것도 미리 정해져 있지 않다. 각 과정은 나머지 없이는 생각할 수도 없다. 우리가 이 책에서 어떻게 문화연구가 그러한 문화과정 중에서 유독 일부에 특권을 부여한다고 비난받아왔는지를 나중에 살펴보겠지만, 우리의 전반적인 목적은 음식문화가 어떻게 인식될 필요가 있는지에 대한 느낌을 개략적으로 제공하는 것이다.

이 책은 많은 사람의 지원과 인내가 있었기에 집필될 수 있었다. 우리는 이 책을 지원해준 여러 출판사와 편집자에게 가장 큰 감사를 해야만 한다. 우리의 수강생들은 우리의 아이디어를 틀 짓고 세련화시키는 데 도움을 주었다. 우리는 또한 이 책의 아이디어에 대해 의견을 제시하고 우리에게 자료를 제공해준 친구와 동료들에게도 감사를 표하고 싶다. 데이비드 벨David Bell, 비브 채더Viv Chadder, 샘 하이Sam Haigh, 케빈 헤더링턴Kevin Hetherington, 스튜어트 라잉Stuart Laing, 필 레오나드Phil Leonard, 레이첼 모셀리Rachel Moseley, 베브 스케그스Bev Skeggs, 데일 사우턴Dale Southerton, 에스텔라 틴크넬Estella Tincknell, 데이브 우즈Dave Woods가 바로 그들이다. 우리는 식사하고 요리하는 최고의 즐거움을 함께한 크리스틴 애슐리Christine Ashley, 제인 다지Jane Dodge, 조 다지-테일러Joe Dodge-Taylor, 마르크 잔코비치Mark Jancovich, 애나벨 테일러Annabel Taylor에게 특별한 감사를 표한다.

┌─────────┐
│ 제1장 │
└─────────┘

음식문화 연구: 세 가지 패러다임

마이크 리Mike Leigh의 1991년 영화 <인생은 향기로워Life is Sweet>는 자신의 작은 술집 리그렛 린Regret Rien의 오프닝을 안달이 나서 기다리는 오브리Aubrey라고 불리는 레스토랑 주인을 묘사한다. 오브리는 자신만의 노하우를 동원하여 웨이트리스에게 감동을 주기 위해 내장으로 만든 수플레와 리치 열매를 곁들인 새비로이로 이루어진 오르되브르를 비롯하여 다양한 부속고기들을 포함한 리스트로 그의 첫 저녁 메뉴 전체를 채웠다. 웨이트리스는 경악했다("오, 돌았어!"). 그리고 오브리의 예상 고객들도 마찬가지의 반응을 보였다. 어느 누구도 오프닝에 나타나지 않는다.

물론 오브리의 코믹한 메뉴는 현대의 음식경향에 대한 하나의 풍자이다. 실제로 최근에 부속고기 붐이 얼마간 일었었다. 골수 샐러드와 파삭파삭한 돼지꼬리와 같은 즐길 거리로 인기를 끌었던 런던의 세인트 존 레스토랑이 좋은 예이다(Henderson, 2000). 또한 세계의 다른 지역의 요리재료들을 새로운 (그러나 항상 맛있어 보이지는 않는) 방식으로 혼합하는 요리도 유행했다. 오브리의 퓨전요리 아이디어가 특히 혐오스럽기는 하지만("네덜란드식 루바브 소스에 담근 혀, 라거 맥주에 담근 간"), 그것은 또한 신문의 레스토랑 리뷰에서 발견할 수 있는 요리들 중의 하나이다. 비록 그 결과물이 내장으로 만든 수플레가 되지 않기를 바라지만, 이 장에서 우리 또한 다양한 요리재료들을 융합하고자 시도할 것이다. 이 장의 말미에서 만들자고 제안하는 스튜는 우리가 '음식문화 연구'라고 명명하게 될 것의 간략하고 잠정적인 역사이다. 우리는 이를 달성하기 위해 통상 비판적으로 '영국식' 문화연구라고 알려진 것(이를테면 Turner, 1990; Clarke, 1991; Schwarz, 1994를 보라)이 형성되던 과정의 특정 순간에 초점을 맞춘다. 그러한 연구가 발전하던 와중의 한 중요한 시점에서 '문화주의적' 방법과 '구조주의적' 방법 간의 대립이 그람시적 헤게모니 이론의 적용을 통해 부분적으로 그리고 잠정적으로 해소되었다. 이 시기의 분석은 우리에게 "모든 유형의 문화에 근본적인 쟁점"(Tudor, 1999: 17), 즉 다양한 종류의 권력구조와 인간행위 간의 복잡한 관계로 되돌아갈 수 있게 해준다. 헤게모니 접근방식은 '지배' 이데올로기와 종속집단의 열망을 유익하게 함께 접합시킬 수 있는 하나의 방법을 제시하기 위해 사용된다. 따라서 아래의 세 개의 절은 음식문화 연구 그리고 또한 문화연구의 진화에서 음식의 역사적 위치에 대한 구조주의적·문화주의적·그람시적 접근방식을 조심성 있게 그리고 비판적으로 안내한다. 이들 이론을 소개하기 위한 근거를 마련하기 위해, 우리는 미각문화의 세 가지 실례, 즉 돼지, 술집, 도살장을 탐구할 것이다. 초식주의자에게는 미안한 일이지만, 오브리의 표현으로 말린 자두 키시 따위는 없을 것이다.

돼지고기와 차이

> 유럽 문명은 …… 돼지에 토대해[왔]다고 말할 수도 있다. 쉽게 길들여지고
> 아무거나 먹어치우고 다니는, 집과 마을의 청소부, 잡목과 덤불의 제거자,
> 숲속의 도토리 탐식자는 여전히 돼지우리에 만족하고, 그것의 뾰죽한 코에
> 서 꼬리까지 요리되고 가공되었을 때 우리에게 기쁨을 준다. 돼지에 대해서
> 는 편견이 있어왔지만, 돼지를 싫어하고 그것이 불결한 먹거리라고 주장한
> …… 사람들은 그들 자신의 혈통과 과거의 역사를 합리화하고 있는 중이
> 다.(Grigson, 1975: 7)

요리법 저술가 제인 그릭슨Jane Grigson은 그녀의 책 『샤르퀴드리와 프랑스
돼지고기 요리Charcuterie and French Pork Cookery』를 점강법적 서술로 시작한
다. 돼지를 찬양하는 과장된 논조에도 불구하고, 독자는 문명의 가치가 일반
적으로 그러한 동물의 미개한 특성과 대비되고 있음을 충분히 인식할 수 있
을 것이다. 다른 식용 포유동물과 달리 돼지는 오직 소화의 주체 또는 대상
으로만 존재한다. 돼지는 먹고 또 스스로 먹힌다. 즉 돼지는 식욕의 기표
signifier이다. 통속적 지식 속에서 돼지의 식욕은 통제할 수 없고(탐욕스러운
돼지!) 세련되지 못한(더러운 돼지!) 어떤 것으로 등장하는 반면, 문명화된 식
욕은 사회적 관습과 자기규율에 의해 절제되는 것으로 주장된다. 돼지는 그
자신이 만들어낸 오물 속에서 뒹굴고 자신과 인간의 배설물을 먹지만, 문명은
그 자신의 쓰레기를 비록 마음속에서는 아니지만 자신의 시야에서 치운다.

혐오와 관련한 이렇게 풍부한 상징적 언어가 왜 이 유익한 동물을 축으로
하여 구성되는가? 하나의 설명은 그릭슨의 책을 시작하는 문장, 즉 돼지고
기와 문명 간의 인지적 대립을 조화시키는 논의로 돌아감으로써 제시할 수
있다. 그녀는 돼지와 문명이 서로의 안티테제라기보다는 돼지가 문명의 일

부라고 지적한다. 그러나 그릭슨은 경계의 재정의에 대해 동의하면서 분리를 통해, 즉 문명과 동물성은 구분된다는 것을 통해 의미가 형성되는 방식을 정확하게 지적한다. 따라서 이 구분은 문명과 돼지 같음의 대립의 붕괴를 불안과 위험으로 전락하는 것으로 극적으로 표현하는 금기와 상징적 형태들을 통해 면밀하게 감시된다.

이처럼 매우 가치 있는 규범적 범주를 그것과 정반대의 위험한 범주와 분리하는 것은 우리 세계에서 더러운 물질에 의미를 부여하는 하나의 공통적인, 어쩌면 보편적인 방식이다. 인류학자 메리 더글라스Mary Douglas가 지적했듯이, "죄를 구분하고 정화하고 그것의 경계를 정하고 처벌하는 것과 관련한 관념들은 …… 본질적으로 무질서한 경험에 체계를 부여한다. 내부와 외부, 위와 아래, …… 찬성과 반대 간의 차이를 과장함으로써만 질서와 비슷한 것이 창출된다"(Douglas, 1966: 4). 더글라스의 연구는 일반적으로 '구조주의적인' 것으로 간주된다. 그리고 구조주의로부터 파생된 이론들이 권력 소재지와 문화 내의 차이를 이론화하고자 하는 초기 문화연구 시도에서 중심을 이루었다. 구조주의에서 의미는 차이의 체계적 산출과 자신과 타자의 구분을 통해 생성된다. 우리는 이러한 차이의 체계라는 가정이 음식문화 연구 내에서 어떻게 이용되어왔는지를 부분적으로나마 이해하기 위해 잠시 이론으로 우회할 필요가 있다.

구조주의는 언어학자 페르디낭 드 소쉬르Ferdinand de Saussure의 『일반 언어학 강의Course in General Linguistics』(1916)에서 기원한다. '구조주의'라는 이름이 암시하듯이, 소쉬르는 언어의 내용보다는 그것의 심층구조 또는 형태에 더 관심을 가지고 있었다. 그리고 그의 연구는 보편적 언어과학 — 그 속에서는 모든 의사소통이 불변의 규칙을 따른다 — 을 발전시키고자 하는 시도이다. 이 과업의 위압적인 기념비적 성격에도 불구하고, 소쉬르는 평이하게 언어의 가장 기본적인 측면 — 모든 의사소통체계를 구성하는 단위 또는 기호

- 을 연구하는 것에서 시작한다. 그는 우리가 기호를 두 가지 요소, 즉 기표(소쉬르의 체계에서 이것은 말해진 것이든 또는 쓰인 것이든 간에 일반적으로 하나의 단어이지만, 우리는 또한 이 용어를 이미지, 소리, 냄새 또는 맛을 포괄하는 것으로도 사용할 것이다)와 기의signified(정신적 개념 또는 의미)로 나눌 수 있다고 제안한다. 소쉬르에서 기표와 기의의 관계는 일반적으로 임의적인 것이다. 즉 거기에는 이를테면 세 개의 검은색 부호 'p-i-g'가 비반추 잡식성 발굽동물이어야만 하는 어떠한 본질적인 이유도 존재하지 않는다(이 이론은 가축의 사진 또는 돼지 갈비살의 맛과 같이 그 관계가 보다 직접적인 것으로 보이는 경우에는 설득력이 떨어질 수 있지만, 여기서도 역시 기표는 구성된다; Hall, 1997을 보라). 대신에 소쉬르는 'p-i-g'는 다른 기표와의 차이를 통해서만 '돼지pig'라는 정신적 개념을 의미한다고 제시한다. 돼지pig는 그것이 'fig', 'pug', 'pit' 또는 다른 많은 어떤 기표가 아니기 때문에 꿀꿀거리는 동물을 의미한다. 의미는

> 전적으로 하나의 체계 내에서의 차이의 함수이다. …… 우리가 이해하고자 하는 '단위'는 그것의 긍정적 내용에 의해서가 아니라 그것과 체계의 다른 용어들과의 관계에 의해서 부정적으로만 구분되고 정의된다. 그것의 가장 정확한 특성은 그것이 다른 것이 아니라는 데 있다.(Morley, 1992: 67)

그는 그러한 조직화된 차이의 체계를 통해 돼지를 혐오하는 입장을 설명하기 시작한다. 비록 소쉬르가 차이의 끝없는 연쇄를 가정하기는 하지만, 그러한 자신과 타자의 체계의 사회적 적용은 일반적으로 하나의 핵심적 구분(남자/여자, 흑/백 등등)을 수반한다. 이 구분 속에서 하나의 개인, 집단, 사물의 특징은 다른 그것들의 특징과 극명하게 대립된다는 데에 있다고 주장된다. 초기 산업사회에서 돼지가 친숙한 짐승이었다는 그것의 독특한 위치가 그

것과 대비하여 발전 중에 있던 문명화된 인간성의 형태를 정의할 수 있게 해주었다. 역으로 일상생활에서 돼지 같음의 잔존은 문명화가 완전히 이룩되지 않았다는 것을 암시했다. 19세기 영국 산업주의의 전성기 동안에 저술한 프리드리히 엥겔스Friedrich Engels에게 돼지 같음의 잔존은 자본주의가 보다 문명화된 사회를 창출하는 데 실패했음을 보여주는 것이었다.

> [이르크Irk 강 유역에는] 수많은 돼지가 있다. 그중 일부는 좁은 거리를 자유롭게 돌아다니며 쓰레기 더미 사이에서 쿵쿵거린다. 반면 다른 돼지들은 뜰 안의 작은 돼지우리 속에 갇혀 있다. …… 맨체스터의 노동계급 구역 대부분에서 돼지 사육자들은 뜰을 임대하여 거기에 돼지우리를 짓는다. …… 그 뜰의 거주자들은 그들의 모든 쓰레기를 동물과 식물의 썩는 냄새가 …… 진동하는 …… 돼지우리 속으로 던진다.(Engels, 1958: 68)

이 묘사 속에서 산업풍경과 그 속의 불결한 돼지우리는 역사적 과정(공장제도의 확립, 농촌사람들의 도시로의 이주, 상업적 용도를 위한 공간 임대)의 결과이지만, 엥겔스는 후에 돼지의 잔존을 '부적절한 장소의 문제'로 보는 다소 다른 설명을 제시한다. 돼지의 존재는 19세기 중반 도시사회와 도시문화의 과도기적 성격을 암시하기보다는 돼지를 도시로 데리고 온 데 책임이 있는 사람들, 즉 떠돌이 생활을 하는 전산업적 아일랜드 사람들의 미개함의 한 지표이다. 엥겔스에 따르면, 아일랜드 사람들은 "자신들의 집 가까이에 돼지우리를 짓는 습관을 가지고 왔다. 만약 그게 불가능하다면, 아일랜드 사람들은 돼지가 자신의 침실을 함께 사용하게 내버려둔다. …… 아일랜드 사람들은 아랍 사람들이 자신의 말을 사랑하는 만큼 자신의 돼지를 사랑한다."(ibid.: 106)

그러므로 돼지 같음의 함의는 마찬가지로 자신과 분명한 차이를 드러내

는 다른 중요한 타자들에게로 전이될 수 있다. 엥겔스가 볼 때, 돼지 같은 아일랜드 사람들은 보다 규율 바른 영국 노동계급에게 자신들을 정의할 수 있는 부정적 기준을 제공한다. 집단과 사물을 가로지르는 이러한 함의의 이동은 롤랑 바르트Roland Barthes의 『신화Mythologies』(1972) 속에서 발견되는 두 번째 주요한 구조주의적 유산을 암시한다. 바르트는 자신의 연구 속에서 **외연적 의미**|denotation ― 과학적, 가치자유적 서술 ― 와 **내포적 의미**|connotation ― 이 속에서 사회적·문화적·정치적 신념과 가치가 하나의 현상에 부착된다 ― 간을 구분한다. 바르트식 구조주의는 외견상 자연스러운 또는 상식적인 의미들이 대상과 관행에 어떻게 부착되는지를 입증하는 가치 있는 기능을 수행한다. 이것의 한 예가 「스테이크와 감자튀김Steak and Chips」 신화 속에 나타나는 음식, 국민정체성, 그리고 제국주의 간의 관계에 관한 그의 논의를 통해 제시된다.

바르트는 스테이크를 그것의 외연적 의미 수준으로 축소하는 것에서 시작한다. 그는 스테이크는 피가 보이는 고깃덩어리라고 주장한다. 그것이 "고기의 본질이다. 스테이크는 그것의 순수한 상태에 있는 고기로", "그것이 거의 날 것"이라는 것에 의해 정의된다. "…… 피는 가시적이고 자연적이고 진하다"(Barthes, 1972: 62). 그것의 외연적 의미인 '피가 난다'는 것이 스테이크 요리의 용어들을 제약하고, 따라서 그 용어들은 단지 피가 남 ― 피가 흐르는saignant(설익은) 또는 시퍼런bleu(거의 날 것) ― 의 표현일 뿐이거나, 고기를 적당히 익힌à point 스테이크로 변형시키는 데서 요리가 수행하는 역할을 모호하게 하는 완곡어법일 뿐이다. 하지만 외연적 의미의 수준은 의미를 제한할 뿐만 아니라 또한 바르트가 '도덕률'이라고 부르는 것의 형태로 의미를 창출한다.

[설익은 스테이크]는 모든 기질에 이롭다고 가정되는데, 다혈질인 사람들에

게는 그것이 자신들과 동일하기 때문에, 신경질적인 사람들과 생기 없는 사람들에게는 그것이 자신들을 보충해주기 때문에 이익이 된다. [지식인들에게 스테이크는] 결점을 보완해주는 음식이다. 그것 덕분에 그들은 자신들의 지성주의를 산문의 수준에 이르게 하고, 피와 부드러운 육질을 통해 자신들이 끊임없이 비난받는 메마른 건조함을 쫓아낸다.(ibid.: 62)

이러한 스테이크의 일련의 내포적 의미는 근대적 삶에 가정된 메마름으로부터 자신을 상징적으로 분리시키는 날 것을 축으로 하고 있다. 바르트는 프랑스 사람들이 타르타르 스테이크steak tartare(생달걀과 잘게 다진 소고기의 조합)에 열광하는 것은 근대의 '병약함'에 대립하는 것으로서의 자연적인 것 및 전통적인 것의 건강함과 관련한 특히 응축적인 일련의 의미를 상징한다고 지적한다. 이러한 내포적 의미는 그 이상의 의미의 층을 산출한다. '미국식 스테이크'의 침입에도 불구하고, 스테이크는 심히 국민화된 식품, 즉 프랑스 요리의 '기본 요소'이다. 그것은 국민가족의 음식은유이고, 사회계급을 가로지르는 합의의 상징을 제공하고, "식생활의 모든 환경 속에서, 즉 값싼 레스토랑에서는 누런 기름이 들러붙은 구두 밑창처럼 납작한 질긴 고기로, 작은 술집에서는 두껍고 즙이 많은 고기로, 고급 요리에서는 살짝 그을린 겉 속에 육즙이 촉촉하게 남아 있는 입방체 모양의 고기로" 그 모습을 드러낸다(ibid.). 게다가 이 국민가족은 군사적 노력의 역사 속에도 침잠되어 있다. "스테이크는 국가의 일부로, 애국적 가치의 지표로 작동한다. 그것은 전시戰時에 애국적 가치를 상기시키는 데 일조한다. 그것은 프랑스 군인의 살 자체이고, 반역에 의하지 않고는 적에게 넘겨줄 수 없는 양도 불가한 자산이다"(ibid.). 이 에세이의 결론에서 이러한 내포적 의미들이 결합하여 전후 프랑스 역사의 위기에 대한 마술적 해결책을 제공한다. 1950년대 프랑스 제국의 굴욕적인 위축의 순간에 스테이크와 감자튀김은 분명한 패배의 이면에

숨어 있는 심층적인 수평적 동료애와 자연적 가치의 상징으로 제시된다.

그러므로 바르트는 의미화가 차이로부터 산출된다는 소쉬르식 입장으로부터 의미화가 의미의 전이와 조합에 의해 산출된다는 구조주의로 이동한다. 바르트는 이 연구를 통해 사회적 행동의 여타 형태들에 대해 음식이 갖는 중심적 위치를 인식하고, '진정한 음식문법'(Barthes, 1997: 22)이 일련의 근대 사회적 삶을 조명하는 데 필요하다고 주장한다. 그는 업무를 겸한 점심식사에 대한 논의에서 다음과 같이 논평한다.

> 먹기는 그 자신의 목적을 넘어서까지 전개되는 행동으로, 다른 행동들을 대체하고 축약하고 시사한다. …… 그러한 다른 행동들이란 무엇인가? 오늘날 우리는 활동, 노동, 스포츠, 노력, 여가, 축하연 모두가 그러하다고 말할 수 있을 것이다. 이러한 상황 모두가 음식을 통해 표현된다. 우리는 대체로 이러한 음식의 '다의화polysemia'가 근대성을 특징짓는다고 말할 수 있다.(ibid.: 25)

그러므로 좀 더 미묘한 뉘앙스의 구조주의는 의미가 순전히 차이를 통해 산출되는 것이 아니라 분화와 결합 모두를 통해 형성되는 것으로 파악한다. 이것은 다시 우리로 하여금 의미의 **완전성**에 대해 의심하게 한다. 의미는 다른 기표들 속에서 하나의 흔적으로 제시되지만(스테이크 속의 프랑스적인 것), 그것은 결코 완전하게 제시될 수 없다. 프랑스적인 것 또는 스테이크 또는 업무를 겸한 점심식사는 결코 그 자체로는 의미를 지닐 수 없다. 그것들은 오직 다른 기호와의 결합을 통해서만 의미를 지닌다. 게다가 의미화 과정 동안 자신으로부터 배제되어온 '타자'는 결코 완전히 외부화될 수 없다. 「스테이크와 감자튀김」이라는 에세이 속에는 이적행위, 식민지에서의 패배, 미국식 스테이크에 대한 음험한 암시가 존재한다. 각각의 기호에서 그것을 산출하기 위해 배제해온 기호의 흔적 또는 자신과 타자의 경계를 유지하기 위해 요구되는 긴장의 증거를 읽을 수도 있다.

이 덜 안정적인 기호 관념은 문명화된 자아 관념이 근대 초기의 시기 동안에 돼지와의 대비를 통해 형성되었다는 우리의 앞서의 논평을 복잡하게 만든다. 마찬가지로 우리는 문화로부터 돼지 같음을 배제하기 위한 어떠한 시도도 인간과 돼지가 서로 가깝다는 점을 보여줄 수밖에 없을 것이라고 말해야 할지도 모른다. 스텔리브래스와 화이트(Stallybrass and White, 1986)는 이러한 외견상 배타적인 것으로 보이는 범주들이 중첩되어 있음을 다방면에 걸쳐 검토했다. 스텔리브래스와 화이트는 미하일 바흐친Mikhail Bakhtin의 연구로부터 큰 영향을 받은 구조주의를 인간 - 돼지 관계에 적용시키면서, '고전' 구조주의로부터 사랑받는 이항대립이 일반적으로 '이단적 요소들의 병합'으로 재인식될 수 있다고 주장한다(Stallybrass and White, 1986: 46; 바흐친에 대한 보다 자세한 논의는 제3장을 보라). 그들은 돼지가 양가적인 피조물, 즉 인간과 동물 간의 주요한 대립을 위반하는(돼지의 핑크빛 피부 색소는 유럽 갓난아이의 살과 유사하다), 그리고 외부와 내부 간의 대립을 위반하는(돼지는 집 가까이서 그리고 때로는 집 안에서 사육된다) 경계동물이라고 주장한다. 여기서 음식의 의미는 소쉬르식 모델에서보다 훨씬 덜 안정적인 것으로 보인다.

따라서 우리는 문화연구가 구조주의에서 파생한 이론들 내에서 점점 더 복잡해지고 있는 많은 자원들을 발견해왔다고 주장했다. 다양한 구조주의가 **공유하고** 있는 것은, 의미가 전적으로 사적인 경험이 아니라 공유된 의미화체계의 산물이라는 소중한 인식이다. 하지만 그러한 구조들이 공유되는 만큼, 구조주의적 분석은 자주 비관적인 상황으로 내몰린다. 즉 구조주의에서는 구조가 인간 주체에 앞서 존재하면서, 세계에 대한 인간의식을 뿌리 깊이 틀 짓고 세계 내에서 인간의 행동을 제약한다는 것이다. 가장 엄격한 형태의 구조주의에서 이것은 사람들의 마음과 행동을 사로잡고 대안을 금지하는 하나의 '지배 이데올로기'나 매한가지이다.

문화에 대한 이러한 설명은 만족스럽지 못하다. 왜냐하면 사람들의 행동은 분명 기존 구조에 의해 완전히 결정되는 것이 아니기 때문이다. 실제로 구조주의의 일부 형태들은 이것을 인정한다. 우리가 살펴보았듯이, 바르트는 각 계급은 그 계급이 스테이크에 대해 가지고 있는 의식을 응축하고 있는 스테이크를 먹는다고 인식한다. 우리는 구조주의적 틀 내에서 일어난 보다 분명한 '문화주의적' 전환을 노스이스트 잉글랜드 어린아이들의 사탕 먹기에 대한 앨리슨 제임스(Alison James, 1982)의 연구에서 찾아볼 수 있다. 제임스는 방언 'ket'가 성인과 어린아이에게 상이한 의미를 지니고 있다고 진술한다. 성인에게 그 말은 '쓰레기(같은)rubbish'라는 명사 또는 형용사이다. 반면 아이들에게 그 말은 시코 디스크스Syco discs와 슈퍼소닉 플라이어스Supersonic Flyers와 같은 멋진 이름을 가진 반짝거리는 사탕을 총칭하는 용어이다. 제임스는 어린이들에게서 발생하는 그러한 사탕의 의미화를 이해하기 위해서는 우리가 성인 음식의 구조와 어린아이 세계 내에서 일어나는 성인 구조의 체계적 전도 모두를 이해할 필요가 있다고 주장한다. 성인의 구조화된 먹기 의례는 식기와 식사도구를 사용하고 식사시간의 시간 순서를 지키고 되씹기보다는 삼킨다. 이 모든 경우에서 케트ket는 일반적으로 인정된 순서의 와해를 의미한다. 케트는 대체로 포장되어 있지 않고, 더러운 손가락으로 집어 먹고, 식탁 아래쪽에 붙어 있고, 입에서 삐져나와 남에게 보이고, 식사시간 사이에 먹는 것이다. 제임스는 다음과 같이 지적한다.

은유적 의미에서의 쓰레기를 소비하는 이러한 능력은 어린아이들 문화의 본질적 부분이다. 아이들은 …… 그들 자신의 본래 모습을 확립해줄 수 있는 하나의 대안적 의미체계를 모색해왔다. 거기서는 어른의 질서가 조작됨으로써 어른들이 존중하는 것은 어리석어 보이게 만들어지고, 어른들이 경

멸하는 것은 위세를 부여받는다.(James, 1982: 305)

그러므로 어린이의 음식문화는 지배적인 친숙한 음식구조 내부에도 그리고 그것과 대립해서도 존재한다.[1] 제임스는 이 체계적 위반 내에서 우정, 유머, 자기정의, 그리고 통제에 대한 저항을 발견했다. 이 모든 것은 현재의 권력 행사에 대한 대안들이다. 그럼에도 불구하고 이러한 창조성이 식사구조의 권위나 보다 광범한 의미에서의 권위에 대한 영원한 도전을 의미하지는 않는다. 구조주의적 방식에서 볼 경우, 케트에 대한 아이들의 집착은 진정한 식사를 확립시켜주는 부당한 타자로 재인식될 수도 있다. 일단 아이들이 어른들의 상징적 질서를 받아들이고 또 그것에 의해 받아들여진다면, 그 아이는 사회화 이전의 타자성의 오류를 이해하게 될 것이다. 하지만 사람들이 지배구조 내에 어떻게 그들 자신의 음식문화를 만들어내는가 하는 의문은 여전히 하나의 문제로 남아 있다. 우리는 이 문제를 검토하면서 돼지우리와 사탕가게를 얼마간 사회적으로 떠나 있을 것이다.

음료와 문화주의

레이몬드 윌리엄스Raymond Williams의 에세이 「문화는 일상적이다Culture is Ordinary」(1958년에 처음 발표)는 '문화'를 초시간적인 예술작품의 축적이라기보다는 살아 있는 평범한 어떤 것으로 재정의하려는 초기 시도들 중의 하나이다. 이 에세이에서는 기본적으로 문화를 일단의 표현관행들 — 인쇄물, 영화, 텔레비전 — 로 정의하지만, 이 용어는 전후 영국에서 이용할 수 있는 일련의 물질적 형태들 — 즉 "배관공사, 베이비 오스틴스라는 자동차, 아스피린, 피임약, 통조림 식품"이라는 새로운 세상 — 을 포괄하기 위해 사용되기도

한다(Williams, 1993: 11).

윌리엄스가 통조림 식품을 선택한 것은 우연이 아니다. 윌리엄스는 잡지 ≪스크루티니Scrutiny≫와 연관된 전통 내에서 그리고 그와 동시에 그것에 맞서서 저술활동을 했다. ≪스크루티니≫는 문학연구가 산업화와 '대중'문 화가 유발한 것으로 가정되는 지적·도덕적 표준의 쇠락을 어떻게 상쇄할 수 있을지에 관심을 가지고 있었다. 새로운 물질문화에 대한 윌리엄스의 간결 한 생각은 ≪스크루티니≫의 견해를 반영하는 핵심 텍스트인 리비스F. R. Leavis와 데니스 톰슨Denys Thompson의 『문화와 환경Culture and Environment』 (1933)과 맞닿아 있다. 비록 그 책의 주요 표적이 한 시점에서 "물질적 재화 의 영역 **외부**에서 [발생한] 표준화와 하향평준화"(ibid.: 3)이지만, 그 책은 '유 기적인' 멕시코 농민공동체의 식생활과 그것을 잠식해들어오고 있는 근대 세계의 식생활을 비교한다. 시골사람들이 옥수수, 콩, 과일, 야채, 우유, 꿀, 달걀, 고기, 쌀, 초콜릿, 브랜디, 풀케pulque, 맥주로 식사하고 있다면, 대량생 산은 "오래되고 식욕을 돋우지 못하는 것처럼 보이는 …… 통조림 식품" (ibid.: 133)이 놓여 있는 초라한 선반에 의해서만 표상된다. 저자들은 그 책에 서 다루고 있는 영국 초등학생들에게 자신들이 살고 있는 타운을 조사하여 근대성이 진척시킨 표준화의 한가운데서 '독자적인' 음식공동체의 흔적을 찾아볼 것을 요청한다.[2] 윌리엄스가 상업세계에 대해 우려하고 있음에도 불 구하고, 그가 진정한 문화형태와 진정하지 않은 문화형태라는 이항대립주 의binarism를 거부한다는 점과 그것이 갖는 의미를 인식하는 것이 중요하다.

동시에 윌리엄스는 문화가 (재)생산되는 장소의 확산을 강조한다. 문화는 영국의 옛 촌락과 대학 타운들에서만이 아니라 "부틀Bootle과 서비튼Surbiton 과 애스턴Aston"의 새로운 교외지역에서도 발견될 수 있다. 그는 자신이 대 학생이 되어 웨일즈에서 케임브리지로 이사한 것을 기술하는 것으로 그 에 세이를 시작한다. 그가 도착하자마자 문화에 대한 권위를 주장하는 사람들의 상징적 폭력을 경험하는 곳이 바로 한 음식공간이다.

> 나를 우울하게 만든 것은 대학교가 아니었다. 그러나 마치 더 오래되고 더 존경할만한 부문들 중의 하나인 것처럼 행동하는 찻집은 다른 문제였다. 거기에는 문화가 있었다. 그러나 그것은 내가 아는 어떤 의미에서가 아니라 특별한 의미에서의 문화였다. 즉 그것은 특별한 종류의 사람들, 즉 교양 있는 사람들의 외형상의 그리고 특히 가시적인 기호였다. 그들 대부분이 특별히 박식한 것은 아니었다. 그들 중 예술에 종사하는 사람은 아주 소수였다. 그러나 그들은 문화를 가지고 있었고, 자신들이 가진 것을 보여주었다. …… 만약 그것이 문화라면, 우리는 그것을 원치 않는다. 우리는 그간 다르게 사는 사람들을 보아왔다.(Williams, 1993: 7)

여기서 찻집은 이데올로기를 담고 있는 공간, 즉 '다른 사람들'의 살아 있는 문화와 대비되는 하나의 잔여문화이다. 그러나 찻집은 문화를 배타적인 것으로 고려하는 입장에서는 하나의 호기심을 끄는 장소이다. 1939년에 케임브리지에서 차 마시기 의례가 정확히 무엇이었든지 간에, 그 세기 중반의 문화에는 차와 찻집을 접속지점으로 하는 광범위한 배후지가 존재한다. 양차대전 사이 기간의 영화관 찻집과 영화 <밀회Brief Encounter>(1945)의 철도역식당과 같은 (종종 여성의) 사교장소, 제2차 세계대전 기간의 노동자 구내식당과 '영국식 레스토랑'과 같은 국가시설, 그리고 스태퍼드셔 포터리즈 Staffordshire Potteries 또는 리용스코너하우스Lyons Cornerhouse의 '클리피스clippies'와 같은 노동문화가 그것들이다. 그러므로 차와 찻집은 "부틀이자 서비튼이고 애스턴"이며, 사실상 그것들의 또 다른 변형이 케임브리지이다.3 따라서 윌리엄스가 찻집을 경계 지어진 방어적 공간으로 제시하는 곳에서, 즉 색다른 어딘가에서, 우리는 단지 찻집의 배타성뿐만 아니라 그러한 음식공간을 응집시키는 의미 있는 일상적 관행을 떠올림으로써, 그가 말하는 문화의 일상성 관념에 부응하기 시작할 수도 있다. 그러한 방식으로 생산자이자 소비자로서 사람들은 산업화된 대중사회의 재화, 관행, 제도들로부터 조립하기는 하지만 (리비스와 톰슨이 분석한) 위험에 처한 멕시코 농민들과 동일한 풍요함을 지닌 음식문화를 만들어낸다.

윌리엄스의 저작은 일반적으로 '문화주의'에 이바지한 것으로 특징지어진다. 이 분석적 방법은 전통적으로 구조주의와 양립할 수 없는 것으로 인식된다. 이 차이를 이해하는 하나의 단순화된 방법이 칼 마르크스Karl Marx의 저작에 등장한다. 마르크스는 『루이 나폴레옹의 브뤼메르 18일The Eighteenth Brumaire of Louis Napoleon』에서 사람들은 "그들 자신의 역사를 만들지만, …… 그들은 자신들이 선택한 조건하에서 역사를 만들지 않는다"(McLellan, 1977: 300에서 인용함)고 지적한다. 구조주의는 이 논평의 두 번째 부분을 지향하는 것으로 볼 수 있다. 이 입장에 따르면, 정신적·사회적 구조는 인간 주체에 앞서 존재하며, 불평등한 사회의 유지에 적합한 방식으로 사람들의 사고와 생활방식을 조직화한다. 다른 한편 문화주의는 남성과 여성을 그 자신의 역사를 만드는 주체로 회복시킨다. 구조가 인간을 조직화한다고 주장한다는 점에서 구조주의가 반反인본주의적이라면, 주관적 경험의 중요성을 주장한다는 점에서 문화주의는 기본적으로 인본주의적이다. 문화주의는 E. P. 톰슨(Thompson, 1982: 12)이 "후손들의 터무니없는 저자세enormous condescension of posterity"라고 부른 것 ― 민중은 지배적 사회집단의 봉이었다는 것과 그들의 창조적 생산물은 무가치한 것이 되었다는 것 모두를 의미하는 ― 으로부터 종속집단들을 구해내는 데 필요한 연구를 수행해왔다.

비록 문화주의가 다양한 그리고 종종 모순되는 권위와 예속의 축(젠더, 인종, 섹슈얼리티)을 따라 사회가 분할되는 방식에 다소 민감한 반응을 드러냈지만, 그것의 '민중' 관념은 대체로 계급문제, 특히 남성 노동계급 문화를 가장 중요시하는 마르크스주의에 빚지고 있는 관념이었다. 영국의 문화연구 역시 대체로 다른 나라의 문화보다는 그 지역 고유의 문화표현, 즉 '영국적인 것의 특수성'에 관심을 기울여왔다. 음식문화와 관련하여 문화주의적 분석에서 가장 중요한 공간이 선술집pub — 즉 백인 노동계급의 영국적 특질에 전형적인, 그리고 종종 낭만화된 공간 — 이었다.

대중오락에 대한 중간계급의 적대감을 다룬 로버트 말콤슨(Robert Mal-colmson, 1973)의 연구와 런던의 노동계급 문화의 재형성을 다룬 가레스 스테드만 존스(Gareth Stedman Jones, 1974)의 연구는 대중문화를 설명하면서 선술집을 다방면에서 고찰한다. 비록 말콤슨이 민중축제가 쇠퇴한 시기를 18세기 후반까지로 거슬러 올라가서 추적하고 스테드만 존스가 19세기까지 거슬러 올라가 추적하지만, 이 두 저자는 민중문화가 초기 근대성으로부터 공격을 받고 있는 것으로 제시한다. 말콤슨은 술 마시기가 18세기에 비난받은 피를 보는 스포츠, 마을 대항 풋볼경기, 풍물시장을 포함하여 다수의 오락에 동반된 윤활제였다고 주장한다. 이들 행사와 그것에 동반된 술잔치에 대한 부르주아의 개입은 태도와 상황에서 일어난 보다 일반적인 변화를 시사했다. 그중에서도 특히 노동자들에 대한 규율의 강제는 농경시대에서 공장시대로 이행하게 했고, 대중적 (잠재적으로 통제할 수 없는) 환락에 비해 '가정적 평안'에 이데올로기적 특권을 부여했다.

스테드만 존스는 약간 다른 주장을 한다. 그는 음주축제와 선술집이 계급체계를 일시적·잠정적으로 재정돈하여 모든 계급이 즐길 수 있게 했다고 주장한다. 즉 "선술집은 모두를 위한 사회적·경제적 시설이었고, 과음은 노동자만큼이나 고용주에게도 흔한 일이었다"(Stedman Jones, 1982: 95). '성적 부도덕'에 대한 중간계급의 개입은 이러한 범계급적 시설을 분열시켰지만, 그것이 결정적으로 노동계급으로 하여금 중간계급의 절제 기준을 수용하게 만드는 결과를 가져오지는 않았다. 오히려 선술집과 연예장은 노동계급의 전형적인 여가공간이 되었다. 대체로 이 공간은 노동계급 이외의 계급(그리고 노동계급 여성의 대부분)에게는 접근이 허용되지 않았다.

> 자신들의 오락을 위해 새로운 장소를 찾아야만 했던 보통 사람들은 점점 더 퍼블릭 하우스 — 지배계급의 성원들은 접근할 수 없는 '폐쇄된' 공간 — 로 발을 돌렸다. 이 과정은 …… 모든 계급에게 여가의 사사화 — 즉 여가가 계급 속박적이 되고 해당 계급 이외의 계급은 발을 들여 넣을 수 없게 되었다는 의미에서의 사사화 — 를 수반했다.(Bennett, 1981: 10)

그러므로 역사적인 문화연구에서 선술집은 영국에서 자본주의가 공고화되던 시기 동안에 (비록 논쟁이 있기는 하지만) 노동계급 여가의 전형적 장소로 인식되었다. 하지만 영국에서의 현대적 삶을 다루는 문화연구 흐름 속에서 선술집은 보통 쇠퇴하고 있는 시설로 기술된다. 리처드 호가트Richard Hoggart의 『교양의 효용Uses of Literacy』(1957)은 비록 선술집이 혼란과 위험의 장소라는 것을 알고 있지만, 그것을 여전히 남아 있는 노동계급의 실제적인 사교의 장소로 간주한다. 그에 반해 밀크 바milk bar라는 새롭고 상당히 미국화된 공간은 전례 없는 심미적·사회적 와해의 장소로 등장한다(Hoggart, 1968: 248). 유사하게 존 클라크(John Clarke, 1979)는 양조산업에서의 과점경향과 새로운 소비자를 유인하는 쪽으로의 마케팅 이데올로기의 이전을 분석하면서, 보다 진정한 과거를 향수적으로 환기시킨다. 전쟁 이전의 노동계급은 선술집과 그가 '회원'이라고 묘사하는 관계에 있었다. 그 관계에서 선술집은 '일종의 식민화된 제도'였다. 노동계급이 공식적인 소유권을 가지고 있지는 않았지만, 선술집의 디자인과 이용은 노동계급의 후원 아래 이루어졌다. 하지만 양조 카르텔의 발전은 새로운 경향을 낳았다. 즉 양조장을 통제하는 관리자들이 자유토지 보유자와 차지인을 대체하고, 또 선술집이 폐쇄되거나 새롭게 단장되고, 전에는 배제했던 사회집단들을 끌어들이기 위해 광고를 하기 시작했다.

> 새로운 소비자는 연령(젊고), 계급(무계급적), 취향(맥주가 아니라 캄파리 Campari) 면에서 다르다. 새로운 소비자를 끌어들이려는 이러한 시도는 술을 마시는 사회적·경제적 조건을 근본적으로 바꾸어놓았다. …… 이러한 변화는 술꾼들에게 새로운 정체성 ─ '회원'이 아닌 '소비자'의 정체성 ─ 을 요구하는 기능을 한다.(Clarke, 1979: 245)

이처럼 문화주의의 설득력은 민중의 살아 있는 경험을 '두껍게' 기술하는 데 있지만, 선술집의 사례는 이 접근방식이 안고 있는 한 가지 중심적인 문제를 시적해준다. 문화주의적 저술가들은 '진정한' 형태의 노동계급 문화를 재구성하고자 시도하면서, 현대생활에서 문화생산의 고도로 구조화된 조건에 기대지 않을 수 없다. 우리가 계속해서 노동계급의 선술집 문화(또는 여성문화나 영국 흑인문화 또는 게이 선술집 문화)를 고찰하고자 할 경우, 우리가 아무리 의미를 민중에게 다시 부여하고자 할지라도, 우리는 풍경을 개조하고 상품을 생산하고 새로운 소비집단을 (완전히 결정하지는 않더라도) "큰 소리로 불러대는" 여가산업, 광고업자, 정부의 힘에 직면할 수밖에 없을 것이다. 하지만 이러한 구조의 존재는 문화를 독특한 사회집단과 계급들 사이에서 발생하는 의미와 가치인 **동시에** …… 그러한 "인식이 표현되는"(Hall, 1981: 26) 살아 있는 전통과 관행으로 보는 어떠한 관념도 혼란에 빠뜨린다. 현재 이러한 두 가지 의미를 함께 가지는 것이 불가능해진 문화주의가 드러내는 반응은 자주 과거에 그러한 통합된 문화형태들이 존재했음을 향수적으로 확인하는 것이다.

우리는 이와 유사한 문제인, 진정성에 대한 집착을 영국 이외의 민족지에서도 발견할 수 있다. 이를테면 미셸 드 세르토와 그의 동료들Michel de Certeau et al의 『일상생활의 관행: 삶과 요리Practice of Everyday Life: living and cooking』 (1998)는 음식을 예속민의 저항 전략의 모범사례로 이용한다. 비록 드 세르토 자신이 '요리상의 기교'가 "즐거움과 조작 사이에 다양한 관계"를 만들어낸다고 주장하기는 하지만(ibid.: 3), 그의 공저자 루스 지아드Luce Giard는 자신의 연구를 기술하면서 그러한 요소들의 작동을 최소한으로만 인정하고, 대신에 일상생활이 지배적 형태의 문화생산으로부터 하나의 피난처를 제공한다고 주장한다. 그에 따르면, "막대한 권력과 제도라는 현실의 배후에는 …… 미시적 저항이 [존재한다]. 이러한 미시적 저항이 다시 미시적 자유를 발견하고, 보통 사람들 가운데 숨어 있는 생각지도 않은 자원을 동원하고, 그러한 방식으로 사회적·정치적 권력[의] 영향력의 진정한 경계를 바꾸어놓는다"(ibid.: xxi).

우리가 선술집과 찻집에서 살펴보았듯이, 문화주의는 그러한 미시적 지배와 미시적 저항의 드라마를 포함하는 경계 지어진 공간에 관심을 가지는 경향이 있다. 문화의 공간적 고립은 문화주의가 진정성을 시간적으로 탐구하는 것과 동일한 방식으로 이루어진다. 즉 그것은 사회적 권력의 정상적 작동이 적어도 일시적으로 중지되는 것으로 보이는 지대를 설정한다. 『일상생활의 관행』은 기존 질서가 와해되는 두 개의 특권적 공간을 다루고 있다. 그 하나가 피에르 마욜Pierre Mayol이 묘사한 지역이고, 다른 하나는 지아드가 분석한 여성의 몸이다. 이 두 장소를 조사하는 것은 문화주의 내에 도사리고 있는 본질주의의 위험을 일정 정도 인식할 수 있게 해준다.

마욜이 묘사한 지역이 바로 리용의 크루아루스Croix-Rousse 구역이다. 이 구역은 인구감소, 거주인구의 노령화, 학생과 이주민과 같은 새로운 집단의 유입을 경험하고 있는 "과도기에 있는 지역"이다. 이러한 변화로 인해 그 구역의 특색을 이루던 작은 상점들 대부분이 문을 닫았지만, 마욜은 변화에도 살아남아서 초창기의 공동체적 행동양식과의 연결고리를 보여주는, '로버트'가 운영하는 식품점에 초점을 맞추고 있다. 마욜이 이 연결고리를 가지고 구성한 드라마는 반주용 포도주 30병을 구매하는 것에 대한 보상으로 고급 포도주 한 병을 주는 것을 포함하는 충성의례이다. 마욜은 이 의례를 이웃과 잘 사귀는 방법이자 그 구역이 자본주의의 상업적 관계에 저항하는 방법으로 바라본다.

> 우리는 여기서 (단지 상업적이고 계산 가능한) 구매가 (상징적이고 유익한 잉여의) 교환으로 대체되고 있음을 목도한다. 즉 그 지역의 관행은 다수의 유력한 매개자들(이를테면 회사가 광고캠페인을 통해 그 게임을 조직화하는 것) 없이 단지 연고체계를 원활하게 작동시켜나가는 것이다. 따라서 로버트는 **더 많은 와인 소비를 하게 하기 위한 자극제라기보다는 되풀이되는 친화관계의 표시로** …… 고급 와인 한 병을 제공하여, **그와 그의 파트너-관련자들을 결합시켜주는 약속을 계속해서 맺어나간다.**(de Certeau et al., 1998: 96, 강조 첨가)

이 지역이 자본주의 밖에서 또는 자본주의 이전에 형성된 것과 마찬가지로, 여성성과 요리에 대한 지아드의 글은 가부장제의 침입에서 벗어나 있는 하나의 신체적 구역을 구성한다(지아드에 대한 좀 더 자세한 논의로는 제8장을 보라). 그녀는 부엌에서의 여성의 행동거지를, '요리하는 여성들le peuple feminin des cuisines'이 대중문화와 언어적-가부장제적 질서 모두의 함정을 피해온 수단으로 파악한다.

> 나보다 앞서 살았던 여성들은 글쓰기를 빼앗겼다. …… 나는 단어로 이루어진 시를 제스처로 이루어진 시로 번역하기를 좋아한다. …… 우리 중 누군

가가 당신의 양육지식을 보존한다면, 당신의 온화한 인내심의 비법이 손에서 손으로 그리고 세대에서 세대로 전해진다면, 당신의 삶의 단편적이지만 잊히지 않은 기억은 살아남을 것이다. 기본적인 제스처의 정교한 의례화가 내게는 단어나 텍스트의 지속성보다 더 소중한 것이 되어왔다. 왜냐하면 몸의 테크닉이 피상적인 유행으로부터 더 잘 보호되는 것으로 보이기 때문이다.(de Certeau et al., 1998: 154)

그러니까 여기에는 '무수한 익명의 여성들'을 후손들의 저자세로부터 구출하려는 시도가 자리하고 있다. 하지만 마욜 그리고 보다 일관되게는 지아드 모두에게서 종속집단의 문화subaltern culture와 지배권력(자본주의, 가부장제) 간의 관계는 실망스럽게도 여전히 자세히 설명되지 않고 있다. 그 대신에 그들은 예속집단의 문화는 전체 문화라는 지배범주의 외부에서 존속할 수 있다는 인상을 준다. 이것은 선택적 무지('패션의 피상성'으로부터 몸가짐을 지킨다는 지아드의 주장은 패션이 강력하게 실체화되는 장소로서의 몸을 무시한다)를 드러낼 뿐만 아니라 또한 지배범주들을 받아들이고 나서 (고급문화보다는 민속문화 또는 민중문화로, 소리보다는 침묵으로, 엘리트보다는 민중으로) 그것의 위계서열을 전도시킬 뿐이다. 인류학에서 수행된 한 음식문화 사례 연구, 즉 트리니다드Trinidad에서의 청량음료 소비에 대한 다니엘 밀러(Daniel Miller, 1997a)의 연구는 일상생활에 대한 두꺼운 기술thickened description이 지배자와 종속자 간의 복잡한 권력관계를 얼마나 잘 보여줄 수 있는지를 예증하는 것이기도 하다.

밀러의 주제는 '메타상품meta-commodity' ― 글로벌 또는 '후기late' 자본주의하에서 생산자와 소비자 간의 관계에 대한 일반적 진리를 예증하기 위해 사회과학에서 사용하는 대상 ― 이다. 밀러가 선택한 메타상품은 코카콜라이다. 그리고 그는 대부분의 저술이 소비자들이 음료에 대해 만들어낸 의미를 통해서보다는 오히려 기업 전략의 검토를 통해 그 음료의 의미에 접근하고 있다고 지적한다. 그러한 연구는 일반적으로 기업정책을 소비자 반응으로 전환시키는 메커니즘이 직접적이고 단일방향적이라고 제시한다. 하지만 이러한 상품권력 이론에 의문을 제기하게 하는 경험적 근거들이 존재한다. 펩시의 인기 증가에 대응하여 코카콜라의 성분이 바뀌었을 때, 이 새로운 제조법에 대해 소비자들이 강한 반감을 드러냈고, 그것은 코카콜라 회사로 하여금 '고전적 스타일의' 콜라로 돌아가게 했다. 동시에 자신의 생산관행에 의해 회사의 단일한 권위는 붕괴되었다. 역사적으로 코카콜라의 성공은 코카콜라 농축액을 지역에서 음료판매독점권을 가진 지역병입기업에 판매하는 프랜차이즈 제도에 입각하고 있었다. 그러므로 지역 마케팅 관행은 기업의 글로벌화 경향과 불화를 일으킬 수 있다. 동시에 지역 소비관행이 상품을 경험하는 방식을 규정한다.

밀러는 이를 설명하기 위해 트리니다드에서의 콜라 소비를 분석한다. 이 섬에서 달콤한 음료는 결코 그 지역 또는 주민이 감당할 수 없는 수입 사치품으로 간주되지 않는다. 그 대신에 그것은 분명히 트리니다드 음료로 인식된다(그것은 미국으로부터 수입되기보다는 오히려 다른 카리브해 나라들로 수출된다). 즉 그것은 (정부의 가격유지에 의해 보호되는) 기본 필수품으로, 그리고 (그냥 마시거나 럼주에 섞어 마시는) 보통 사람들의 음료로 인식된다. 밀러는 다양한 콜라 프랜차이즈들이 토착기업들을 통해 지역에서 콜라를 병입한다고 지적한다. 그 토착기업들의 비율은 그 섬의 인종비율과 일치한다. 비록 백인 집단과 중국인 집단도 이 다양한 구성의 일부를 차지하지만, 중요한 차이는 아프리카계 트리니다드 사람과 동인도계 트리니다드 사람들 간에 있다. 전자가 '주류문화'의 지위를 차지하고 있는 반면, 후자는 그러한 차이를 실제로 육체적으로 구현하고 있다. 이러한 구별짓기는 해결을 필요로 하는 우려되는 사회적 모순 중 하나이다. 콜라는 청량음료 의미체계의 일부를 형성하고, 그러한 의미체계는 이 인종적 분할을 극화하고 또 그럼으로써 그것을 해소한다.

인종적 의미체계는 '붉은 달콤한 음료'와 '검은 달콤한 음료' 간의 이항대립주의에 의거한다. 붉은 음료('레드 팟', '콜라 샴페인')는 '동인도 주민의 변형태'이다(Miller, 1997a: 178). 왜냐하면 그것은 분명한 인도적 특질을 내포하는 의미를 담고 있기 때문이다. 인도인이 사탕수수밭에서 노역노동자의 역할을 수행한 결과 특히 단 것을 좋아한다고 가정되는 것과 마찬가지로, 붉은 음료가 검은 음료보다 더 단 것으로 널리 가정된다. 게다가 붉은 음료는 일반적으로 인도의 간식 메뉴인 로티roti와 함께 나온다. 트리니다드에서 성공을 거둔 광고의 유혹 문구인 "붉은 음료 한 잔과 로티 한 개a red and a roti"는 여기에서 나온 것이다. 한편 검은 음료(코카콜라는 단지 그중 높은 지위에 있는 하나의 음료일 뿐이다)는 부분적으로는 콜라와 럼주의 결합 때문에 흑인과 백인 주민들을 더욱 연상시키는 도시적인 의미를 내함하고 있다. 하지만 밀러가 보여주듯이, 이러한 내포적 의미는 소비자들에 의해 트리니다드에 내재하는 분할을 극복하는 하나의 방식으로 개조되어, 트리니다드의 정체성 의식을 산출한다.

여러 가지 점에서 오늘날 붉은 음료가 함의하는 '인도 사람'은 인도인들이 이전에 어떠했는지 또는 어쩌면 여전히 어떠할 것이 틀림없는지에 대한 아프리카 사람들의 보다 향수 어린 이미지이다. 따라서 "붉은 음료 한 잔과 로티 한 개"라는 표현이 실제로 오늘날 로티의 열렬한 소비자인 아프리카계 트리니다드 사람들에게 더 호소력을 지닌다는 것은 어쩌면 당연할 것이다. 한편 일부 인도계 주민들은 …… 거리낌 없이 코카콜라를 좋아한다고 말한다. 실제로 트리니다드 사람이 된다는 것은 다양한 민족성을 통합하는 것이다. 따라서 어떤 의미에서 "붉은 음료 한 잔과 로티 한 개"를 먹는 아프리카 사람들은 그들이 기꺼이 받아들일 수 있는 형태의 인도적 특질을 수용함으로써, 자신들이 트리니다드 사람이라는 의식을 실행하고 있다.(Miller, 1997b: 35)

이처럼 문화주의는 경계 지어진 주민들이 지니고 있는 평범한 의미에 특히 주목해온 음식문화 연구방법의 하나이다. 우리가 살펴보았듯이, 이러한 의미 되찾기는 때때로 종속집단이 자신들의 존재조건을 재형성하는 능력을 과대평가하게 하거나 구조화된 불평등 문제를 전적으로 무시하게 해왔다. 그러나 밀러의 다소 상이한 '두꺼운 기술'은 사람들이 지역적 의미와 지구적 권력구조 사이에서 반드시 선택해야만 하는 것은 아니라는 것을 보여준다. 이 두 가지는 상품과 관행의 지역적 의미와 생산(그 자체로 지역적 생산과 지구적 생산으로 분할되어 있는), 규제, 소비 간의 상호작용 모두를 강조하는 복잡한 문화구성체로 접합될 수 있다.[4] 그렇지만 밀러는 지역적 의미와 지구적 권력 간의 모순을 옳게 지적하면서도, 그러한 모호한 상황에서 권력이 어떻게 유지되는지에 대해서는 검토하지 않고 있다. 왜냐하면 그의 의도는 권력 이론 자체를 제시하기보다는 극단적으로 단순화된 지구화 분석을 복잡하게 만드는 것이기 때문이다. 하지만 우리가 알다시피, 문화연구는 권력에 지대한 관심을 기울여왔다. 우리가 지금부터 고찰할 것이 바로 그러한 영역에서 권력과 행위가 서로 접합되는 방식이다.

도축장과 헤게모니

우리는 구조주의와 문화주의가 그 지향상의 명백한 차이에도 불구하고 지배 이데올로기가 위로부터 강요되고 아래로부터는 저항받는다는 공통의 신념을 공유하고 있음을 살펴보았다. 이러한 설명은 권력분포가 어느 시대든 항상 변화한다는 점을 감안할 때 적절하지 못하다. 오히려 '지배'집단은 그들의 의지를 강요하기보다는 그들의 하위집단들로부터 일정 정도의 동의를 받아 지배하고, 그러한 동의의 유지는 항상 그 자리가 바뀌는 지배자와 피지배자 관계에 달려 있다.

영국 군주제는 그러한 자리 바꾸기 시도의 한 가지 사례를 제공한다. 1997년 다이애나 왕세자비의 사망 이후, 엘리자베스 여왕은 군주가 신민의 일상적 삶을 동정한다는 것을 보여주기 위해 기획된 일련의 공개행사에 참가했다. 그것은 그녀가 드라이브 인 맥도날드 레스토랑을 방문하고, 일군의 학생들에게 연속극 <이스트엔더스EastEnders>를 즐긴다는 것을 털어놓고, 가장 주목되는 것으로 글래스고의 주택건설계획을 둘러보고, 지역 거주자 수잔 맥카렌과 차를 마시는 것으로 일정을 마치는 것으로 이루어져 있었다. 신문 ≪가디언Guardian≫은 "그녀의 위엄은 초콜릿 비스킷 위로 사라졌지만, 그녀는 최고의 도자기로 테틀리Tetley를 마시는 것에 흡족해했다"(Seenan, 1999: 3)고 지적했다. 그 행사와 그것이 만들어낸 이미지는 영국적 생활방식 내의 이질적이고 갈등하는 관계들(스코틀랜드적 특질과 잉글랜드적 특질, 시골과 도시, 군주와 신민의 관계)을 하나로 잇기 위한 것이었다. 그러한 관계들을 매개하는 것은 그 의례의 일상성과 평범한 형식들이었다. 이 에피소드는 세속적이고 통상적인 것처럼 보이는 방식으로 권력관계를 응축하고 있다. 맥카렌 부인은 이 의도적인 방문 전략에 대해 말하면서 "나는 그녀가 매우 편하게 이야기할 수 있는 상대이고 또 매우 멋지다"는 것을 발견했다고 말했다. 군주와 그녀의 가난한 신민 간의 분명한 거리에도 불구하고, 사진과 인터뷰는 깊이 착근된 가치와 민간 전통에 근거하여 두 여인이 차 마시는 사람과 초콜릿 비스킷 광표들의 나라의 일원임을 부각시킨다.

비록 우리가 군주의 맥도날드 방문, 그녀의 차 마시기, 그리고 차를 숭배하는 드라마 <이스트엔더스>를 시청한다는 그녀의 발언 속에서 교감화 전략이 실행되고 있음을 분명하게 읽어낼 수 있지만, 소수의 논평자들은 그러한 노력들이 설득력이 있다는 것을 발견했다. 그것들은 영국인에 대한 향수를 불러내는 것처럼 보였다. 하지만 이는 노동당 정부가 선거 이후 초기에 제시하고 싶어 했던 현대화된 '영국 국민'의 모습과는 크게 달랐다. 그러므로 우리는 이 음식문화 에피소드를 하나의 단일한 지배계급을 떠올리게 하는 것이라기보다는 20세기 후반에 재조직화된 하나의 역사적 지배**동맹** 내의 긴장의 일부를 보여주는 것으로 해석할 수도 있다.

지배와 복종이라는 복잡한 관계에 대한 예리한 인식은 이탈리아 마르크스주의자 안토니오 그람시Antonio Gramsci가 문화연구에 남겨놓은 주요한 유산이다. 지배적 사회집단이 자신의 권위를 유지하는 방식에 대한 그의 개념화에서 핵심을 이루는 용어가 헤게모니이다. 이 말은 지배와 근본적으로 다르다. 지배라는 용어가 한 집단의 의지를 강요하는 것하고만 관계된다면, 헤게모니는 '주요 사회집단'이 동맹을 맺고 있는 사회집단과 예속된 사회집단 모두에 대해 **도덕적 · 지적 지도력**을 행사하려고 시도하는 것과 관련되어 있다. 지배집단이 그러한 지도력을 행사하는 순간, 종속집단은 그들의 상위집단의 가치와 목적을 수동적으로 받아들이거나(우리가 구조주의의 경우에서 살펴본 것처럼), 그것에 저항하거나, 또는 그것들에 영향을 받지 않은 채 있기(문화주의의 경우처럼)보다는 그것들에 적극적으로 동의한다. 많은 영국 국민이 군주제를 좋아한다는 것은 그들이 국민의 삶에 대한 다수의 '진리'를 구현하고 있는 것으로 보이는 한 가족(그 가족의 기본적인 가정생활, 그 가족의 역사적 연속성)과 자신들을 적극적으로 동일시한다는 것이다.

하지만 여왕이 글래스고에서 그녀와 함께 사진 찍는 시간을 가진, 그리 감동을 자아내지 못하는 일은, 그러한 헤게모니적 요소가 아무리 안정적이고 영속적인 것으로 보일지라도 그것이 일거에 획득되는 것이 아니라는 점을 암시한다. 오히려 헤게모니는 계속해서 재생산되고 재협상된다. 지배권력은 역사적으로 부적절해지지 않기 위해서는 새로운 상황과 그 권력이 지배하는 사람들의 변화하는 욕망에 감응해야만 한다. 이러한 역동성은 지배권력이 종속집단의 세계관에 정통할 수 있는 유연하고 자기단속적인 능력을 가지고 있음을 보여주지만, 그것은 또한 지배권력에게 자신이 대신하여 지배한다고 주장하는 사람들의 문화와 열망을 그들 내부로 끌어들임으로써 자신을 쇄신하게끔 한다. 그러므로 우리는 헤게모니를 성취할 수 있는 어떤 것으로 고려하기보다는, 지배권력이 더 이상 동의를 산출하지 못하는 순간에조차 작동하는 하나의 계속되는 과정으로 인식할 필요가 있다.

그람시가 이러한 불공정 교환이 일어나는 장으로 보는 것이 바로 '시민사회'이다. 그람시에서 시민사회는 국가와 경제 사이에 존재하는 제도와 관행(매체, 종교, 가족생활) 일체를 의미한다. 음식과 음료를 경제 영역에 속하는 것만큼이나 이러한 시민사회의 영역에 속하는 것으로 파악하는 것이 바로 음식문화 접근방법의 이점들 중의 하나이다. 생존경제 또는 궁핍한 경제 속에서는 음식공급원을 보장하는 것이 한 집단의 지배를 공고히 해줄 수도 있지만, 기근으로부터 크게 벗어나 있는 사회에서 가족식사, 바비큐 또는 좋은 찻잔은 세계에 대한 '상식'을 재구성하는 문화형식들이다. 그람시는 "먹는 것이 곧 자신이다man is what he eats"라는 철학자 루드비히 포이어바흐Ludwig Feuerbach의 언명 내에 포함되어 있는, '인간본성'에 대한 정적인 견해에 반하여, 음식문화에 대한 보다 역동적인 견해를 확립할 필요가 있다고 지적한다(Gramsci, 1991: 354).

우리는 음식문화 내에서 일어나는 이러한 헤게모니의 재형성remaking을 설명하기 위해, 보다 널리 검토되어온 인기 있는 음식물 사례들 중 하나, 즉 맥도날드 햄버거를 분석할 것이다. 그것의 현대적 의미를 이해하기 위해 우리는 먼저 이 음식형태의 전사前史, 구체적으로는 20세기 초에 쇠고기 손질 과정의 자동화가 어떻게 발전했는지를 살펴볼 필요가 있다. 예상할 수 있다시피 그람시가 미국 음식문화에 대해 거의 아무것도 이야기하지 않았지만, 그는 당시 출현하고 있던 미국의 공장생산형태, 다시 말해 그 생산형태가 헨리 포드의 자동차회사에서 채택된 후 그가 '포드주의Fordism'라고 칭한 생산방식에 대해 폭넓게 기술하고 있다. 하지만 이 생산양식은 식품산업 내에서도 출현했다. 포드는 이 생산 아이디어가 쇠고기를 손질하는 시카고 정육업자들이 사용하는, 머리 위를 지나가는 고가高架 이동활차로부터 나왔다는 것을 인정했다. 시카고의 도축장에 일관작업라인이 설치되기 이전에, 거세한 수소 한 마리를 잡는 데 족히 15분이 걸렸고, 여러 명의 남성노동이 필요했다. 그러나 20세기의 첫 10년경에는 일관작업라인 위에서 움직이는 하나의 '쇠고랑'으로 1분에 70마리의 소 몸통을 끌어올릴 수 있었다. 업턴 싱클레어Upton Sinclair의 소설 『정글The Jungle』(초판 1906년)은 표면상으로는 도축장의 가격담합과 불량한 위생상태를 들추어내는 조사의 형태를 취하고 있지만, 이동생산라인을 찬미하고 있다.

> 그들이 이 일을 하는 방식은 눈에 선한 그리고 결코 잊지 못할 어떤 것이었다. 그들은 무서운 강도로, 문자 그대로 달리듯이 일했다. …… 그것은 아주 고도로 전문화된 노동이었다. 각자에게는 그가 해야 할 작업이 있었다. 일반적으로 그것은 단지 두세 번의 특정한 절단작업으로 구성되어 있다. 작업자 앞으로 15마리에서 20마리의 소 몸통으로 이루어진 라인이 지나가고, 그는 각각의 몸통에서 그러한 절단작업을 한다.(Sinclair, 1986: 49)

여기서 싱클레어는 그람시가 다른 곳에서 논의한 "새로운 유형의 일 및 생산과정에 적합한 새로운 유형의 인간"을 묘사한다. 이처럼 새로운 생산과정을 진보의 한 형태로 **구현**한 것이 포드주의의 성공에 극히 중요한 것이었다. 동시에 과학적 관리가 다른 생산 영역에서도 하나의 모델이 됨에 따라, 그러한 변화는 보다 광범위한 문화로 퍼져나갔다. 특히 자동차 — 포드주의적 상품의 원조 — 의 생산과 이용이 대공황기 이후 미국의 사회와 문화 내로 침전되었다. 맥도날드 형제가 그들의 첫 햄버거 가게를 낸 것도 바로 이러한 변화된 상황 속에서였다.

맥도날드 회사의 역사는 이미 잘 알려져 있지만(이를테면 Rifkin, 1993; Ritzer, 1993 and 1998; Smart, 1994; Perry, 1995; Vidal, 1997; Fischler, 2000; Schlosser, 2001를 보라), 그러한 분석들은 패스트푸드 산업의 기업적 차원 — 구체적으로는 식품산업의 독점화와 균질화 경향 — 에 집중되어 있는 경향이 있다. 그람시적 관점은 우리가 지배에 대한 지지할 수 없는 관념으로 제시해온 것에 의거하지 않으면서도, 우리가 이러한 상황이 어떻게 만들어져서 어떻게 유지되고 있는지를 이해하는 데 — 그리고 또한 그러한 전 세계적 조직이 해체되기 시작할 수도 있는 결정적 지점과 자신들에게 지속적인 이익이 되지 않는 상황을 재생산하는 데서 가맹점, 관리자, 노동자, 소비자들이 수행하는 적극적 역할 모두를 인식하는 데 — 도움을 줄 수 있다.

우리가 살펴본 것처럼 음식문화의 대중화에 대한 그람시적 설명은 생산기법의 변화와 함께 시작하지만, 두 가지 '상부구조적' 문제로 재빨리 확장된다. 첫 번째 문제가 헤게모니의 심리학적 차원 — 성공적인 헤게모니 체계가 예속 신민에게 내면화되어 그것이 그들의 정체성의 일부가 되는 방식 — 이고, 두 번째 문제는 이러한 변화가 전체로 확산되어 시민사회 내에 착근되고 반사적으로 생산과정 자체에 영향을 미치는 방식이다.

맥도날드의 역사는 이러한 쟁점에 대한 이 두 문제를 해명할 수 있게 해주는 역동적인 실례이다. 맥도날드의 창립과 확장의 논리는 새로운 생산수단의 발전, 그리고 포드주의에 동반한 정체성과 문화와 연관지어질 수 있지만, 그것의 세부사항은 일련의 상황에 근거했다. 우리가 지적했듯이, 19세기에 기계화된 정육업이 초기의 지역 도살장제도를 대체했다. 이러한 기계화가 처음에는 철도망의 일부로 성장한 도시로, 그리고 나중에는 자동차의 등장과 함께 성장한 각 주州를 잇는 고속도로를 따라 확산되었다. 이러한 도로 중의 하나인 66번 도로는 오클라호마시티에서 캘리포니아까지 이어졌다. 처음에 이 도로는 서부로 이동하는 유력 중간계급 미국인들에게 더할 나위 없는 것이었지만, 1929년 주식시장의 붕괴와 1930년 대평원에서 시작된 가뭄이 중서부 대초원 지대의 가난해진 농업노동자들에게 이 도로를 통해 캘리포니아로 집단이주하게 했다. 이 두 이주는 캘리포니아에 기업문화와 대규모의 일시적·계절적 실업자를 제공했다. 그중 많은 사람들이, 미국이 제2차 세계대전에 참전한 결과 한창 번창하고 있던 항공산업과 군수산업에 고용될 수 있었다(Davis, 1990).

맥도날드 형제는 1930년대 후반에 이처럼 변모한 풍경에 도착했다. 그들의 버거 바 드라이브 인Burger Bar Drive-In은 샌버너디노San Bernardino에서 문을 열었다. 그곳은 무수한 미국인들이 66번 도로를 따라 서부로 가는 길의 종점이자 인근에 폰타나의 카이저 제강소가 있었다. 처음에 드라이브 인은 웨이터, 자기그릇, 유리기구들을 갖춘 정통 레스토랑이었으나, 1948년에 맥도날드 형제는 자신들의 햄버거 가게의 문을 닫고 음식의 조리와 서비스 방식을 새롭게 설계했다. 식사도구를 사용해야만 먹을 수 있는 메뉴 모두를 포함하여 자신들의 기존의 메뉴 품목에서 거의 2/3를 없앴다. 햄버거는 이전보다 작아졌지만, 가격을 낮추었다. 남성 10대 소비자들의 출입을 막고 가족들을 끌어들이기 위해 젊은 남성들만을 고용했다. 무엇보다도 맥도날드점은 과학적 관리원칙을 채택하여, 그것을 레스토랑 영업에 적용했다. 음식준비와 요리는 서로 다른 노동자들이 수행하는 단순한 별개의 반복적인 작업으로 분할되었다. 모든 햄버거는 동일한 양념을 쳐서 팔았고, 손님은 생산라인의 동선動線의 한 지점에서 셀프 서비스를 했다.

맥도날드 형제의 레스토랑과 그들의 스피디 서비스 시스템Speedee Service

System은 1954년경에 12개의 가맹점을 열기에 충분할 정도의 이익을 그들에게 가져다주었다. 맥도날드 회사의 역사는 그것이 일개 지역 회사에서 전국적 기업 그리고 나중에는 글로벌 브랜드로 변형되게 된 계기로, 다용도 믹서 세일즈맨 레이 크록Ray Kroc의 등장을 강조하는 경향이 있다. 크록은 맥도날드 형제의 프랜차이즈 회사를 인수하여, 모든 가맹점이 샌버너디노의 원래의 요리법, 분량, 준비방법을 엄격하게 지키게 함으로써, 프랜차이즈가 운영하는 자산에 대한 통제권을 계속해서 유지함으로써, 그리고 자신과 비슷한 사람, 즉 자본주의의 초기 국면에 '적절한' 사업자질을 결여하고 있는 사람들을 가맹점 운영자로 선정함으로써 회사를 성공으로 이끌었다(Schlosser, 2001: 95). 이것은 다수의 새로운 백만장자를 만들어냈지만, 또한 종속적인 프랜차이즈 계급과 저임금 임시 노동자라는 거대한 새로운 계급을 만들어냈다. 맥도날드가 1960년대 초반부터는 주로 어린이를 대상으로 한 광고를 통해 확장했다면, 1970년대부터는 주로 해외시장을 통해 팽창했다.

이러한 역사도 유익하기는 하지만, 맥도날드의 기업성장 이야기는 사람들이 요식업과 보다 광범위한 문화 모두에서 그러한 발전을 어떻게 받아들이게 되었는지에 대해서는 말해주지 않는다. 그람시적 분석양식은 우리가 그러한 발전이 위로부터 강요되었다는 극히 단순한 관념에 의지하지 않고서도 그러한 발전을 이해할 수 있는 몇 가지 방식을 시사한다.

우리는 그람시의 문화구성체 관념이 우리에게 햄버거의 전사前史, 시카고의 도축장과 특수한 노동 및 소비 정체성의 발전, 그 후 포드주의적 생산의 성장 — 결정적으로는 자동차 산업에서 — 에 주목하게 한다는 것을 살펴보았다. 문화구성체 관념은 또한 이러한 요소들을 적소에 위치시킨다. 그러한 것들은 특수한 지역 지형 내에서 발생한 발전이었다. 우리는 또한 어떤 새로운 문화형식의 발전에서 상황성 — 개인의 창조적 행위의 응집과 맥도날드의 창립에 촉매제를 제공하는 보다 광범위한 환경 — 이 갖는 중요성을 살펴보았다.

하지만 그것의 지속적인 매력을 이해하기 위해서는, 우리가 개인 또는 집단이 패스트푸드 프랜차이즈를 위한 노동, 그곳에서의 먹기, 그것의 관리와 소유에 어떻게 헤게모니를 부여하게 되는지에 대해 숙고해볼 필요가 있다. 경제 영역과 정치 영역에서 제시된 다양한 답변(최저임금과 준최저임금, 신자유주의 정치철학의 등장)이 떠오르지만, 여기서 우리는 두 가지 문화적 정체성 문제에 집중한다. 이 두 가지 문제는 음식문화 권력의 망 내에서 하나의 유력한 세계관이 어떻게 종속적 지위에 있는 사람들에 의해 재생산되어 존속되는지를 시사한다.

첫 번째 문제는 조지 리처(George Ritzer, 1998)가 '맥도날드화McDonaldization'에 대한 연구에서 제기한 것이다. 리처는 사회학자 카를 만하임Karl Mannheim의 저작을 재검토하면서, 만하임이 '기능적 합리화functional rationalization'(이 속에서 임무는 표준화된 방식으로 완수된다)와 '자기합리화self-rationalization'(이 속에서 종업원은 임무 및 조직과 일체감을 가지게 된다)를 구분한다고 진술한다. 우리가 살펴보았듯이, 레이 크록의 초기 가맹점들은 공통의 세계관을 공유하고 있다는 점에 근거하여 선정되었다. 그리고 리처는 관리자와 가맹점이 회사에 감정적·지적으로 헌신하게 만듦으로써 다른 모든 점에서는 서로 달랐을 집단들 사이에 그러한 공통성을 영속화시키기 위해 오늘날의 교육방법(맥도날드 햄버거 대학교와 같은)이 고안되었다고 지적한다.

리처는 손님들 역시 (제한된 메뉴 또는 불편한 의자에 의해) 특수한 방식으로 행동하도록 '규율'되는 동안에 '맥도날드 방식'을 받아들이고 재생산하도록 교육받는다고 지적한다. 손님들에게 어떻게 무엇을 주문하는지를 보여주는 일련의 광고, 어른들에게 무엇을 해야 하는지(먹고 나서 직접 치우기와 같은)를 가르치는 아이들, 그리고 매장의 물리적 구조 모두는 경험을 '자발적이며' 스스로 행하는 것으로, 그리고 개별 주체의 자유로운 정체성과 부합하는 것으로 만드는 일을 한다. 이러한 활동과 정체성이 명백히 자율적인 먹기 영역에서 일어나지만, 국가 수준에서 (학교, 병원, 스포츠, 문화와 관련한 그들의 일에서) 일어나는 맥도날드와 유사한 활동들은 시민사회와 정치사회 간을 즉각적으로 연계시켜준다. 이러한 일이 저임금의 비조직화된, 그리고 일반적으로 회사에 거의 투자하지 않은 종업원들과의 협력 속에서 일어난다는 점은 인접 사회집단들로부터 헤게모니를 부여받을 필요가 있는 반면 그 블록 외부의 사회집단들은 어쩔 수 없이 협력하도록 강요받을 것이라는 그람시의 주장을 정확하게 암시한다.

하지만 햄버거 문화의 성공에 대한 이러한 설명은 여전히 문화적 속이기 cultural duping라는 관념에 의거한다. 이와 대조적으로 '맥리벨' 재판'McLibel' trial(맥도날드 명예훼손 소송)에 대한 엘스페스 프로빈Elspeth Probyn의 연구는 패스트푸드 기업 일반 그리고 특히 맥도날드가 그들의 손님 그리고 그 정도가 덜하지만 그들의 종업원의 마음과 정신을 빼앗는 방식에 대한 보다 세련된 관념을 제공한다. 이 소송은 맥도날드가 자신들의 환경, 고용, 영양, 광고 관행에 대해 제기되는 반대를 침묵시키기 위한 하나의 시도였다. 비록 이 소송이 런던 그린피스의 다수의 회원들을 상대로 제기되었지만, 그것은 두 활동가, 즉 데이브 모리스Dave Morris와 헬렌 스틸Helen Steel에 초점이 맞추어졌다. 이들은 대체로 혐의를 벗었다. 그와 달리 맥도날드가 홍보활동에서 전례 없는 실수를 저질렀다는 데에는 대체로 동의가 이루어졌다. 이 이야기는 비인간적인 구조에 비해 인간적인 행위를 찬양하는 분석방식에 더할 나위 없는 것으로 보인다. 하지만 그로 인해 발생한 문제들에도 불구하고(제4장을 보라), 맥도날드 기업은 그 당시 그 에피소드로 인해 크게 약화되지 않았다. 그리고 프로빈도 맥도날드와 저항자 모두가 왜 그것이 사실인지를 입증하기 위해 각축을 벌였던 헤게모니적 근거들을 분석한다. 무엇보다도 그녀는 두 집단 모두가 자신들이 "함께 식사하기와 공동의 이익"이라는 관념을 가지고 거기에 많은 노력을 기울이고 있음을 강조했다고 지적한다.

모리스와 스틸은 특정 정치적 노선을 구현하며, …… 맥도날드 햄버거를 어린이, 노동자, 제3세계, 환경의 착취와 연결시키고 있다. 이에 대항하여 맥도날드는 하나로 연결된 세계 ― 즉 인터넷보다 앞서 빅맥이 우리 모두를 결합시킨 세계 ― 를 의인화하고 인간화하고자 한다. 맥도날드는 그들의 선전과 광고 레토릭을 통해 함께 먹는 가족이라는 관념을 복잡하게 연결된 하나의 글로벌 가족으로 변형시키면서, 돌봄의 윤리를 글로벌 자본주의의 영역으로 확대하고, 맥도날드의 손님을 지구화된 가족 시민으로 만들어왔다.
(Probyn, 2000: 35)

이처럼 맥도날드는 "자신이 하나로 연결된 세계를 만들어냈다"는 것을 축으로 하여 반대자들보다 훨씬 더 의미 있는 '감정적' 인식을 만들어낼 수 있는 능력을 가지고 있다. 프로빈은 맥도날드가 매우 바람직하지 않은 전 세계적 조직의 일부를 형성하고 있다고 평가하면서도, 그것의 개인적·가족적 행위 레토릭이 역설적이게도 보다 팽창적인 기업양식을 통제하려는 제한적인 대항 헤게모니를 선택한 반대자들의 레토릭보다 더 설득력이 있고 더 포괄적이라고 지적한다.

모리스와 스틸은 만약 사람들이 사실을 접한다면, 사람들이 도덕적 방식으로 행위하고 자신들의 행동을 수정할 것이라고 생각하는 것처럼 보인다. 하지만 동시에 그들은 일반 개인들이 타자를 위해서 행위하는 것은 말할 것도 없고 '독자적으로' 행위할 수 있다고 믿지도 않는다. 그들에 따르면, 우리 스스로에게 맡겨둔다면, 우리는 어질러놓고, 지방을 너무 많이 먹고, 세뇌 당한 아이들이 우리를 지배하게 놔둘 것이다. 맥도날드가 올바른 유인이 주어진다면 우리가 화합할 수 있을 것이라고 생각한다면, 맥리벨의 동료들은 우리가 엄격한 도덕적 규칙의 지배를 받지 않는 한 우리는 아무것도 하지 못할

것이라고 생각하는 것처럼 보인다.(ibid.: 56)

그람시적 노선은 우리로 하여금 특히 지구화와 국민정체성을 둘러싼 문제
들 ─ 우리는 이 문제들을 다른 이론적 도구를 가지고 제5장과 제6장에서 다룬
다 ─ 에 주목하게 하는 것 그 이상의 것을 포함하고 있다. 그러나 우리는 여
기서 그람시의 저작이 한편에서는 '지배'의 관념으로부터 그리고 다른 한편
에서는 '저항' 또는 '위반'의 관념으로부터 벗어나게 한다는 논평을 재진술
하는 데 그치고자 한다. 그람시의 저작은 정치권력의 문제에 매우 민감하게
반응하면서도, '정치'가 시민사회의 모세혈관 내에서 순환되고 제거되는 방
식으로 초점을 이동시킨다(Mercer, 1984: 9). 문화연구에 대한 비판은 이러한
전치轉置를 의도적으로 오인하는 경향이 있어왔다. 우리는 이 문제를 짧막
한 논쟁적 결론에서 다룬다.

결론

문화연구는 일관되게 스스로를 다양한 분과학문들과 열린 관계를 맺고 있
는 장으로 (즉 계속해서 학제간, 다多학문적, 반反분과학문적으로) 구축해왔다
(Murdock, 1995; Grossberg, 1996; Johnson, 1996). 그리고 아래의 장들에서 우리는
문화연구가 다른 분과학문들, 특히 사회학, 역사학, 음식지리학과 맺을 수
있는 생산적 관계들을 입증할 것이다. 그러나 학제간 연구가 제한 없는 지적
교류라는 유토피아적 공간을 시사하기는 하지만, 경계선이 있는 학문들이
항상 기꺼이 교류하는 것은 아니다. 인접 지적 분야가 드러내는 반응들 중
하나가 문화연구를 점점 더 협소하게 그것의 '대상들의 영역field of objects'으
로 개념화하여, 그것을 희화화하는 것이었다. 일부 사회과학자들은 문화연

구를 사회에서 발생하는 의미와 권력의 생산을 비판적으로 평가하기를 그만두고 일상적 행동 그리고 특히 소비를 무비판적으로 찬양하는 데로 나아가는 것과 연결시켜왔다. 특히 강력한 반응의 하나가 발전 중에 있는 주제 영역 중에서도 "소유, 규제, 생산, 분배, 미디어 기술의 변화라는 문제를 경시한 채 오직 소비 문제만을 다루고 있다"는 주장이었다(Ferguson and Golding, 1997: xiv). 여기에는 문화연구가 선진자본주의 경제의 강력한 세력들(정부, 기업, 미디어) ─ 이들에게도 소비는 이데올로기적·물질적으로 중요하다 ─ 과 공모하고 있으며, 따라서 그 학과는 "도덕적으로 바보 같은" 담론, 즉 "그것이 폭로한다고 주장하는 미디어의 서자"(Tester, 1994: 3)가 된다는 가정이 깔려 있다. 다른 사람들은 문화연구가 단지 유행하는 것과 관습을 거스르는 것, 즉 크리스 젠크스(Chris Jenks, 1993: 2)가 "현대 '문화연구'에서 자극적이고 이색적인 것의 선봉장"으로 치부한 것에만 관심을 기울이고 있다고 인식해왔다. 우리는 음식, 즉 일반적으로 소비할 수 있는 것이자 세속적인 것으로 인식되는 어떤 것을 연구대상으로 삼음으로써 이러한 비판의 극단적 편파성, 즉 그러한 비판이 문화연구가 시도하는 것을 제대로 이해하지 못하고 있다는 것을 보여주었다. 무엇보다도 우리는 음식과 음료 영역에서 구조주의, 문화주의, 헤게모니 이론의 지적 드라마를 연출함으로써 권력과 차이에 대한 비환원론적 질문들이 문화연구에 중심적이라는 점 ─ 그것들이 실제로 이 영역과 동의어라는 점 ─ 을 입증해왔다. 이 책의 나머지 도처에서 이 세 가지 방법은 서로 다른 모습으로 재차 출현하며, '그람시로의 전환'이 구조와 행위라는 이항대립주의의 결정판을 제공하지 않을 수도 있다는 것을 보여준다. 왜냐하면 우리가 앞으로 살펴보듯이, 여러 다른 문제들과 이론가들이 음식문화 영역으로 침입해왔고 또 계속해서 침입해 들어올 것이기 때문이다.

제2장

날 것과 익힌 것

이 장은 음식관행의 연구에 인류학적 접근방법이 공헌한 바를 다룬다. 캐롤 코니한과 페니 반 에스테릭(Carole Counihan and Penny van Esterik, 1997: 1~2)의 설명에 따르면, 인류학은 전통적으로 "많은 문화에서 음식이 수행하는 중심 적인 역할 때문에" 음식에 대해 지속적으로 관심을 가져왔고, 이 분과학문 내의 연구들은 "다양한 상징적·유물론적·경제적 관점에서" 음식을 탐구해 왔다. 만약 에드먼드 리치(Edmund Leach, 1973: 37)의 지적대로 사회인류학의 주제가 관습적 행위라면, 인류학은 문화연구와 많은 것을 공유하는 것처럼 보일 수 있다. 실제로 문화연구는 자주 인류학으로부터 이론적 접근방법과 범주들을 빌려왔다. 인류학자들이 특정 문화의 관행들을 연구하기 위해 사 용하는 민족지학적 기법들은 1970년대 울버햄프턴의 노동계급 '청년' 집단 에 대한 연구인 폴 윌리스(Paul Willis, 1977)의 『노동 학습하기Learning to Labour』 와 같은 프로젝트들에서 사용되어왔다. 마틴 바커와 앤 비저(Martin Barker and Anne Beezer, 1992: 9)는 문화연구 내에서 "현재 [민]족지학이 사람들의 활동의 완전한 의미를 포착할 수 있는 유일하게 확실한 방법으로 널리 간주되고 있다"고 주장했다. 한편 청년 하위문화에 관한 연구는 클로드 레비-스트로스Claude Lévi-Strauss의 브리콜라주bricolage 개념을 하위문화 양식의 창조적 잠재성을 지적하기 위한 수단으로 활용해왔다(Clarke, 1975; Hebdige, 1979).

하지만 인류학과 문화연구 간의 관계가 낳은 이 같은 풍부한 결실에도 불구하고, 몇몇 비판가들은 양자 간에 상정된 근접성에 의문을 제기해왔다. 이를테면 인류학자 사인 호웰Signe Howell은 양자 간의 일련의 결정적 차이를 밝혀내고자 했다. 그녀에 따르면, 인류학이 다른 문화에 대한 연구를 선호하는 반면, 문화연구는 그들 자신의 문화를 분석하기를 더 좋아한다. 그리고 인류학이 여전히 "어쩔 수 없이 사람에 전념하는" 반면(Howell, 1997: 107), 문화연구는 표상의 문제에 더 몰두한다. 마지막으로, 호웰은 문화연구와는 달리 인류학은 경험적 자료에 중심적 역할을 부여한다고 주장한다.

앞 장에서 제기된 논쟁들은 문화연구가 호웰의 주장이 암시하는 것보다 표상에 덜 집착한다고 시사하지만, 여기는 호웰의 주장에 응답하는 자리가 아니다. 하지만 분명한 것은 이 두 분과학문이 그 어떤 손쉬운 화해를 한다고 하더라도 문제는 여전히 남는다는 것이다. 따라서 이 장은 이들 분과학문의 잠재적 쟁점들을 해결하기 위해 노력하지는 않을 것이다. 오히려 우리는 주로 클로드 레비-스트로스의 연구에 초점을 맞출 것이다. 스티븐 메널(Stephen Mennell, 1996: 7)이 지적하듯이, 음식이라는 주제에 관한 그의 저술들은 "그 주제에 관한 거의 모든 연구를 관류해왔다." 레비-스트로스는 우리 경험의 중심에 틀림없이 자리하고 있을 것으로 추정되는 이항적 차이들을 밝혀내기 위해 구조주의적 분석에 착수한다. 이러한 맥락에서 음식에 관한 레비-스트로스의 분석은 '날 것'과 '익힌 것'이라는 용어에, 그리고 자연과 문화 간의 대립에 특별한 중요성을 부여한다. 레비-스트로스의 접근방법은 그의 구조주의 용법과 관련된 심각한 약점을 지니고 있지만, 우리는 그러한 범주들을 문화연구 내에서 음식과 관련한 쟁점들을 분석하는 데 유용하게 활용할 수 있다.

레비-스트로스와 요리

레비-스트로스는 그의 연구에서 자주 음식관행의 분석에 착수했다. 그는 프랑스 요리와 영국 요리를 비교분석한 저작『구조인류학Structural Anthropology』 제1권(1958년에 첫 출간)에서 그러한 주제를 처음으로 탐구하기 시작한다. 우리는 앞장에서 언어를 그것의 가장 작은 단위인 음소로 분해하는 것이 어떻게 소쉬르의 구조주의적 언어분석의 출발점이 되는지를 살펴보았다. 유사한 맥락에서 레비-스트로스는 상이한 요리들의 '구성요소' 또는 '미각소'를 분석하고 그것들의 "대립과 상호관계의 특정 구조"를 구분하는 것이 가능하다고 주장한다(Lévi-Strauss, 1963: 86). 이를테면 프랑스 요리와 영국 요리에 관한 분석에서 그는 우리가 세 가지 대립, 즉 **"내생적/외생적**(말하자면, 자국 재료 대 이국 재료), **중심적/주변적**(메인 음식 대 사이드 음식), **자극적/비자극적**(말하자면 강한 맛 또는 순한 맛)"이라는 구분을 확인할 수 있다고 제시한다(ibid.). 이러한 일단의 대립에 기초하여, 레비-스트로스는 다음과 같은 차이가 나타난다고 말한다.

영국 요리에서 한 끼 식사의 메인 요리는 내생적 재료로 만들어지고, 상대적으로 자극적이지 않게 조리되어, 온갖 특이한 맛들을 강하게 드러내는 보다 이국적인 사이드 요리들(이를테면 프루트케이크, 오렌지 마멀레이드, 포트와인)에 둘러싸인다. 반대로 프랑스 요리에서는 **내생적/외생적**이라는 대립이 매우 약하거나 사라지고, 비슷한 강도의 미각소들이 주변 요리에서뿐만 아니라 중심 요리에서도 함께 합쳐진다.(ibid.)

프랑스 요리와 영국 요리 간에는 현저한 차이가 존재하고, 이러한 차이는 각 요리체계가 공통의 이항대립 틀을 구성하는 방식에서 연유한다.

　레비-스트로스는 이 지점에서 자신의 분석을 더 이상 진전시키지 못한다. 오히려 그의 분석은 보다 광범위한 구조주의 방법론을 옹호하는 하나의 실증사례로서의 역할을 한다. 그렇지만 메넬이 지적하듯이, 그의 분석 자체에는 다소 문제가 있다. 무엇보다 그것은 "(영국의 상층계급 역시 오랫동안 먹어 온) 프랑스의 고급 요리"와 "영국 하층의 중간계급 가정요리"를 비교하고 있는 것처럼 보인다. 레비-스트로스가 "영국인은 닭을 삶아서 프루트케이크나 포트와인과 함께 게걸스레 먹는다는, 프랑스인들이 영국인에 대해 가지고 있는 전통적인 이미지를 …… 표현하고 있다"는 것이 사실일지도 모르지만, "그가 비슷한 것끼리 비교하고 있었는지는 확실하지" 않다(Mennell, 1996: 8).

　레비-스트로스의 요리에 대한 관심은 『신화학Mythologiques』에서 재현된다. 네 권으로 기획된 이 책은 미국 원주민문화에 존재하는 800개가 넘는 신화를 분석하는데, 그중 일부는 요리의 기원에 관한 것이다. 그 밖의 곳에서 요리행위는 일련의 이항대립(이승/저승, 삶/죽음, 자연/문화)을 구분하는 상징적 표지로 작용한다. 이 눈부신 분석적 작업을 통해 레비-스트로스가 달성하고자 하는 우선적 목적은 구조주의적 주장, 즉 서로 다른 문화적 현상들이 공통의 구조적 특징을 가지고 있다는 주장의 설득력을 입증하는 것이다. 네 권의 책을 쓰는 동안, 그는 "오직 한 가지 신화만"이 존재한다는 결론을 향해 나아가면서, 자신이 분석하는 무수한 신화적 이야기들의 이면에 존재하는 이항적이고 보편적인 하나의 구조를 밝혀낸다. 그의 주장에 따르면, 이 구조는 인간정신이 상상할 수 있는 가장 심오한 의미 있는 대립이다. 이 구조는 물리세계의 수준에서는 하늘과 땅의 대립으로, 자연세계의 수준에서는 남성과 여성의 대립으로, 그리고 사회세계의 수준에서는 결혼관계들 간의 대립으로 나타난다.(Lévi-Strauss, 1981: 624)

따라서 우리는 상이한 문화의 요리에서 나타나는 많은 변형태의 이면에서 작동하고 있는 어떤 공통의 구조를 식별할 수 있다. 하지만 레비-스트로스는 이제는 친숙해진 이러한 관념과 나란히 또 다른 중요한 주장을 전개한다. 요리는 우리가 원재료를 요리된 물질로 변형시키는 매개행위이기 때문에, 신화는 자주 "요리작업을 저승과 이승, 삶과 죽음, 자연과 사회를 매개하는 행위"로 바라본다(Lévi-Strauss, 1994: 64~65). 그는 계속해서 다음과 같이 지적한다.

따라서 우리는 요리가 원주민의 사고에서 진정으로 중요한 자리를 차지하고 있다는 것을 이해하기 시작한다. 요리는 자연이 문화로 변화되는 것을 표현할 뿐만 아니라, 인간의 상태 또한 요리를 통해, 요리를 수단으로 하여, 요리가 지닌 온갖 속성들을 가지고 규정될 수 있다.(ibid.: 164)

따라서 요리과정은 (날 것의) 자연 영역과 (요리된) 문화 영역을 매개하는 핵심범주의 역할을 한다. 그 결과 레비-스트로스는 요리가 특권적인 상징적 기능을 가지고 있다고 결론짓는다.

레비-스트로스가 『신화학』에서 확립하고자 한 요리에 대한 결론은 현재 매우 영향력 있는 그의 글 「요리의 삼각형The Culinary Triangle」(1966)에서 보다 일관되게 다루어진다. 따라서 우리는 이 글을 좀 더 상세하게 살펴볼 것이다. 이 글은 언어와 여타 문화체계들을 비교하는 것에서 시작한다. 언어체계를 지배하는 구조에 관한 로만 야콥슨Roman Jakobson의 분석을 언급하면

그림 2-1　**요리의 삼각형**

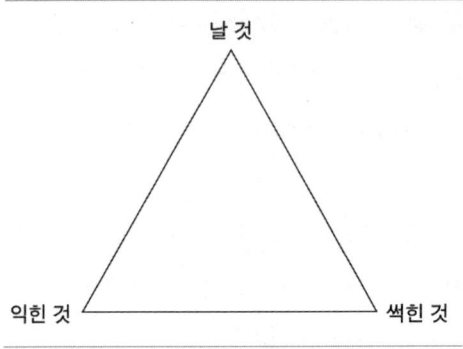

출처: Lévi-Strauss, 1966; Mennell, 1996: 8을 보라.

서, 레비-스트로스는 적어도 우리가 요리와 같은 다른 문화현상의 이면에서
도 유사한 종류의 구조들을 발견할 수 있을 것으로 기대하는 것은 일리가 있
다고 주장한다. 야콥슨이 '모음의 삼각형'(이 삼각형의 꼭짓점이 'a', 'u', 'i'
이다)과 '자음의 삼각형'(이 삼각형의 꼭짓점이 'k', 'p', 't'이다)을 식별하듯
이, 레비-스트로스도 요리의 삼각형을 묘사한다(<그림 2-1>을 보라).

　만약 <그림 2-1>이 모든 음식물이 이 삼각형의 점들 중 하나를 차지할
것이라고 주장하는 것이라면, 그것은 확실히 일리가 있다. 실제로 어떤 음식
물이라도 우리는 그것들이 취할 수도 있는 다양한 형태들을 이 도형의 서로
다른 지점에 위치시킬 수 있다. 이를테면 우유는 날 것의 상태로 소비될 수
도 있지만, 또한 익히거나(커스터드) 또는 썩힌 형태(블루치즈)로 소비될 수
도 있다. 비슷하게 고기는 날 것으로(스테이크 타르타르), 익혀서(선데이로스
트) 또는 썩혀서(게임) 먹을 수도 있다. 하지만 여기에서도 또한 레비-스트로
스의 관심은 날 것을 익히거나 썩히는 과정이다. 그는 "익힌 것은 날 것의 문
화적 변형"인 반면 "썩힌 것은 자연적 변형"이라고 주장한다(Lévi-Strauss, 1966:
587). 그 결과 그는 우리가 요리의 삼각형을 <그림 2-2>처럼 발전시킬 수

그림 2-2 **요리의 변형**

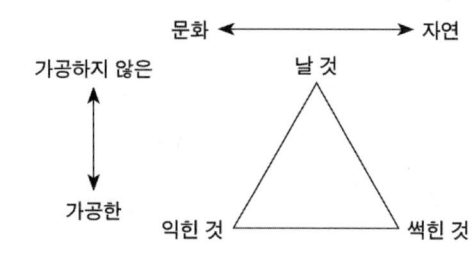

있다고 제시한다. 레비-스트로스의 분석에서 자연/문화 대립이 중심을 차지하기 시작하는 것이 바로 여기라고 할 수 있다.

레비-스트로스는 삼각형의 좌표들을 세우고 난 다음, 상이한 요리방법들을 구분하기 시작한다. 그는 세 가지 주요 과정 — 굽기, 삶기, 훈제하기 — 을 삼각형에 위치시킬 목적으로 규명한다. 그의 주장에 의하면, 요리방법의 측면에서 굽기는 "자연 쪽에 속한다"(ibid.: 588). 왜냐하면 구운 고기는 불에 직접 노출되기 때문이다. 요리과정의 **결과**라는 측면에서 구운 음식은 또한 자연과 친화성을 지닌다. 왜냐하면 구운 음식의 한가운데 부분은 자주 날 것이기 때문이다. 이와 대조적으로 삶은 음식은 냄비와 같은 그릇에 담기며, 또한 불의 전달이 그것을 둘러싼 물에 의해 매개된다. 따라서 그것은 "문화 쪽에 속한다"(ibid.). 하지만 삶은 음식은 썩힌 물질, 즉 자연적 가공과정을 거친 물질과 유사하다. 따라서 삶기는 결과의 측면에서 자연 쪽에 속한다. 훈제하기와 관련하여, 레비-스트로스는 그것이 음식을 불과 공기라는 요소들과 직접 접촉시키는 과정이기 때문에 자연 쪽에 속한다고 주장한다. 하지만 요리과정의 결과의 측면에서 훈제된 음식은 구운 음식과는 달리 한가운데까지 통째로 고르게 익는다. 따라서 레비-스트로스가 볼 때, 훈제하기의 최종 결

그림 2-3 **요리과정**

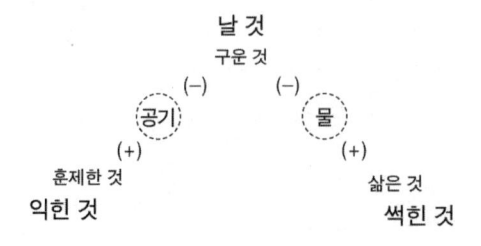

출처: Lévi-Strauss, 1966: 594.

과물은 문화 쪽에 속한다. 이러한 분석에 의거하여 그는 각 항목을 <그림 2-3>에서처럼 원래의 삼각형에 덧붙인다.

이 도형을 완전하게 설명하기 위해 우리는 레비-스트로스가 요리방법과 그 결과 간에 설정한 다양한 구분들을 <그림 2-4>와 같이 제시할 수 있다.

레비-스트로스는 석쇠에 굽기, 기름으로 튀기기, 기름에 살짝 튀긴 후 삶기, 찌기와 같은, 설명을 필요로 하는 다른 요리과정이 존재한다는 것을 인정한다(그리고 우리라면 전자레인지로 요리하기를 추가할 수도 있을 것이다). 이러한 다양한 항목 모두를 표현하기 위해서는 보다 복합적인 4면 모델이 필요할 수도 있다. 그는 또한 우리가 이 모델을 상이한 양념형태들뿐만 아니라 상이한 종류의 식재료들(이를테면 고기와 야채)을 요리하는 상이한 방법들과 관련해서도 더욱 정교화할 수 있을 것이라고 제시한다. 심지어 우리는 각 요리과정이 다른 무엇보다도 젠더 또는 계급 차이와 연관되는 일련의 속성을 식별해내고자 할 수도 있다. 그리고 레비-스트로스도 우리가 규명할 수 있는 종류의 연관성을 보다 정확하게 표현하기 위해 (이를테면 구운 것은 귀족적이고 삶은 것은 평민적이라고 성격규정 하는 등) 많은 사례들을 제시한다. 하지만 그의 분석의 전반적인 목적은 우리가 『신화학』에서 이미 확인한 다

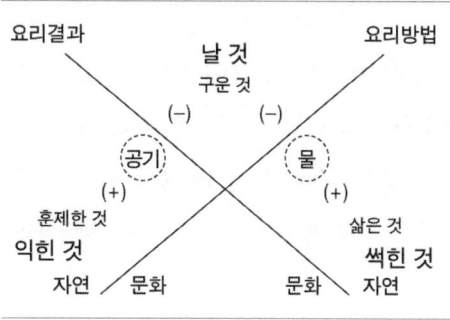

그림 2-4 **요리의 방법과 그 결과**

요리결과   요리방법

날 것
구운 것

(−)   (−)

공기   물

(+)   (+)

훈제한 것   삶은 것
익힌 것   썩힌 것

자연 / 문화   문화 \ 자연

출처: Lévi-Strauss, 1966: 594.

음과 같은 두 가지 주장을 되풀이하는 것이다. 첫째, 일련의 서로 다른 요리 관행들의 이면에는 공통의 구조가 자리하고 있다(그리고 「요리의 삼각형」이라는 글은 다양한 문화들의 놀랄 만큼 많은 사례들을 한데 모아 레비-스트로스가 확인하고자 하는 연계관계들을 예증하고 있다). 둘째, 자연과 문화의 대립이 이 공통 구조 내에서 특권적 지위를 차지하고 있다.

하지만 레비-스트로스의 분석에 문제가 없는 것은 아니다. 첫 번째 쟁점은 그가 자신의 분석을 발전시키면서 사용하는 방법과 관련되어 있다. 우리는 레비-스트로스의 설명 내에는 다양한 지점에서 어떤 책략이 작동하고 있는 것으로 보인다고 주장할 수도 있다. 이 주장은 매우 신중하게 제기될 필요가 있다. 레비-스트로스가 특정 음식 또는 음식관행이 지니는 특정한 내포적 의미들이 모든 문화에서 동일하다고 제시하지는 않는다. 이를테면 음식과 젠더 차이 간의 관계에 대해 이야기할 때, 그는 굽기를 남성과, 그리고 삶기를 여성과 관련시키면서 시작한다. 하지만 계속해서 그는 다음과 같이 지적한다.

이는 남아메리카의 트루마이족, 야구아족, 히바로족과 알래스카의 잉갈리

크족의 경우에 특히 그러하다. 그 밖의 다른 곳에서 이 관계는 반대이다. 북아메리카 북부 평원의 아씨니본족은 원정전쟁에 참여하는 남성들을 위해 삶은 음식을 준비하는 반면, 부락의 여성들은 결코 그릇을 사용하지 않고 고기를 오직 구워서만 먹는다. 몇몇 동유럽 국가들에서도 구운 것과 삶은 것 그리고 여성적인 것과 남성적인 것 사이에서 동일한 전도된 관계를 발견할 수 있다는 지적들이 일부 존재한다.(Lévi-Strauss, 1966: 590)

이처럼 레비-스트로스는 서로 다른 문화들 사이에 존재하는 현저한 차이들을 기꺼이 인정한다. 스티븐 호리건Stephen Horrigan이 지적하듯이, 레비-스트로스의 연구에 대한 '경험적 비판들'은 "핵심을 놓치고 있다."

레비-스트로스는 모든 사회가 의식적인 사고의 수준에서 자연과 문화의 구분을 사용한다고 주장하지 않는다. 그의 주장은 일상의 경험 수준에 기초하지 않는다. 오히려 그가 말하는 것 ─ 그리고 그의 주요 논점 ─ 은, 인간의 두뇌는 일단의 이항대립 ─ 자연과 문화의 구분은 한 가지 사례에 불과하다 ─ 에 따라 경험과 정보를 분류하고 범주화하며, 그것이 무의식 수준에서 발생한다는 것이다.(Horrigan, 1988: 41)

달리 말해 레비-스트로스가 제안하는 것은 자연/문화 대립이 서로 다른 문화에서 상이한 식재료와 음식관행과 관련하여 서로 다른 방식으로 형성될 것이라는 점이다. 그럼에도 불구하고 우리는 무엇보다도 그가 그러한 대립 체계의 중심성과 요리의 삼각형 자체를 확립하는 방식에는 자의성이 존재한다고 여전히 주장할 수 있다. 이를테면 레비-스트로스는 날 것, 익힌 것, 썩힌 것을 꼭짓점으로 하는 자신의 최초의 삼각형을 규명하고 나서, 상이한 요리과정(굽기, 삶기, 훈제하기)을 그러한 항목 위에 배치하는 것으로 나아간다. 이러한 과정이 산출한 결과물과 관련하여, 그는 구운 음식은 한가운데 부분의 살이 자주 핏빛의 날 것과 유사하기 때문에 날 것 쪽에 속하는 반면, 훈제된 음식은 속까지 완전히 익혀지기 때문에 문화 쪽에 속한다고 주장한다. 그렇다면 왜 이러한 특정한 연관성이 설정되어야만 하는가? 이를테면 다른 어떤 곳에서보다 자주 고기를 더 장시간 굽는 영국에서는, 고기 덩어리를 구운 결과 당연히 한가운데에서도 날 것이라고는 전혀 볼 수 없는 물질을 만들어낼 것이다. 유사하게 우리는 훈제연어의 살이 실제로는 날고기와 비슷해 보인다고 주장할 수도 있을 것이다. 우리 주장의 논점은 레비-스트로스의 가정이 경험적 수준에 부합하지 않는다는 것이 아니라, 오히려 그의 분석의 설득력이 그가 사용하는 모델의 단순성에서 나온다는 것이다. 만약 이러한 명백한 단순성이 실제로 다소 조야한 몇 가지 추측에 근거하여 만들어진 것이라면, 요리의 삼각형 자체의 정당성은 다소 불확실해 보이기 시작한다. 레비-스트로스가 야콥슨의 언어 이론 ─ 애초에 이러한 삼각형 분석에 출발점을 제공한 틀 ─ 을 전유한 것과 관련하여 여러 문제들이 제기되어왔다는 점 또한 지적할 필요가 있다(Mounin, 1974; Clarke, 1981: 157~183).

더 심각한 문제는 레비-스트로스가 설정한 분석의 목적, 즉 우리가 살펴본 것처럼 상이한 요리문화들 사이에서 나타나는 분명한 차이의 기저에 공통의 구조가 존재한다는 것을 증명하고자 하는 목적과 관련되어 있다. 동료 인류학자인 메리 더글러스(Mary Douglas, 1975: 250)가 지적하듯이, 이것은 "그 부호화를 산출하고 또 그 부호에 의해 유지되는 소규모 사회관계들과 그가 작별한다는 것"을 의미한다. 우리는 또한 왜 문화들 간의 차이를 추적하는 것이 아니라 문화들 간의 공통성을 추적하는 것이 더 유용한가라는 의문을 던질 수도 있다. 레비-스트로스는 그 이유는 그렇게 함으로써 우리가 인간사고의 보편적 형태들을 확인할 수 있기 때문이며, 그것은 그 자체로 하나의 성과라고 설명할 것이다. 하지만 하나의 분과학문으로서의 문화연구는 보편성에 대한 그러한 주장들을 의혹을 가지고 바라보는 경향이 있어왔다. 실제로 롤랑 바르트는 1950년대 중반 파리에서 순회 전시되었던 <위대한 인간 가족The Great Family of Man>이라는 사진전시회에 대해 성찰하면서 바로 그러한 논점을 강력하게 제기했다. 그 전시회는 전 세계의 서로 다른 민족들의 서로 다른 많은 사회적·문화적 관행의 이면에 놓여 있는 인간조건의 보편적 성격을 표현하기 위해 기획되었다. 전시회에 걸린 사진들이 보여주는 출산의 모습과 관련하여 바르트는 다음과 같이 질문한다.

> 당사자들에게는 철저하게 역사적인 출산방식에 비해, 이 출산과정의 '본질'이 우리에게 대체 왜 중요한가? 아이가 쉽게 태어나는지 아니면 어렵게 태어나는지, 아이의 출생이 그 어머니에게 고통을 유발하는지 그렇지 않은지, 높은 사망률이 아이에게 위협을 가하는지 그렇지 않은지, 이러저러한 유형의 미래가 아이에게 열려 있는지 그렇지 않은지, 바로 이런 것들이 이 사진전이 사람들에게 말해주어야만 하는 것이다.(Barthes, 1972: 102)

바르트가 분명히 하고 있듯이, 사회관계에서 잘게 구분되는 소규모 차이들을 간과하는 것은 중요한 결과를 초래한다.[1] 레비-스트로스의 요리에 대한 분석은 보편적으로 적용 가능한 근원구조를 추구하면서 바로 그러한 위험을 무릅쓴다.

우리가 레비-스트로스의 접근방법과 관련하여 규명하는 마지막 문제는 프랑스 이론가 자크 데리다Jacques Derrida가 개진한 구조주의 비판과 관련되어 있다. 데리다는 레비-스트로스가 자연/문화와 같은 이항대립을 선호하는 경향이 있다고 지적하면서, 그러한 구조의 위험성을 폭로하고자 한다. 우리가 요리의 삼각형을 논의하면서 살펴보았듯이, 레비-스트로스의 분석적 방법은 구조적 모델을 탐색하는 가운데 그 방법의 과학적 적합성을 증명하고자 한다. 데리다는 레비-스트로스가 규명하는 구조적 모델이 "항상 한정된 양의 정보로부터 도출되고 경험적 증거에 좌우되는 가설들로 제시되고 있다"는 점에 근거하여 그러한 적합성에 의문을 제기한다(Derrida, 1992: 413). 달리 말해 레비-스트로스 방법의 과학적 주장은 그 자신의 문화적 가정에 의해 훼손된다. 로버트 콘 데이비스와 로날드 쉬라이퍼(Robert Con Davis and Ronald Schleifer, 1991: 146)가 설명하듯이, 이러한 의미에서 "우리는 결코 문화를 초월하지 못한다." 즉 레비-스트로스가 활용하고 있는 자연/문화 대립은 그 자체로 특정한 문화적 결정요인들에 속박되어 있다. 그 결과 "문화와 의미에 대한 과학적인 객관적 고찰은 결코 외부에서 이루어질 수 없다. 다시 말해 구조의 '외부' 또는 구조로부터 자유로운 입장, …… 요컨대 구조에 대한 어떠한 객관적 고찰도 결코 존재하지 않는다." 만약 이것이 사실이라면, "하나의 방법으로서의 구조주의는 심각한 손상을 입는다"(ibid.).

레비-스트로스의 요리분석이 우리에게 일련의 다양한 요리문화에 대한 매력적인 통찰을 제공하기는 하지만, 그것은 또한 특히 그의 방법론과 관련하여 몇 가지 문제를 야기한다. 하지만 우리는 자연과 문화 — 날 것과 익힌 것 — 의 대립이 음식에 대해 사고하고 음식을 표현하는 방식에서 여전히 자주 하나의 중요한 대립이라고 주장할 것이다. 리치가 레비-스트로스에 대한 자신의 논평에서 설명하듯이, "우리가 먹을 때, 우리는 문자 그대로의 의미에서 우리 자신(문화)과 우리의 음식(자연)을 직접적으로 동일시한다"(Leach, 1970: 34). 데리다의 레비-스트로스 비판을 감안하여, 우리는 보편적으로 적용 가능한 모종의 구조적 음식관행 모델을 확립하기 위해 이 대립을 사용하지 않을 것이다. 대신에 우리는 다음의 두 가지 간략한 사례연구를 통해 자연/문화 대립의 특수한 형태들을 탐구하고자 한다.

태반 먹기

1998년 2월 4일 영국의 채널4는 특이하고 종종 매우 기이한 음식소비 사례들을 보도하는 텔레비전 시리즈물 <TV 디너스>의 1회분을 방영했다. 이날 방영분은 신생아의 출생을 축하하기 위해 열리는, "세상에 온 것을 환영하는 파티" 준비에 합류하는 것이었다. 이 파티에서는 아기의 태반을 고기파이 형태로 만들어 손님들에게 제공할 예정이었다. 우리가 여기에서 보여줄 것은 자연/문화 대립이 일단의 핵심적인 범주로 등장한다는 것이다. 이러한 대립은 첫째 파티 주최자들이 태반에 대해 이야기하는 방식에서, 둘째 태반을 먹는다는 관념, 그리고 실제로는 그 프로그램 자체 둘 다에 대한 사람들의 반응에서 나타난다. 한편에서 뷔페 준비의 책임을 맡은 아기의 할머니와 그녀의 친구는 태반과 자연을 동일시한다. 이를테면 할머니 친구는 다진태반을 프라이팬에서 플랑베하면서, 태반의 본질적 특성에 관해 다음과 같이 말한다. "흙과 공기와 바람과 불, 대체 이 모든 것이 무엇이겠습니까?" 그녀는 또한 태반이 "우주에서 가장 안전한 장소에서 자란다"고 지적한다. 아기의 할머니는 태반의 자연적이고 유전적인 본질과 '근대의 …… 하이테크' 유전학의 세계를 대비시키면서, 손님들에게 그들의 '발생적 유전자의 풀'로 '뛰어들' 것을 요청한다. 방송진행자 휴 피언리-휘팅스톨Hugh Fearnley- Whittingstall과 그의 동료들은 모두 태반 먹기가 출산 후 어머니의 몸을 보충하는 자연적이고 원시적인 수단이라고 언급한다. 그들은 또한 태반 먹기의 젠더 관련성을 찬양하고("엄마들 수고했어, 여자들 수고했어"), 더 나아가 바로 그 뷔페의 일부로 제공되는 살구와 망고 무스의 링이 "노인의 자궁경부와 어느 정도 유사한 모습을 하고 있다"고 지적한다. 이러한 방식으로 태반 먹기가 여성화된 자연적인 것의 개념과 연관지어질 수 있다는 것이 이 가족으로 하여금 그들이 태반을 먹는 것을 정당화할 수 있게 한다. 그럼에도 불구하고 요리사가 지적하듯이, "그와 관련해서는 여러 논쟁이 있었으며" 그중에서도 가장 중요한 쟁점은 인간 육체의 한 형태인 태반을 먹는다는 것이 아마도 틀림없이 식인풍습 금기를 위반한다는 것이다.

폴 로진Paul Rozin과 그의 동료들은 사람들이 특정 식재료를 거부하게 하는 세 가지 서로 다른 동기를 규명했다. 그들의 설명에 따르면, 첫 번째 동기는

> 혐오이다. 즉 그것은 어떤 물질에 대해 불쾌하게 느끼는 감각적 속성들(맛, 냄새, 가시적 요소)로 구성된다. 두 번째 동기는 예견되는 결과이다. 그간 우리는 어떤 물질을 먹는 것이 초래하는 부정적 효과를 학습해왔다. 세 번째 동기는 개념적이다. 우리는 자연에 대해 또는 물질의 기원에 대해 알고 있다.(Rozin et al., 1997: 67)

식인풍습이라는 관행은 세 번째 범주에 속한다. 개념적 수준에서 인간의 살을 먹는다는 것은 잘못된 것으로 간주되며, 따라서 즉시 혐오감을 불러일으킨다. 로진과 그의 동료들은 이 감정이 식재료에 대한 개념적 반감과 가장 밀접하게 연관되어 있다고 주장한다. 이것은 <TV 디너스>의 당시 방영분에서도 확인된다. 진행요원이 태반 파이를 얹은 포카치아 조각 접시를 손님들에게 차례로 돌린다. 그 손님들 중 일부는 그 물질을 먹는 것에 대해 자신들이 어떻게 느끼는지를 이야기하기 위해 제작자들이 초대한 사람들이다. 대부분의 사람들은 우리가 일반적으로 먹기에 적합한 것과 적합하지 않은 것이라고 생각하는 범주화와 관련하여 태반의 음식지위를 문제 삼는다. 어떤 사람은 그것이 자신에게 혐오감을 주는 까닭은 바로 "그것이 태반이라는 생각" 때문이라고 설명하는가 하면, 다른 사람은 "사람들이 그것이 무엇인지 알지 못할 경우 태반 파이를 집어들 수도 있을 것"이라고 주장한다. 이와 유사한 생각들은 그 프로그램을 시청한 수많은 사람들로 하여금 방송기준

위원회Broadcasting Standards Commission에 그 프로그램을 고발하게 했다. 그러한 불만의 처리를 책임지고 있는 영국의 기관인 이 위원회에는 9건의 고발장이 접수되었다. 그 고발장들에 따르면, 그 프로그램은 "혐오스러웠고, 일부는 그 관행이 식인풍습이라고 지칭했다"(Broadcasting Standards Commission, 1998: 5). 채널4 방송국은 방송 내용이 모든 사람의 취향에 맞지 않을 수도 있다는 것을 시청자에게 설명하는 방송 문구를 방송 직전에 내보냈다고 말했다. 그럼에도 불구하고 위원회는 "요리 시리즈라는 맥락에서 이 프로그램의 내용이 많은 사람에게 불쾌감을 불러일으킬 수 있었고 …… [그리고] 많은 시청자들을 깜짝 놀라게 했을 수도 있다는 점에서 관례를 위반했다"고 판결했다(ibid.). 그 결과, 그 불만들은 인정되었다.

태반을 먹는 장면에 대한 이러한 반응들이 태반 파이의 지지자들처럼 명시적인 수준에서 자연/문화 대립을 이용하지는 않는다. 그럼에도 불구하고 우리는 그들이 여전히 매우 동일한 방식으로 문화적 수용성과 요리혐오를 구분하고 있다고 주장할 수 있다. 여기에서 특정 집단의 시청자들에게 혐오감을 불러일으킨 것은 바로 그 프로그램이 먹기에 적합한 것과 적합하지 않은 것에 대한 우리의 문화적 규약을 위반했기 때문이다. 즉 그것은 우리 문화가 수용할 수 있는 범위를 넘어섰다. 나아가 방송기준위원회가 기꺼이 그러한 불만을 인정했던 것도 바로 그러한 위반 때문이었다. 케이트 소퍼(Kate Soper, 1995: 15~16)가 지적했듯이, "우리는 '자연'이라는 관념을 통해 우리에게 '타자'로 존재하는 것을 개념화한다." 따라서 우리는 그 프로그램에 대한 이러한 반응이 은연중에 자연/문화 대립을 동원하고 있다고 주장할 수 있다. 하지만 그 프로그램에 출현한 가족이 태반 먹기를 태반과 자연의 긍정적 연관성에 기초하여 찬성하는 것과는 대조적으로, 프로그램 비판가들이 경험했던 혐오는 태반을 자연의 영역에 위치시키는 행위의 색다름에 기초한다. 하지만 이와 동시에 누구나 예상할 수 있듯이, 태반을 먹는다는 생각은 정확

히 자연에 반하는 것이기 때문에 모욕적인 것으로 보일 수도 있다. 소퍼가 재차 지적했듯이,

> 물론 '건전한' 인간규범은 자연의 관습에 준거하여 확립된다는 온갖 주장들 과 우리는 '자연'의 피조물이기에 인간의 관습을 따르지 못한다는 다른 온 갖 무수한 주장들이 대립하고 있다는 것은 분명하다.(ibid.: 28)

이렇듯 자연/문화 대립은 그 프로그램에 대한 적대적인 반응들 속에서 복잡하고 모호한 방식으로 나타나고 있음에 틀림없다.

우리가 이 사례를 다소 길게 살펴본 까닭은, 태반을 먹는 행위가 우리가 먹기에 적합한 것과 적합하지 않은 것 사이에 그을 수 있는 구분선의 바로 그 경계에 위치하고, 따라서 그것이 일상 담화 수준에서는 명시적으로, 그리고 그러한 경계가 단속된다는 점에서는 암묵적으로 문화와 자연의 대립을 즉각적으로 불러내기 때문이다. 인류학자들은 특정 식재료를 재가하거나 금지하는 것과 관련하여 상이한 문화들이 채택하고 있는 모종의 규칙들에 오랫동안 관심을 기울여왔다[이를테면 유대인의 음식물 금기에 대한 메리 더글러스의 분석(Mary Douglas, 1966; 1975)을 보라]. 여기에서 우리가 살펴보았듯이, 하나의 음식으로서 태반이 지닌 다소 문제 있는 지위와 그것의 식인풍습적 함의는 자연/문화 대립이 그것에 대한 반응의 중심에 자리하고 있다는 것을 의미한다.

요리의 표현

자연/문화 대립을 자주 불러내는 또 다른 영역이 광고와 요리책 이미지와 같

은 음식표현들이다. 여기에서 우리는 날 것과 익힌 것에 관한 레비-스트로스의 분석을 이용하는 주디스 윌리엄슨Judith Williamson의 광고연구에 의지한다. 윌리엄슨은 현대의 광고에서 작동하는 두 가지 과정을 광고가 자연을 표현하는 방식과 관련하여 규명한다. 그녀가 설명하는 첫 번째 과정은 다음과 같다.

> 자연은 우리 문화의 첫 번째 지시대상이다. 자연은 우리의 환경의 '원재료'이며, 모든 기술발전의 뿌리인 동시에 그러한 발전의 대립물의 뿌리이기도 하다. 왜냐하면 기술은 자연을 개선하는 동시에 극복하고자 노력하기 때문이다. 따라서 만약 문화가 스스로를 지칭하고자 한다면, 문화는 그것이 변형시킨 자연을 표현하는 것을 통해서만 그렇게 할 수 있다. 즉 문화는 그것이 **변화시킨** 것과 관련하여 그 의미를 가진다.(Williamson, 1978: 103)

달리 말해 요리의 문화적 변형을 표현하기 위해, 우리의 문화는 요리된 것과 날 것을 나란히 제시한다. 즉 문화는 그러한 방식으로 요리과정이 변형시킨 것을 보여줄 수 있다. 윌리엄슨은 바로 그러한 기법을 이용하는 일련의 광고를 규명하기 시작한다. 이를테면 1970년대의 시버스 마멀레이드 광고는 시버스 라벨이 붙은 단지 모양에 오렌지 조각을 그려넣었다. 유사한 방식으로 1990년대 후반의 캠벨Campbell 농축 수프 텔레비전 광고는 칼로 수프 캔을 자르는 모습을 통해 그 내용물의 원료(버섯, 토마토, 양파 그리고 샐러리 대)를 보여주었다. 동일한 규칙이 요리책 삽화에서도 역시 빠지지 않고 작동한다. 이를테면 『최고의 그리스 전통요리 레시피The Best Traditional Recipes of Greek Cooking』라는 책의 각 장은 그 장을 몇몇 요리사진들 중의 하나로 시작하는데, 이 사진들은 그 요리를 만드는 원재료로 둘러싸여 있다. 예를 들면 사냥 고기에 관한 장은 네 개의 서로 다른 요리들을 죽은 꿩과 함께 묘사한다(Haïtalis, 1992: 152~153). 그 다음에 각각의 경우에서 탈바꿈된 요리는 그 음식의 원재료를 손가락 표시로 가리키고 있다. 윌리엄슨이 계속해서 주장하듯이, 사실 그러한 기법은 그 음식 자체가 만들어지는 가공절차, 즉 요리과정을 신비화한다.

윌리엄슨이 규명한 두 번째 과정은 요리된 음식이 자연 속에 재배치되는 방식과 관련되어 있다.

> 당신은 음식을 요리하고 난 후, 그것을 신선한 물냉이로 만든 둥지에 가지런히 담거나 그 위에 파슬리를 뿌린다. 그것은 '자연적인 것'으로 재배치되지만, 여기서 자연적인 것은 불가피하게 상징적인 것이 된다. 왜냐하면 물냉이는 요리된 것과 관련한 그 무엇인가를 표현하기 위해 거기에 있기 때문이다. …… 그러나 그 음식이 자연 속에 (실로 글자그대로의 들판 또는 꽃들 사이에 ……) 되돌려질 때 의미의 교류가 일어나기 때문에, 그것은 결코 분리가 일어나지 않는 원래 그대로의 자연이 될 수 없다. 그리고 지시대상으로서의 '자연'이 '자연적'인 것으로 표현되는 가공물보다 있는 그대로의 자연에 더 가까운 것도 전혀 아니다.(Williamson, 1978: 122)

윌리엄슨은 재차 이러한 재배치가 일어나는 일련의 광고들을 언급한다. 그러나 이 기법은 요리책에서뿐만 아니라, 앞서 윌리엄슨이 시사하듯이 그린 허브의 어린 가지로 음식접시를 장식하는 관행 속에서도 발견된다. 이를테면 로버트 캐리어Robert Carrier의 『프로방스의 축연Feasts of Provence』은 토끼 수프 레시피를 싣고 있는데, 그것의 삽화에는 아마도 한때 토끼가 깡충깡충 뛰어다녔을 녹색의 목초지 한가운데에 부용bouillon 한 그릇이 그려져 있다(Carrier, 1992: 142). 윌리엄슨에 따르면, 이 기법은 자연과의 연관성을 통해 그 요리된 음식이 훌륭하다는 것을 우리에게 확신시키기 위해 사용된다. 소퍼는 자연이라는 개념이 지닌 모순적 성격을 지적해왔다. 즉 자연은 다양한 시기와 장소에서 "야만적인 것과 고결한 것, 오염된 것과 안전한 것, 추잡한 것과 순결한 것, 육욕적인 것과 정숙한 것, 혼돈스런 것과 질서정연한 것 모두로 제시된다"(Soper, 1995: 71). 윌리엄슨이 앞에서 주장한 것처럼, 안전한 것으로서의 자연이라는 관념을 이용하여 요리된 음식을 자연 속에 재배치하는 기법은 역사적으로 구성된 또 다른 자연에 대한 이해에 근거한다. 달리 말해 자연은 그 자체로 '요리되어'왔다.

이처럼 윌리엄슨의 연구는 날 것과 익힌 것에 관한 레비-스트로스의 분석을 광고 이미지 비판에 이용한다. 그리고 그러한 비판은, 우리가 여기서 보여주었듯이 요리책의 이미지로 확장될 수 있다. 요리는 자연 속의 원재료를 문화로 변형시키는 과정이다. 이렇듯 자연/문화의 대립은 음식을 표현하는 일부 지배적 관례들을 떠받치고 있다.

우리는 이 장에서 레비-스트로스의 음식분석을 상세히 살펴보았다. 우리는 그의 접근방법이 지닌 많은 문제들을 규명하면서도, 또한 그의 이론의 중심에 위치하는 자연/문화 대립을 어떻게 보다 신중하게 이용할 수 있는지를 보여주었다. 하지만 우리가 그러한 대립을 모든 음식관행의 조직원리로 보는 입장, 즉 레비-스트로스를 사로잡고 있던 입장을 개진하는 것은 아니다. 오히려 우리가 제시해온 것은 자연/문화 대립이 특별한 효력을 발휘하는 몇몇 음식 관련 쟁점들 — 먹기에 적합한 것과 적합하지 않은 것의 구분, 요리과정이 표현되는 방식 — 이 존재한다는 것이다. 하지만 알다시피, 우리가 여기서 일단의 초시간적인 범주들을 다루고 있는 것은 아니다. 자연과 문화에 대한 우리의 관념 그 자체가 '요리되고', 따라서 역사적으로 구성된다. 다음 장에서 우리는 테이블 매너가 어떻게 이와 유사하게 문화적·역사적으로 구성되어왔는지를 탐구할 것이다.

제3장

음식, 몸, 에티켓

이 장에서는 우리가 먹을 때 우리에게 기대되는 사회적·신체적 행동형태들을 지배하는 테이블 매너, 즉 그와 관련된 일단의 규칙과 관례들 — 기록된 것과 기록되지 않은 것 모두 — 을 다룰 것이다. 현재 영국 시장에서 에티켓 규칙들을 명확하게 안내하는 것을 목적으로 발간된 책들 중 가장 탁월한 텍스트인 『드브렛의 에티켓과 근대 매너Debrett's Etiquette and Modern Manners』에서 우리는 15세기의 에티켓 서적에서 따온 다음과 같은 경구를 발견한다.

홀에 있든 방에 있든 또는 당신이 어디에 있든,
교육과 훌륭한 매너가 인간man을 만든다.(Burch Donald, 1990: 8)

이 경구는 인간이라는 우리의 지위는 우리가 '훌륭한 매너'를 드러내는 것을 통해 확인된다고 시사한다. 게다가 그것은 우리의 사회적 지위(우리의 양육 또는 '교육')와 밀접히 관련되어 있다. 그리고 'man'이라는 단어가 이 맥락에서 인간 일반을 지칭하기 위해 사용된 것이 틀림없지만, 그것의 젠더적 속성은 또한 젠더와 에티켓 간의 관계에 대한 문제를 제기한다. 그렇기에 이 경구는 이 장의 주요 관심사를 잘 보여준다. 만약 에티켓 체계가 문명화된 행동의 지표로 기능해왔다면, 그러한 체계는 역사적으로 어떻게 발생해왔는가? 더 나아가 그러한 체계들은 계급과 젠더를 둘러싼 구별짓기들에 어떤 식으로 반응하거나 그 구별짓기들을 재확인해왔는가? 우리는 테이블 매너의 역사를 이론적으로 설명한 두 이론가, 즉 미하일 바흐친Mikhail Bakhtin 과 노르베르트 엘리아스Norbert Elias의 연구에 기대어 이들 문제를 탐구할 것이다. 그 다음에 우리는 테이블 매너가 현대사회에서 수행하는 역할과 사회적 기능을 고찰할 것이다.

바흐친, 연회 그리고 몸

미하일 바흐친은 러시아 문화이론가로, 그의 저작, 특히 카니발 축연과 관련된 관행에 대한 그의 분석은 문화연구 내에서 널리 이용되어왔다. 이러한 분석은 16세기 프랑스 소설가 프랑수와 라블레François Rabelais에 관한 바흐친의 방대한 연구서인 『라블레와 그의 세계Rabelais and His World』에서 등장한다. 테이블 매너의 발전에 관한 바흐친식의 설명에 도달하기 위해서는 이 연구를 어느 정도 자세히 살펴볼 필요가 있다. 라블레의 작품은 우리에게 카니발이 거행되는 과정 그 자체 — 음주, 향연, 배뇨, 배변, 성교, 출산 — 에 크게 심취한 일련의 몽환적이고 음란한 이야기들을 제공한다. 바흐친의 분석은 라블레의 저술을 그 작품이 출현한 르네상스 시대에 위치시킨다. 르네상스 시대는 봉건체계에서 부르주아 헤게모니 체계로 이행하기 시작한 때로, 사회적·문화적·인식론적 격변이 일어난 중대한 시기였다. 바흐친에 따르면, 카니발에 대한 민중의 이미지는 그러한 격변과 이행에 대한 의식을 표현하는 하나의 중요한 수단이었다. 그리고 이것이 우리가 라블레의 작품 속에서 불쑥 나타나는 그러한 이미지를 찾아내는 이유이다. 그것의 한 가지 중심적 상징이 연회 또는 축연이었고, 이 영역의 탐구에서 바흐친이 가지고 있던 주된 관심사가 라블레의 작품을 분석하는 것이었지만, 그럼에도 불구하고 그가 음식, 몸, 에티켓 간의 관계를 설명하기 시작하고 있음을 우리가 발견하는 곳도 바로 이 곳이다.

라블레의 소설 『가르강튀아와 팡타그뤼엘Gargantua and Pantagruel』은 거인 가르강튀아의 출생을 묘사하는 것으로 시작된다. 그가 태어난 날은 팬케이크 데이로, 그의 어머니와 아버지인 가르가멜과 그랑구지에가 막 참회의 화요일 축연을 거행하고 있던 때였다. 가르가멜이 내장 요리 "열여섯 가마 두 말 여섯 되"를 막 먹어치웠을 때(Rabelais, 1955: 48) 진통이 시작되었다. 처음에는 과식으로 인해 그녀의 '항문'이 터져버렸다. 그래서 산파 중 하나가 그녀의 괄약근을 수축시키기 위해 수술을 해야만 했다(ibid.: 52). 이 수술로 인해 태아인 가르강튀아는 가르가멜의 몸을 타고 올라갈 수밖에 없었고, 마침내 그는 그녀의 왼쪽 귀를 통해 나오게 되었다. 그의 첫마디인 "마시자! 마시자! 마시자!"가 그의 미래 행동을 정확히 암시하는 것이었다면, 그의 아버지가 그를 보고 던진 첫마디, "'크 그랑 튀아!Que grand tu as!" ─ 녀석 참 크기도 하구나!(배통이 크다는 것으로 이해되는) ─ 는 그에게 매우 딱 맞는 이름을 붙여주었다. 이렇듯 가르강튀아의 출생은 카니발적carnivalesque 축연의 무절제와 뒤얽혀 있다. 이러한 이미지에 대한 바흐친의 분석은 카니발적 연회의 '민중축제 전통'과 부르주아 축연의 보다 제한적이고 덜 열광적인 관행들 간의 구분을 축으로 하고 있다(Bakhtin, 1984: 301). 그는 이 구분을 다음과 같이 표현한다.

민중축제의 연회는 정적인 사적 삶과 개인적 안녕과는 어떠한 공통점도 가지고 있지 않다. 음식과 음료에 대한 민중의 이미지들은 활기차고 득의양양하다. 왜냐하면 그것들이 노동과정과 세상에 대한 사회적 인간의 투쟁을 종결짓기 때문이다. 그러한 이미지들은 전체로서의 민중을 표현한다. 왜냐하면 그것들은 고갈되지 않고 끊임없이 성장하는 풍요라는 물질주의 원리에 기초해 있기 때문이다. 그러한 이미지들은 보편적이며, 자유로운 있는 그대로의 진리와 유기적으로 결합함으로써 두려움과 경건함을 무시하고, 그리하여 지혜로운 말과 연결된다. 끝으로, 그러한 이미지들은 즐거운 시간과 결합하여, 모든 것을 변화시키고 갱신하는 더 나은 미래를 향해 나아간다. (ibid.: 302)

우리는 카니발적 연회에 대한 이러한 설명에서 네 가지 특징을 찾아볼 수 있다. 첫째, 그것은 개인적 몸보다는 집합적 몸에 대한 의식을 지향하는 공동체적 행사이다. 그것은 부르주아 축연과 같은 사적 행사라기보다는 오히려 "온 세상을 위한 연회"이다(ibid.: 301). 이러한 집합적 차원은 연회의 두 번째 특징, 즉 연회가 노동과정 및 투쟁과 갖는 관계 속에서 더욱 강조된다. 중세 시대 동안 노동일은 길고 힘들었으며, 삶은 기근, 가뭄, 홍수, 질병과 같은 위협에 맞서는 계속적인 투쟁으로 점철되었다. 연회는 누군가의 노동의 결실뿐만 아니라 그러한 역경에 맞선 투쟁에서 이룬 승리 또한 집단적으로 축하하는 것이었다. 셋째, 카니발이 어떠한 금지도 유예하는 길을 열어놓고 있었다는 사실은 카니발적 연회에서 자유롭고 솔직한 형태의 말을 쏟아낼 수 있게 했다. 이러한 담화조건은 다양한 형태의 악담과 농담을 하는 것을 가능하게 할 뿐만 아니라 또한 "자유로운 있는 그대로의 진리", 즉 새로운 사상을 탐구할 수 있는 길을 열어주었다. 넷째, 연회는 '즐거운 시간'과 연관되어 있다. 바흐친이 이를 통해 표명하고자 하는 바를 이해하기 위해서는, 카니발적 관점에서 인간의 모습을 표현하는 전형적 수단인 그로테스크한 몸에 관한 그의 설명에 눈을 돌릴 필요가 있다.

우리는 그로테스크한 몸의 세 가지 주요한 특징들을 확인할 수 있다. 이들 특징 모두는 가르강튀아의 출생에 관한 라블레의 설명에서 분명하게 드러난다. 첫째, 그로테스크한 몸의 구멍들이 강조되고 있다. 그로테스크한 이미지 내에서 가장 두드러지는 것이 바로 몸이 세상 및 다른 사람들에 대해 열려 있는 지점들, 즉 입, 항문, 코, 귀, 음경, 질이다. 둘째로, 그로테스크한 몸은 자주 음식과 연관된다. 그것은 게걸스럽게 먹는 몸, 즉 과도하게 탐닉하고 먹고 마시고 토하고 배설하는 과정에 있는 몸이다. 여기에서 바흐친이 제시하는 하나의 사례가 17세기 프랑스에서 카니발적인 인물로 등장하는 뚱보 기욤이다. 뚱보 기욤은 불룩 튀어나온 배를 가진 인물로, 번쩍거리는 두 개의 허리띠를 한 몸통은 포도주 통을 닮았고, 그의 얼굴은 밀가루를 뒤집어쓰고 있었다. 셋째, 그로테스크한 몸은 변화하는 몸으로, 그것의 역동성은 먹고 배설하는 과정, 죽고 출산하는 과정을 통해 표현된다. 바흐친이 카니발적 연회에서 확인하는 '즐거운 시간' 의식에서 중심적인 것이 바로 이러한 역동성이다. 그리고 결정적으로 르네상스 문화에 격변과 역사적 이행에 대한 당시의 의식을 분명하게 표현하는 수단을 제공한 것은 바로 그러한 이미지 속에 내재하는 역동성이다. 중세시대의 지배적인 세계관이 정적인 것이었음에 반해, 르네상스 문화는 그로테스크한 몸이라는 역동적 이미지에 기초하여 대안적인 역사적 세계관을 구성했다.

그로테스크한 몸이 르네상스 문화 내에서 이처럼 특권적인 지위를 누렸지만, 그 후 그것은 공적 영역 내에서 점점 더 주변화 과정을 겪게 되었다. 그 결과 음식소비는 카니발적 축연의 긍정적인 집합적 함의를 점차 박탈당했다. 이는 바흐친이 라블레의 작품 속에서 발견되는 축연의 이미지와 '초기 부르주아 문학' 속에서 발견되는 이미지들을 대비할 때 분명하게 드러난다.

후자는 이기적 개인의 만족과 포만, 즉 그의 개인적 향락을 표현하지, 전체로서의 민중의 승리를 표현하지 않는다. 이러한 이미지는 노동과정과 투쟁으로부터 분리되었다. 따라서 그것은 시장에서 쫓겨나서 집과 사적인 방에 감금된다. …… 그것은 더 이상 모두가 참여하는 "온 세상을 위한 연회"가 아니라, 문 앞에 서 있는 배고픈 거지와 함께하는 사사로운 축연이다. 만약 먹고 마시는 것에 관한 이러한 묘사가 과장되었다면, 폭식에 대한 묘사에서 그러한 것이지 사회정의에 대한 표현에서 그러한 것이 아니다.(Bakhtin, 1984: 301)

바흐친의 설명에서 우리는 이러한 근대적 형태의 축연의 발전을 수반한 네 가지 주요한 변화들을 확인할 수 있다. 첫째, 카니발적 축연과는 대조적으로 부르주아 연회는 공적 영역을 제거해왔으며, 그리하여 이제는 점차 집과 사적 공간이라는 가정세계 내에서 이루어지고 있다. 둘째, 그러한 식사와 함께 이루어지는 대화는 카니발적 교환의 자유를 가지지 못하며, 따라서 점차 보다 차분한 일단의 담론관례의 통제를 받게 된다. 셋째, 근대의 축연은 카니발적 축연이 표상하던 역경에 맞선 투쟁과 그 구체적 연관성을 상실했다. 과잉의 이미지가 발견될 때조차, 그것은 단지 생산적인 노동의 성과를 집단적으로 찬양하기보다는 오히려 풍요를 탐욕스럽게 찬양하는 것일 뿐이다. 마지막으로, 그로테스크한 몸이 카니발적 축연 이미지의 핵심이었다면, 근대의 축연은 우리에게 하나의 대안적인 몸의 이미지, 즉 "표면상으로 개인적인 어떤 것으로 보이는, 전적으로 완전하고 완벽하며 엄격하게 제한된 몸"을 표현하는 고전적 몸의 이미지를 제시한다. "불쑥 삐져나오고 튀어 나오고 갑자기 자라나거나 또는 곁가지가 나는 것은 …… 제거되고 감춰지거나 또는 조정된다"(ibid.: 320).

그로테스크한 몸에서 그것의 역동성과 구멍들이 강조된다면, 고전적인 몸 개념에서는 청결, 완벽함, 닫힘이 강조된다. 고전적 몸은 위생상으로 청결해졌고, 따라서 어떠한 의미의 그로테스크한 무질서도 삼간다. 그것의 구멍들 - 눈, 입 - 은 일반적으로 닫힌 것으로 표현되고, 그로테스크한 이미지 내에서 전형적으로 발견되는 하체 쪽의 기관들 - 생식기, 자궁 - 은 거의 강조되지 않는다. 바흐친에 따르면, 여기서 닫힘은 무활동과 사회적 정지의 인상을 전달하고, 이는 그로테스크한 몸의 해부학이 표현하는 역동성과 사회변동의 의미와 날카롭게 대비된다.

종합하면 바흐친은 르네상스 이후의 축연의 역사를 우리에게 설명해준다. 그 속에서 음식소비는 점차 그것이 지닌 공적인 축하연으로서의 잠재력과 음란하고 그로테스크한 그것의 행동형태들을 상실하고, 보다 정연하고 세련된 일단의 테이블 매너를 수반하는 보다 사적인 소비형태로 대체되었다. 우리는 이러한 설명과 관련하여 몇 가지 문제들을 제기할 수 있다. 라블레의 작품에 나타나는 축연 이미지 분석과 관련하여, 우리는 스티븐 메넬(Stephen Mennell, 1996: 22)이 그랬던 것처럼, 그러한 이미지의 역사적 진실성에 의문을 제기할 수 있다. 게다가 바흐친이 카니발에 대해 과도하게 낙관적으로 묘사하고 있다는 것은 거의 틀림이 없다. 이러한 낙관주의가 카니발적 축연의 성격에 대한 그의 묘사를 이끌고 있다. 카니발에 대한 보다 상세한 역사적 연구들은 어쩌면 우리로 하여금 바흐친의 분석이 풍기는 유토피아적 향취에 의문을 제기하게 할 수도 있다(Burke, 1978; Le Roy Ladurie, 1979). 게다가 바흐친은 음식소비가 르네상스 이후 점차 가정사가 되었다고 제시하지만, 우리는 여전히 공적인 형태의 공동체적 축연 사례들을 발견할 수 있다. 이를테면 크리스티나 하디먼트(Christina Hardyment, 1955)가 지적하듯이, 제2차 세계대전 동안 영국의 식품조달조직은 공동식사의 수가 엄청나게 증가했음을 보여주는 것이었다. 이러한 예들이 어떤 축하의 동기보다는 불행한 상황에서 나왔을 수도 있지만, 심지어 오늘날에서조차 결혼식과 같은 행사들은 집단적 형태의 축제적 축연의 기회를 일부 제공한다. 축연의 발전에 대한 바흐친의 설명은 대략적인 밑그림을 그리고 있는 것이며, 따라서 우리는 그가 확인한 궤적에 이의를 제기하는 종류의 구체적인 실례들을 확인할 수 있을지도 모른다. 그럼에도 불구하고 그의 분석은 우리의 테이블 매너의 발전이 그로테스크하고 음란한 행동형태에서 점차 벗어나는 특징을 보여왔다고 시사한다. 이러한 주장이 장기적인 세련화 과정, 즉 '문명화 과정'이 테이블 에티켓의 발전에 영향을 미쳐온 방식에 대한 노르베르트 엘리아스의 설명을 어떻게 보완하는지에 주목해볼 필요가 있다. 이제부터 우리가 살펴보고자 하는 것이 바로 엘리아스의 연구이다.

엘리아스와 문명화 과정

메넬이 지적했듯이, 독일 사회학자 노르베르트 엘리아스의 연구는 우리에게 "개념과 이론이 가장 큰 결실을 거둘 때는 …… 그것들이 실제 사회과정들에 관한 증거와 맞붙어 싸우면서 발전할 때"라는 것을 가르쳐준다(Elias, 1992: 270). 엘리아스는 그 누구보다도 탈코트 파슨스Talcott Parsons의 연구에서 발견되는 종류의 추상적인 사회학적 이론화에 특히 비판적이다(Elias, 1978a: 221~263; 1978b). 엘리아스의 연구가 문화연구 분야에서 좀처럼 중요한 주목의 대상이 되지는 못했지만, 그의 연구가 구체적인 관행의 분석을 통해 이론적 통찰을 발전시키고자 한다는 사실은 그것이 문화연구의 관심사와 몇 가지 방법론적 방침을 공유한다는 것을 시사한다. 게다가 엘리아스는 다른 형태의 에티켓들과 함께 테이블 매너라는 평범한 영역에 관심을 돌림으로써, 일상적 행동형태들에 대한 관심을 문화연구와 공유한다. 매너의 발전에 관한 그의 설명은 13세기에서 19세기에 집필된 에티켓 서적들을 조사한 『문명화 과정The Civilizing Process』 제1권(1978a)에서 발견된다. 엘리아스는 봉건 제도의 쇠퇴와 궁정사회의 발전을 바탕으로 하여 이들 책자들을 검토하면 서, 사람들에게 기대되는 몸관리방식에서 나타나는 핵심적인 변화들, 즉 문 명화 과정의 주요 특징들을 규명한다. 엘리아스는 제2권인 『국가형성과 문 명화State Formation and Civilization』(1982)에서 문명화 과정 자체에 대한 설명 에 착수하면서, 문명화 과정은 사회의 구조적 변형과정이었으며, 그것은 점 점 더 세련된 행동규약의 발전을 촉진한 국민국가의 출현으로 이어졌다고 주장한다. 우리는 먼저 이러한 변형에 관한 엘리아스의 설명을 살펴본 후, 에티켓 서적들에 대한 그의 분석으로 옮아갈 것이다. 마지막으로, 우리는 테 이블 매너의 역사에 관한 엘리아스의 설명과 관련하여 제기되어온 몇 가지 문제들을 고찰할 것이다.

엘리아스는 바흐친과 마찬가지로 르네상스가 테이블 매너의 발전에서 중 요한 전환점이었다고 강조한다(Elias, 1982: 5). 그에 따르면, 르네상스 이전에 유럽사회는 주로 수많은 남작 계급들이 권력을 놓고 서로 경쟁했던 봉건구 조를 축으로 조직되어 있었다. 하지만 11세기와 12세기 이래로 이들 구조는 중앙의 권력이 '군사적·재정적 독점권'을 통제하는 국민국가의 출현에 점차 길을 양보했다(Elias, 1982: 105). 처음에 이 권력은 군대를 모집하고 세금을 거 둘 수 있는 특권을 가지고 있는 군주의 절대권력 형태로 행사되었다. 하지만 결국 이들 권력은 민주적 형태의 정부가 도래하면서 부르주아의 통제로 이 양되었다. 특히 엘리아스가 문명화 과정의 도식화에 관심을 가지게 한 것은 궁정사회의 출현, 군주 주변의 귀족 엘리트, 그리고 이 신흥 권력구조가 가 져온 새로운 형태의 몸 관리방식이다. 대체로 그의 접근방식은 '사회발생적 sociogenetic'인 동시에 '심리발생적psychogenetic'인 것으로(Elias, 1978a: vii), 사회 관계에서 일어난 그러한 발전들이 어떻게 인간의 퍼스낼리티와 행동구조에 서 변화를 유발하는지를 분석한다.

엘리아스에 따르면, 봉건체계 내에서 귀족계급에게 기대되는 행동방식은 거의 어떠한 견제도 받지 않았다. 경쟁계급의 군사적 위협이 자제를 요구했을 수도 있지만, 일반적으로 기사의 행동은 거의 어떠한 외적 또는 내적 통제도 받지 않았다. 엘리아스에 따르면, "사람들은 거칠고 잔인하고 쉽게 폭력을 분출하고 순간의 기쁨에 자신을 내던진다. 그들의 상황 속에는 그들로 하여금 스스로 자제하게 할 수 있는 그 어떤 것도 존재하지 않는다"(Elias, 1982: 72). 하지만 궁정사회의 출현으로 이러한 상황은 바뀌었고, 그에 따라 궁정귀족의 행동도 변화되었다. 이제 군주가 무력 사용을 독점함에 따라 공적 영역은 점차 평정되었고, 그 결과 신체적 행동에서도 자제의 형태가 싹트기 시작했다. 동시에 국가의 발전은 분업을 증대시켰고, 따라서 궁정사회의 성원들은 점증하는 상호의존성의 영역에 거주하게 되었다. 이는 또한 자제의 형태를 한층 더 강화했다. 왜냐하면 어떠한 행위도 잠재적으로 훨씬 더 광범위한 파장을 불러일으킬 수 있게 됨에 따라, 이제 사람들의 행동은 보다 신중할 것이 요구되었기 때문이다. 그리고 위세가 더 이상은 물리적 힘에 기초하여 획득되지 않는 체계에서, 자제력의 과시는 점차 사회적 구별짓기의 표지가 되었다. 매너 있는 행동을 하는 것은 궁정의 성원들로 하여금 위계구조의 최상층에 있는 인물로부터 인정받을 수 있게 할 뿐만 아니라 그들 자신을 궁정사회로 진입하고자 점점 더 애쓰고 있는 상인계급과 구별할 수 있게 해주는 것이었다. 엘리아스가 설명하듯이, 이와 같이 매너의 발전은 사회계급들 간의 경쟁에서 유래하는 역동적 과정이었다.

신흥 부르주아 계급은 자신들의 행동과 취향을 갈고 다듬는 데 [귀족보다] 그리 자유롭지 못하다. 왜냐하면 그들은 직업을 가지고 있기 때문이다. 그럼에도 불구하고 처음에는 역시 오직 연금에만 의존해서 귀족처럼 살고 궁정 집단에 입장하는 것이 그들의 이상이었다. 왜냐하면 대부분의 야심찬 부르

주아들에게 궁정 집단이 여전히 모델이었기 때문이다. …… 그들은 귀족과
그들의 매너를 흉내 낸다. 그러나 이것이 바로 궁정 집단에서 발전된 행동양
식이 계속해서 구별짓기의 수단이 되지 못하게 만들었고, 따라서 귀족 집단
들은 그들의 행동을 그것 이상으로 더욱 정교화하지 않을 수 없게 된다. 한
때 '세련된' 것이었던 관습들이 '평범한' 것이 되는 일이 되풀이된다.(Elias,
1982: 304~305)

실제로 엘리아스가 조사한 에티켓 서적들 중 몇몇은 테이블 매너의 성격이
쉽게 변화한다는 점을 인정하고 있다. 이를테면 앙투앙 드 쿠르탱Antoine de
Courtin은 1672년에 "많은 [관습들]이 이미 바뀐 상태로 존재하기" 때문에,
"나는 이들 관습 중 몇몇은 미래에 마찬가지로 바뀔 것이라고 확신한다"고
지적하고 있다(Elias, 1978a: 93).

그러나 궁정 내에서는 매너가 어떤 사람의 사회적 지위를 공고히 하는 결
정적 자원이었지만, 군주제적 권력형태가 부르주아적 권력형태로 대체됨에
따라 사회적 구별짓기 또한 곧 에티켓보다는 부에 더 입각하게 되었다. 즉
"사람들이 실제로 성취하고 생산하는 것이 그들의 매너보다 더 중요하게 된
다"(ibid.: 106). 그 결과 매너의 발전은 덜 역동적이 되고, "사교의 형태, 집의
장식, 방문 에티켓 또는 식사의례, 이 모든 것이 이제는 사적 삶의 영역으로
추방된다"(Elias, 1982: 306). 엘리아스가 지적하듯이, 매너의 사회적 중요성은
"귀족적 사회구성체가 여전히 가장 오래, 그리고 가장 엄격하게 살아남았던
곳, 즉 영국에서" 가장 오랫동안 유지되었다(ibid.: 306~307).

종합해볼 때, 엘리아스는 이처럼 문명화 과정을 국가권력의 발전과 그에
수반된 사회변화와 관련하여 설명한다. 상호의존성이 점점 더 강화되는 사
회구조 속에서 책무가 수행된다는 점, 그리고 경쟁하는 사회계급들의 지위
보다 사람들의 사회적 지위를 확인할 필요가 있다는 점이 사람들로 하여금

보다 '세련된' 행동을 하게 만든다. 문명화 과정은 점점 더 세련된 행동양식, 즉 "부분적으로는 의식적인 자기통제의 형태, 그리고 부분적으로는 자동적인 습관의 형태"를 만들어내면서(ibid.: 243), 개인의 심리에 그리고 개인들이 타자에게 스스로를 표현하는 방식에 지대한 영향을 미친다. 그리고 엘리아스는 자신의 연구 제1권에서 그러한 과정들이 테이블 매너의 영역에서 어떠한 역할을 수행했는지에 대해 상세하게 분석한다. 엘리아스가 분석한 테이블 에티켓의 역사적 궤적에서 나타나는 핵심적인 특징은 특정 행위에 부여되는 수치심과 당혹감을 느끼는 한계점이 점점 더 낮아진다는 것이다. 한때 식탁에서 묵인되던 몇 가지 생리작용 ─ 트림하기, 방귀뀌기 등 ─ 은 점차 수치심의 원인, 즉 "사회적 지위 하락의 공포 또는 보다 일반적으로 다른 사람들의 깔보는 듯한 표정"의 원인이 된다(ibid.: 292). 이를테면 13세기에 탄호이저Tannhäusser가 궁정예절과 관련하여 쓴 시는 다음과 같이 큰소리로 비난한다. "어떤 사람이 씻지 않고 먹는다고 하는구나(만약 그것이 사실이라면, 이는 불길한 징조다). 그 손가락이 마비될지어다!"(Elias, 1978a: 88). 엘리아스가 인용하는 다음의 두 가지 15세기의 실례들도 식탁에서 생리작용을 규제하는 것과 관련하여 유사한 관심을 드러내고 있다. "자리에 앉기 전에 네 자리가 더럽지는 않은지 확인하라", "네 옷 속에 맨손을 넣어 몸을 만지지 마라"(ibid.: 129). 엘리아스가 주장하듯이, 이러한 초기 에티켓 서적들이 특정 신체작용과 결부된 수치심을 명시적으로 표현한다면, 더 나중의 텍스트들은 그러한 명시적 언급 없이 그 당시의 문명화 과정이 수치심과 당혹감과 같은 특정 감정들을 그 당시에 이미 확실하게 내면화시키고 있었다고 암시하는 경향이 있다(ibid.: 128~129). 동시에 접시와 사발을 공동으로 사용하는 것 또한 비난받기 시작했으며, 식탁에 둘러앉은 개개인 간의 경계가 점점 더 강조되었다. 초기의 에티켓 서적들이 공용 식사용기에 대해 언급한다면, 17세기 후반에 마르키 드 쿨랑주Marquis de Coulanges의 노래가 시사하듯이, 식사

하는 사람들은 점차 개별 접시와 개별 철제 식사도구를 사용할 자격을 부여
받는다.

예전에 사람들은 공동의 접시로 먹고, 자신의 빵과 손가락을 소스에 적셨다.

오늘날 모든 사람은 자신의 접시에 놓인 음식을 스푼과 포크를 사용하여 먹
고, 시종은 수시로 찬장의 철제 식사도구를 씻는다.(Elias, 1978a: 92)

이 인용구가 시사하듯이, 문명화 과정은 자기 그릇과 철제 식사도구의 수가
늘어나는 것을 목도했다. 개개인의 몸들 간의 경계가 점점 더 규제될 뿐만
아니라 몸과 먹는 음식 간의 경계 또한 규제된다. 1774년에 출판된 프랑스
에티켓 가이드에서 뽑은 다음의 인용문은 시사하는 바가 크다.

접시 위에 놓인 냅킨은 식사를 하면 어쩔 수 없이 생기게 되는 얼룩과 여타
의 더러움으로부터 옷을 보호하기 위한 것이니, 몸의 전면을 덮도록 옷깃 아
래에서 무릎까지 넓게 펼쳐놓아라. 그러나 냅킨이 옷깃 안으로 들어가서는
안 된다. 스푼, 포크, 나이프는 항상 오른쪽에 놓아야 한다. ……

접시가 더러워지면 다른 접시를 요청해야 한다. 손가락으로 스푼, 포크 또는
나이프를 닦는 것은 불쾌감을 일으키는 상스러운 행동이 될 것이다. ……

손가락을 핥는 것, 고기를 손으로 집어 먹는 것, 손가락으로 소스를 휘젓는
것 또는 포크로 빵을 소스에 찍어 소스를 빨아먹는 것보다 더 예의에 벗어나
는 행동은 없다.(ibid.: 97)

그 다음으로 점점 더 많이 등장하는 것이 몸의 청결을 유지할 것과 입에 넣기 전에 음식물과 직접 접촉하지 말 것을 강조하는 것이다. 이렇듯 문명화 과정은 많은 방식으로 수치심과 당혹감을 느끼는 한계점을 끌어내려서 생리작용, 음식, 타인과 관련한 새로운 몸 관리체제를 만들어낸다. 엘리아스가 주장하듯이, 이러한 체제들은 그 후 자주 그것이 건강과 위생의 측면에서 분명한 결실을 보았다는 점과 관련하여 정당화되었지만, 이것이 애초에 그것을 발생시킨 이유는 아니었다. 오히려 이들 체제는 사회적 구별짓기의 추구와 궁정사회의 역동성에 의해 만들어졌다. 따라서 이들 체제는 다음과 같은 것들과 관련하여 살펴볼 필요가 있다.

> 의례화되거나 또는 제도화된 불쾌감, 염증, 혐오, 공포 또는 수치심과 같은 감정들은 매우 특수한 조건하에서 사회적으로 키워져왔다. 그리고 이들 감정은 특수한 의례 속에, 즉 특수한 행동형태들 속에 제도적으로 착근되어왔기 때문에(이것이 유일한 이유는 아니지만 주요한 이유이다), 지속적으로 재생산된다.(ibid.: 12)

문명화 과정에 대한 엘리아스의 설명은 연회에 대한 바흐친의 분석의 많은 부분을 그대로 되풀이하고 있다. 두 경우 모두에서 그로테스크한 '통속적' 행동형태들을 점차 식탁에서 추방하고 몸을 점점 더 규제하고 청결하게 하는 역사적 궤적이 등장한다. 하지만 바흐친의 설명이 역사를 세부적으로 분석하지 않고 있는 반면, 엘리아스의 설명은 에티켓 서적 자체를 분석하면서 장기적인 사회변화를 상세하게 다루고 있다. 그럼에도 불구하고 엘리아스의 문명화 과정 이론 내에는 여전히 두 가지 잠재적인 문제가 존재한다. 그중 첫 번째는 젠더와 테이블 에티켓의 관계와 관련이 있다. 바흐친에서처럼 엘리아스에서도 테이블 매너의 발전은 사회의 역사적 발전, 그중에서도 특히 사회계급들 간의 투쟁과 밀접히 관련되어 있다. 우리가 살펴보았듯이, 엘리아스에서 매너는 사회적 구별짓기의 결정적 수단이었다. 하지만 매너는 또한 남성과 여성의 관계를 규제하는 수단이었을 수도 있다. 엘리아스는 문명화 과정이 남성들에게 그들의 열정을 억제하도록 요구함으로써, 남성이 여성과 맺는 관계에서 자제력을 키우게 하는 방식에 관심을 기울이고 있다(Elias, 1978a: 184~187; 1982: 77~82). 하지만 그는 테이블 에티켓의 규칙들이 젠더화된 행동형태를 강제하는 방식에 관해서는 어떠한 언급도 하지 않는다. 어쩌면 그의 조사자료인 에티켓 가이드들이 이 문제에 대해 침묵했을 수도 있다. 하지만 보다 최근의 에티켓 서적들이 곳곳에서 노골적으로 젠더 차이에 입각한 행동규칙들을 권고하고 있다는 것은 분명하다. 이를테면 1898년에 출간된 『상류사회의 매너와 규칙Manners and Rules of Good Society』이라는 텍스트는 여성들에게 메뉴에서 양념을 매우 많이 한 요리와 기름기가 아주 많은 요리들은 피하라고 조언하면서(Anon., 1898: 115~116), 계속해서 다음과 같은 의견을 피력한다.

> 젊은 숙녀들은 대체로 …… 자극적인 요리를 먹지 않는다. 그런 요리는 주로 신사들을 위한 것이다. ……

> 젊은 숙녀들은 당연히 디너파티에서 치즈를 먹지 않는다.(ibid.: 118)

엘리아스가 우리에게 테이블 매너와 사회적 차별 간의 관계에 대해 설명하지만, 어쩌면 우리는 또한 매너, 음식취향 그리고 젠더 차이 간의 관계에 대한 설명을 발전시킬 필요가 있을 수도 있다. 우리는 또한 바흐친의 연회 분석 역시 마찬가지로 이러한 관점을 결여하고 있다고 지적할 수도 있을 것이다.

두 번째 문제는 엘리아스의 연구에 관심이 있는 학자들 사이에서 많은 논쟁을 불러일으켜왔다. 그리고 이 문제는 비격식화informalization 과정과 관련이 있다(Mennell, 1992: 241~246). 우리가 살펴본 것처럼, 엘리아스는 사람들의 행동규칙을 점점 더 '세련되게' 만들어온 문명화 과정이 장기간의 역사발전을 특징지어왔다고 주장한다. 하지만 에티켓 규칙에서 일어나고 있는 최근 발전들이 그러한 유형에 부합하는지는 확실하지 않다. 이를테면 1960년대 '관대한 사회permissive society'의 출현은 광범위한 행동규칙들이 비격식화 과정을 겪은 시기를 대변하는 것으로 간주될 수도 있고, 어쩌면 엘리아스의 역사적 모델에 대한 반증사례로 보일 수도 있다. 그리고 관대한 사회를 둘러싼 논쟁이 주로 결혼과 같은 제도들에 대한 도덕적 규칙과 태도에 초점을 맞추고 있지만, 음식을 소비하는 방식을 결정하는 규칙들 또한 관대함의 증대와 형식적 제약의 완화에 의해 특징지어지는 것으로 보인다. 이를테면 파시 폴크Pasi Falk는 근대 음식문화의 두 가지 경향을 다음과 같이 규명한다.

> 첫째, 근대적 조건은 사회생활의 구조화원리로서의 먹기 공동체eating-community의 붕괴를 수반할 뿐만 아니라, 그것은 또한 심지어 식사가 덜 집단적인 사회적 행사로 여겨지는 경우에조차 식사를 주변화시키는 경향이 있다. 둘째, 다양한 형태의 비의례적 먹기(간식)의 등장 그리고 음식으로 간주되지 않는 물질(사탕, 티드빗, 청량음료와 알코올음료)과 관련된 여타 형태의 실제 구강섭취 활동의 등장은 식사의 쇠퇴를 초래한다.(Falk, 1994: 29)

만약 음식소비가 이처럼 점점 더 탈규제화되었다면, 만약 공동식사가 그 중요성을 상실했다면, 그리고 만약 음식이 점차 간식의 형태로 소비된다면, 이것은 문명화 과정을 얼마나 전도시키는가?

이 문제를 가장 광범위하게 다루어온 비평가가 바로 카스 우터스Cas Wouters이다. 그의 접근방식 중 하나가 현대 네덜란드 사회에서 일고 있는 에티켓 서적의 유행을 검토하는 것이었다. 네덜란드에서는 1930년대부터 1960년대 중반까지 수많은 에티켓 서적이 출간되었지만, 1966년에서 1979년 사이에는 오직 한 권의 에티켓 서적만이 출판되었다(Wouters, 1987: 406~407). 하지만 우터스는 이러한 경향을 단순히 문명화 과정의 전도라고 해석하는 것에 반대하며, 두 가지 방식으로 그러한 독해에 도전한다. 첫째, 그에 따르면, 비격식화 과정은 사람들이 타인의 행위에 대해 더 많은 관용과 자제심을 보여줄 수 있는 능력을 전제조건으로 한다.

> 이런 방식으로 그들은 점차 더 확고하고 더 한결같게 누구에게든 자제력을 발휘하고 또 더 많은 감수성과 유연성을 가짐으로써, 서로 간에 그리고 모든 타인들과 사이좋게 지내라는 압력을 스스로에게 그리고 서로에게 더 많이 가하게 된다. 그들이 서로에게 기대하는 자제의 수준은 점점 더 높아져왔다.
> (Wouters, 1986: 11)

우터스가 주장하듯이, 상호의존성과 자제력의 증대에 대한 이러한 강조는 문명화 과정의 핵심적인 심리발생적psychogenetic 특징들 중 하나이다. 비격식화가 유발하는 행동이 문명화 과정을 이탈하는 것처럼 보일 수도 있지만, 그러한 행동형태들을 허용하는 심리구조는 그 무엇보다도 문명화 궤적에 속한다. 둘째, 우터스에 따르면, 1966년에서 1979년까지의 시기가 네덜란드 에티켓 서적들의 기근기였다면, 1979년에서 1985년까지의 시기는 격식화의 부활기로, 1982년에서 1985년 사이에만 네덜란드에서 9권의 새로운 텍스트가 출간되었다(Wouters, 1987: 407). 우터스는 이것이 문명화 과정 전체가 격식화와 비격식화의 연속적 물결에 의해 특징지어진다는 것을 의미한다고 암시한다. 엘리아스 자신이 주장하듯이, "문명화 과정은 직선으로 이어지지 않는다"(Elias, 1978a: 186).

음식관행의 영역에서 우터스가 네덜란드 에티켓 서적의 출판과 관련하여 확인했던 것과 전적으로 동일한 방식으로 음식소비를 둘러싼 행동규칙에서 격식화가 부활해왔는지는 분명하지 않다. 현대사회는 이동하는 동안 간식의 형태로 혼자서 음식을 먹을 기회를 제공하는 것과 동시에, 레스토랑에서 다른 사람들과 보다 격식 있고 보다 값비싼 식사를 함께할 기회도 제공한다. 그러나 심지어 후자에서조차 최근 몇 년간 꽤 많은 경우에서 디너 손님에게 기대되는 격식은 점차 완화되어왔다. 그럼에도 불구하고 우터스가 주장하듯이, 단지 외견상으로 이전의 행동규칙보다 덜 격식적인 행동형태의 출현을 확인하는 것 그 자체만으로는 현대 사회과정에 대한 엘리아스 테제의 적용 가능성 전반을 의문시하기에는 충분하지 않다. 우리는 이를 염두에 두고 현대문화에서 테이블 에티켓이 수행하는 역할에 대해 좀 더 숙고하는 것으로 이 장을 마무리하고자 한다.

오늘날의 테이블 매너

우리는 여기서 훌륭한 매너를 규정하고자 하는 시도로 가장 잘 알려진 텍스트인 『드브렛의 에티켓과 근대 매너』를 살펴보는 것으로 되돌아간다. 이 책은 스코틀랜드 문장원紋章院의 알바니 문장관Albany Herald of Arms이었던 이안 몬크레페Iain Moncreiffe of that Ilk경이 쓴 서문을 포함하고 있다는 점(Burch Donald, 1990: 7), 그리고 하인의 역할을 반복적으로 언급하는 것(이를테면 "'식사가 준비되었다'라는 말을 하인은 'Dinner is announced'가 아니라 'Dinner is served'라고 해야 한다")에서 알 수 있듯이(ibid.: 120), 분명 귀족과 중간계급 사회의 상층부를 대상으로 하고 있다. 『드브렛』의 편집자가 그 책이 전달하는 조언의 성격을 규정하면서 중요하게 다루고 있는 것이 근대성과 전통 간의 긴장이다. 한편에서 이 책은 근대 에티켓의 유연성과 비격식성이 증가하고 있음을 인정한다. 동시에 그 책은 '공식 행사'에서 보다 격식 있는 몇몇 행동규칙들을 유지하는 것을, "그것이 우리에게 과거와의 연결을 강화하고 과거를 잊지 않게 하는 데 적절히 기여하는" 한 칭찬한다(ibid.: 12). 다음 구절은 근대성의 위협을 가장 분명하게 느끼게 한다.

> 그 무엇보다도 가장 급격한 변화가 일어나고 있는 곳은 기업이다. 그곳에서 전자공학과 경제 호황은 많은 기존의 관습을 제거했지만, 그와 동시에 관습을 필요로 하는 새로운 영역들을 창출했다. 이를테면 우리 중에 전화기에서 흘러나오는 음성 메시지를 듣거나 또는 우체국에서 대기 중에 비디오 광고를 보기를 원하는 사람은 거의 없다. 우리는 지하철 승강기의 전자신호음에 시달리고, 신용카드 단말기가 바보 취급을 받을 때 미칠 것 같다. 기술이 발전함에 따라, 만약 무엇인가가 누군가에게 불쾌감을 유발할 수도 있다면, 그렇다면 그것은 진정으로 유익한 것이 아니라는 것을 기업 또한 기억할 필요가 있다.(ibid.: 13)

우리가 살펴본 것처럼, 엘리아스는 사회적·정치적 권력이 귀족에서부터 신흥 상인계급으로 점차 이전됨에 따라, 매너는 그것이 공적 영역 내에서 사회적 구별짓기의 수단이라는 그것의 핵심적 기능을 상실하기 시작한다고 주장한다. 그는 또한 귀족의 권세가 가장 오랫동안 지속되었던 영국에서 '세련된' 행동을 할 수 있는 사람들에게 부여된 사회적 영향력이 가장 오랫동안 유지되었다고 시사한다. 『드브렛』에서 여전히 작동하고 있는 것으로 보이는 것이 바로 엘리아스가 규명한 긴장, 즉 전통적 귀족에게 남아 있는 권력과 상업적 관행을 지닌 부르주아의 신흥 권력 간의 긴장이다. 따라서 『드브렛』이 제안하는 에티켓 조언이 자주 기이할 만큼 시대에 뒤진 것처럼 보이지만, 그럼에도 불구하고 우리는 그것을 엘리아스가 규명한 장기적인 역사적 변화 내에 위치시킬 수 있다.

『드브렛』의 테이블 매너에 관한 장 또한 그것이 에티켓 서적의 역사적 계보에 속하고 있기에, 엘리아스의 테제를 입증한다. 엘리아스의 연구가 그 후의 에티켓 서적들이 점점 더 세밀해지고 격식화되는 일단의 관습들을 어떻게 제시하는지를 보여준다면, 『드브렛』은 공식 디너뿐만 아니라 덜 공식적인 'DIY 디너파티'에도 초점을 맞추어, 음식과 음료가 소비되는 공간과 몸을 규제하기 위해 조직된 성문규칙을 제시한다(Burch Donald, 1990: 125). 그것은 테이블 세팅 방법을 알려주는 그림을 제시하고, 냅킨 접는 법과 손가락 씻는 그릇의 사용법과 같은 문제들에 대해 조언한다. 거기에는 손님에게 저녁식사를 제공하는 관례, 식사 동안에 적절한 대화의 주제, 그리고 완두콩과 달팽이같이 먹기가 까다로운 음식품목들을 우아하게 먹는 법에 관해 상세하게 기술되어 있다. 여기서 특히 두 가지 사항이 제시된다. 그중 첫째가 격식 있는 정찬에 준비해야 하는 품목의 수에 관한 것이다. 『드브렛』은 그림을 통해 현재 필요한 전체 철제 식사도구가 서빙용 주방용품을 제외하더라도 총 11개 항목(푸딩포크, 메인디시포크, 생선포크, 고기나이프, 버터나이프, 생선나이프, 푸딩스푼, 두 종류의 수프스푼, 티스푼 그리고 커피스푼)에 달한다고 설명한다(ibid.: 111~112). 자기그릇의 경우에도 비슷한 숫자의 용기가 필요하다. 『드브렛』은 디너접시, 푸딩접시, 중간 크기의 치즈나 샐러드용 접시, 버터접시, 수프접시, 부용사발 그리고 초승달 모양의 샐러드 접시를 추천한다(ibid.: 112). 우리가 살펴본 것처럼, 이러한 품목들은 문명화 과정이 구체화됨에 따라 급격히 늘어나고, 그리하여 몸과 음식품목들 간의 접촉형태는 점점 더 매개를 통해 이루어지고 또 복잡해진다. 『드브렛』은 이러한 과정에 대해 조언한다. 두 번째 사항은 제시된 에티켓 규칙들이 분명하게 분리되어 있는 젠더 역할을 어떻게 식별하는지와 관련되어 있다. 하인이 없을 경우, 여주인이 손님들이 편안하게 느끼도록 만들고, 음식 시중을 들고, 식탁에서의 대화가 난처한 화제로 흐르지 않도록 조종하는 중요한 임무를 맡는다(ibid.: 129). 또한 디너파티에 손님으로 참여하고 나서 감사편지를 쓸 책임도 주로 여성이 진다(ibid.: 132~133). 『드브렛』은 또한 식사가 끝나고 여성이 식당에 남성을 남겨두고 자리를 뜨는 관례에 대해 다음과 같은 생각을 피력한다. 이 관습은

> 최근 들어 일부 나쁜 평가를 받아왔다. 그러나 그것은 쓰레기통 속으로 버려지기 전에 재고할만한 가치가 있다. 왜냐하면 그것을 권고할만한 몇 가지 이유들이 존재하기 때문이다. 무엇보다도 여성들은 몸단장을 위해 화장용품을 휴대하며, 그것은 화장을 고칠 수 있는 아주 좋은 기회이다. 둘째, 그것은 여성들에게 남성과 뒤섞여 있는 응접실에서는 하기 어려운, 여성들끼리의 친밀한 교제를 할 수 있는 기회를 제공한다.(ibid.: 131)

이렇듯 매너는 분명 젠더 구별짓기의 한 가지 수단으로 이용되며, 우리가 살펴본 것처럼 엘리아스는 이러한 기능을 간과하는 경향이 있다.

『드브렛』은 바흐친과 엘리아스가 제시한 역사적 궤적을 숙고할 수 있는 유용한 사례를 제공한다. 오래된 유산을 물려받은 현대의 출판물인 『드브렛』은 바흐친과 엘리아스가 규명하고 있는 문명화 과정의 속편이다. 동시에 그것은 사회관계의 변화에 대처하고, 또 비격식화 과정이 광범위하게 진행되고 있는 관행들을 조정하기 위해 애쓴다. 하지만 그것의 시대에 뒤진 성격 때문에, 그리고 제한적인 사회적 호소력 때문에, 그것은 우리에게 오늘날 대다수 사람들의 음식소비 행동방식에 관한 모델, 즉 지배적인 에티켓 규칙 모델을 제시하지는 못한다. 우리가 폴크의 주장에서 살펴본 것처럼, 그리고 비격식화에 대한 우터스의 논의가 시사하는 것처럼, 현대 음식관행은 음식이

언제 그리고 어떻게 소비되는가와 관련하여 점점 더 격식 없는 탈규제적 행동형태에 의해 특징지어지고 있음에 틀림없다. 격식 없이 재빨리 먹을 수 있는 간식의 기회를 제공하는 패스트푸드의 전 지구적인 상업적 성공은 이러한 추세를 보여주는 증거이다. 요리책이 스스로를 격식 없는 음식소비 형태의 보고寶庫로 제시하는 경우도 많다. 그러한 요리책들은 격식 있는 정찬 관례의 엄격성과 고급 요리의 허식을 피하고, 보다 편안하고 덜 격식적인 관례들을 선호한다. 그러한 사례 중 하나가 엘리자베스 루아드Elisabeth Luard의 『사프란과 햇빛: 타파스, 메쩨 그리고 안티파스티Saffron and Sunshine: Tapas, Mezze and Antipasti』(2000)이다. 이 책은 식탁에 둘러앉은 모든 사람이 함께 사용하는 일련의 작은 요리접시들이 보통 한 끼 식사를 구성하는 지중해와 아랍의 음식전통에 초점을 맞추고 있다. 루아드에게 이러한 먹기 방식은 "우리 모두가 하나의 큰 그릇에서 음식을 떠먹었던 시대를 생각나게" 한다(ibid.: 1). 그것은 한데 놓여 있는 여러 종류의 음식을 아주 자유롭게 먹을 수 있는 유연한 형태의 먹기이다. 그리고 "따라서 우리들 중 거의 어느 누구도 …… 공동체적 삶을 살고 있지 않은" 때에, 그것은 그 옛날의 '유쾌함'과 친구관계라는 의식을 불러일으킨다. "같은 음식을 먹는 사람들은 서로를 냄새로 정확히 알아차린다. 그리고 이 모든 것은 동굴시대로 거슬러 올라간다"(ibid.: 4). 루아드의 주장에 의하면, "생존을 위해 항상 전쟁을 벌였던" 북유럽 문화가 '식탁규율'을 당연한 것으로 요구하는 반면, 지중해의 식사는 "거의 어떠한 격식 있는 구조도 가지고 있지 않다. 즉 기본적으로 지중해의 식사는 각자가 스스로 알아서 접시에서 자기 몫을 떠서 자신이 좋아하는 것을 먹는 것이다"(ibid.: 2~3).

루아드의 설명과 관련해서는 두 가지 문제가 제기된다. 첫째는 그녀가 공동식사 방식이 보다 일반적이었던 문명화 과정의 초기 단계를 노골적으로 회상하면서, 지중해와 아랍의 음식관행의 더 많은 비격식성을 북유럽 음식

관행에 대한 하나의 대안으로 찬양하는 것과 관련되어 있다. 따라서 여기서 비격식화는, 우터스에서와는 달리, 출현하고 있는 것 그리고 새로운 것으로 특징지어지지 않는다. 오히려 그것은 과거의 회상 속에서 회복된 전통의 한 형태로 특징지어진다. 비격식성에 대한 루아드의 강조가 스스로를 문명화 과정의 격식화 경향과 거리를 두기 위한 것으로 보인다면, 두 번째 문제는 루아드의 저서가 탐구하는 음식전통의 문화적 지위와 관련되어 있다. 우리가 살펴본 것처럼, 엘리아스의 주장에 의하면, 매너가 사회적 구별짓기의 핵심 수단으로 기능했던 것은 부르주아가 가장 강력한 사회계급으로 출현할 때까지였으며, 그 후 사회적 구별짓기는 돈의 과시와 같은 다른 수단들을 통해 보다 쉽게 표현되어왔다. 엘리아스에 대한 가장 예리한 해설자 중 한 사람인 메넬(Mennell, 1996)은 문명화 과정에 관한 엘리아스의 연구에 비추어 프랑스와 영국의 음식관행을 상세히 분석해왔다. 메넬이 주장하는 것은 문명화 과정이 음식과 관련된 특수한 행동체제를 발생시켰을 뿐만 아니라 식욕 또한 점차 문명화시켰다는 것이다. 달리 말해 중세시대에 사람들이 손에 넣을 수 있었던 기본적인 음식물은 자주 매우 빈약했지만, 축하해야 할 때에는 라블레적인 경향을 보였다. 그러나 그것은 점차 '세련되어'졌다. 절제는 점점 더 높이 평가받는 자질이 되었지만, 적어도 가장 부유한 사회집단들에서는 먹는 음식의 형태가 점점 더 허세부리거나 자랑하는 것이 되었다. 이렇듯 메넬은 사회적 구별짓기가 '훌륭한' 매너를 보여주는 것을 통해서뿐만 아니라 '고급' 음식을 소비하는 것을 통해서도 이루어졌다고 시사한다. 적어도 모피Morphy 백작부인의 『이탈리아 고급 음식Good Food From Italy』(1937)과 엘리자베스 데이비드Elizabeth David의 『지중해 음식A Book of Mediterranean Food』[1950(1991)]이 출판된 이후, 지중해 음식전통이 영국 문화 내에서 일정 정도 통용되어왔으며, 누군가가 이들 음식에 대해 친숙함을 드러내는 것은 일반적으로 문화자본의 한 형태로 작용한다. 루아드의 책이 제안하는 먹는 방식이 통상적으로 받아들여지고 있는 격식 있는 매너를 거부하는 것으로 보일 수도 있지만, 그럼에도 불구하고 만약 메넬이 옳다면, 그녀가 제안하는 먹는 방식이 사회적으로 통용되는 것은 아마도 그것 역시 문명화 과정과 밀접한 관계를 가지고 있기 때문일 것이다.

이 장에서 우리는 바흐친과 엘리아스의 연구를 테이블 매너의 역사적 발전에 대한 그들의 이론적 설명과 관련지어 살펴보았다. 우리는 그들의 연구가 계급투쟁 및 그로부터 결과하는 사회적 구별짓기의 추구과정 ─ 이 과정에서 몸은 점점 더 청결하게 되고 규제받는다 ─ 과 관련하여 테이블 에티켓을 분석하고 있다는 점에서, 그들의 접근방식이 상보적이라고 주장했다. 우리가 살펴보았듯이, 메넬은 엘리아스의 연구에 의거하여 음식, 식욕, 문명화 과정 간의 관계에 대한 설명을 전개한다. 이제 우리는 음식을 먹는 행동의 규칙에 대해서뿐만 아니라 음식 자체가 갖는 내포적 의미에 대해서도 또한 숙고하기 시작할 시점에 도달했다. 마이크 페더스톤(Mike Featherstone, 1987: 205)이 시사했듯이, 이미 엘리아스 연구의 많은 부분이 프랑스 사회학자 피에르 부르디외Pierre Bourdieu의 주요 관심사가 되고 있다. 이제는 취향과 사회적 구별짓기의 관계에 대한 부르디외의 이론에 관심을 집중함으로써, 우리의 연구를 더욱 발전시킬 때이다.

제4장

소비와 취향

이 책의 많은 장들에서 음식소비의 의미에 대한 관심을 발견할 수 있지만, 이 장은 이들 쟁점을 이해하는 데 핵심적인 몇 가지 분석 틀을 소개한다. 이 장은 우리가 먹는 것과 우리가 먹는 방식이 계급문화 및 정체성과 관련되는 방식에 초점을 맞추어, 어떻게 우리가 먹는 음식이 단지 개인취향의 표현일 뿐 아니라 계급문화와 생활양식에 광범위한 토대를 두고 있는지를 탐구한다. 취향은 우리의 정체성을 반영할 뿐만 아니라 우리의 문화적 정체성을 구성하는 데 작용한다. 즉 우리라는 존재는 우리가 먹는 것일 수 있지만, 우리가 먹는 것은 또한 우리가 누구인지를 만들어낸다(Bell and Valentine, 1997).

소비라는 개념은 사회과학에서 상이한 방식으로 사용된다. 이를테면 심리학자들이 자주 음식소비를 '음식섭취' 또는 우리가 먹는 것과 등치시키는 반면, 경제학자들은 소비를 구매 또는 우리가 구매하는 것과 등치시키는 경향이 있다(Steptoe et al., 1998; Warde and Martens, 1998a; Young et al., 1998). 하지만 이러한 접근방법들은 음식소비에 속할 수도 있는 일련의 관행들을 오직 부분적으로만 묘사하고 있을 뿐이다. 게다가 그러한 접근방법들은 우리가 먹는 음식과 우리가 선택하는 음식을 등치시킴으로써, 우리의 '선택의 자유'를 제한할 수도 있는 물질적·문화적·사회적 제약들을 무시한다(Warde and Martens, 1998a).

이 장에서 우리는 문화연구 내에서 발견되는 소비에 대한 접근방법들과 사회학, 인류학, 문화지리학에서 이루어진 음식소비에 관한 연구들에 의지한다. 이들 분과학문은 음식소비가 의미와 정체성의 생산을 수반하는 방식에 대한 관심을 문화연구와 공유한다. 나아가 우리가 음식을 이용하는 방식은 "관계와 사회적 지위를 확립"하는 방식이기도 하다(Clarke, 1997: 154). 이를테면 우리가 제8장에서도 계속해서 탐구하듯이, 가정에서의 음식소비는 가족생활의 경험과 가족 내 관계들을 창출하는 하나의 수단일 수 있다. 그러므로 음식소비와 관련된 보다 포괄적인 과정을 이해하는 방식은 숀 모레스(Shaun Moores, 1993; 2000)와 데이브 모레이(Dave Morley, 1986; 2000) 같은 비평가들의 관심과 중첩된다. 그들은 가정의 미디어 테크놀로지가 어떻게 의미를 부여받고 일상생활을 구조화하는 방식으로 뿌리 내리는지를 검토해왔다. 우리가 먹는 것, 우리가 음식을 준비하고 차리고 먹는 방식은 "가정 영역의 현존 권력동학과 얽혀" 있다(Moores, 1993: 104). 앨리슨 클라크(Alison Clarke, 1998: 73)가 시사하듯이, "집안의 음식조달과 관련한 결정과 그것의 복잡성은 소비를 사회적 관계와 지식이 끊임없이 시연되고 재배열되고 도전받는 권력의 장으로 만든다."

제8장이 가정 내의 젠더화된 권력관계에 초점을 맞춘다면, 이 장은 음식소비가 보다 광범위한 권력관계를 구조화하는 계급정체성과 계급문화를 생산·재생산하고 유통시키는 방식에 초점을 맞추는 피에르 부르디외의 연구를 소개한다. 특히 이 장은 특정 유형의 음식과 먹기 방식에 대한 취향이 어떻게 개인적 취향이 아니라 계급문화와 생활양식에 그 토대를 두고 있는지

를 탐구한다. 우리가 아래에서 설명하듯이, 부르디외의 연구를 통해볼 때, 일부 계급은 그들의 권력을 사용하여 자신들의 취향을 진정한 취향으로 구성하고 다른 계급의 취향을 병리화한다. 다음 절에서 우리는 이것이 어떻게 '충분한' 영양과 '적절한' 식생활에 관한 정책토론에서 음식소비에 대한 사고방식을 구조화해왔는지를 탐구한다.

하지만 우리는 음식소비를 더욱 광범위한 '문화회로circuit of culture' ─ 소비는 단지 이것 내에서 일어나는 하나의 과정일 뿐이다 ─ 와 다시 결부시킴으로써만, 마침내 음식소비의 중요성을 이해할 수 있다(Du Gay et al., 1997; Jackson, 1993; Johnson, 1986). 우리는 우리가 음식을 생산하고 규제하고 표현하고 특정 정체성과 연관시키는 방식을 고찰하는 보다 광범위한 틀 내에서 우리의 음식소비가 어떻게 발생하는지를 이해할 필요가 있다. 소비과정에서 특정 음식에 부여되는 의미는 또한 그 음식이 어떻게 '표현되는지', "어떤 사회적 정체성이 그 음식과 연관되어 있는지, 그 음식이 어떻게 생산되는지 …… 그리고 어떤 메커니즘이 그 음식의 분배와 사용을 통제하는지"를 통해 창출되는 의미와 관련하여 이해될 필요가 있다(Du Gay et al., 1997: 3). 그러므로 우리는 또한 소비에 관한 아래의 논의의 다양한 지점들에서, 소비가 어째서 이처럼 보다 광범위한 문화회로와 다시 결부되어 이해되어야 하는지에 주목할 것이다.

취향의 표현

계급과 음식소비에 관한 논쟁을 보다 상세히 살펴보기에 앞서, 계급 이미지가 음식소비의 표현 전반에 걸쳐 사용되고 또 우리의 일상적 관행을 특징짓는다는 점을 지적할 필요가 있다. 실제로 슈퍼마켓에서 줄을 서서 흔히 재미

삼아 하는 일이 바로 다른 사람들 카트의 내용물을 살펴보고, 그러면서 그 사람의 사회적·문화적 정체성을 가늠해보는 것이다. 슈퍼마켓의 싱글족을 위한 밤이 인기를 끌었던 것도 바로 이 때문이다. 그것은 다른 무엇보다도 누군가가 "우리와 같은 부류의 사람"인지를 그들의 요리취향으로부터 판단할 수 있게 해준다. 그러한 판단은 자주 널리 알려져 있는 계급 표상과 정체성 표상들에 기초한다. 이를테면 영국에서 발사믹 식초는 자신들이 레스토랑 요리, 해외여행 그리고 유행음식에 관한 지식에 관해 정통하다는 것을 드러내고 싶어 하는 중간계급 식도락가들에 대한 일련의 이미지를 압축적으로 보여주는 한 가지 수단이 되었다.

하지만 이러한 계급과 음식소비의 표상들은 또한 그것만큼이나 중요한 취향에 대한 판단을 포함한다. 역사적으로 음식소비와 관련된 주요 영역은 식생활, 영양, 건강과 관련된 영역들이었다. 소비를 자주 음식섭취와 동일시하는 이들 영역에서는 물질적 자원에 대한 불평등한 접근이 어떻게 우리가 먹을 수 있는 음식에 영향을 미치는지가 오랜 관심사가 되어왔다. 실제로 영양상의 '필요'를 충족시킬 수 있는 음식의 '적절한' 양, 질, 형태 모두에 접근하는 정도가 국가 내에 그리고 국가 간에 존재하는 불평등의 정도를 나타내는 주요 지표 중 하나로 간주되어왔다. 그러한 연구들이 자주 불평등의 인식을 통해 정책을 발의함으로써 불평등을 감소시키고자 하는 훌륭한 목적을 가지고 있었지만, 그것들은 또한 자주 우리의 생리적 필요를 가장 잘 충족시켜주는 어떤 '정상적' 식생활들이 존재한다는 관념에 기초하고 있다(Fine, 1998). 따라서 경제적 불균형이 의심할 바 없이 우리가 먹는 것에 커다란 영향을 미치지만, 영양에 대한 몇몇 접근방법들은 '정상적' 식생활과 '비정상적' 식생활에 대한 이미지들에 의거한다. 그리고 그러한 이미지들은 자주 특정 계급과 결부되어 있다.

이러한 이유에서 영양학적 '필요' 모델들이 객관적인 과학적 원리에 기초한다고 주장하지만, 그것들은 자주 문화적 차원을 지니고 있다. 첫째, 영양상의 필요물은 자연적으로 요구되는 것이 아니라 시대에 따라 달라지는 문화적·역사적으로 특수한 영양 기준들에 달려 있다(Levenstein, 1993). 둘째, 그러한 모델들은 자주 인간의 먹기를 순전히 생리적 필요의 측면에서 다룸으로써 음식습관을 형성하는 다양한 사회적·문화적 요인들을 간과한다(Fine, 1998). 셋째, 그러한 관점에서 볼 때, "문화는 매우 자주 영양상의 목표에 이르는 데 하나의 방해물로 작동하는 것으로 간주된다"(Lupton, 1996: 7). 이것은 노동계급이 적절한 식생활 기준을 충족시키지 못하는 것을 물질적 결핍의 결과일 뿐만 아니라 또한 문화적 결핍의 결과로 보는 경향을 낳았다. 즉 노동계급은 올바른 문화적 지식과 관행을 결여하고 있으며, 따라서 '적절하게' 소비하는 방법을 알지 못한다는 것이다. 건강한 식생활은 자주 중간계급의 식생활과 등치된다. 그리고 이것은 노동계급 식생활의 문화적 결핍을 주장하는 사람들이 그들 자신의 취향의 정당성과 우수성 또한 주장하고 있음을 시사한다(Crotty, 1999: 145). 마지막으로, 데버러 럽톤(Deborah Lupton, 1996: 72)이 주장하듯이, "이와 같이 영양학의 역사는 그간 대중의 식생활이 '과학적' 주장의 뒷받침을 받으며 점점 더 합리화되고 감시받고 규제받아왔음을 입증한다." 그러므로 '객관적인' 과학적 판단은 심히 문화적일뿐만 아니라, 그러한 문화적 표상들이 그러한 규제의 근거를 형성한다.

앞서의 논의는 특정한 음식의 양, 질, 형태에 대한 취향이 자주 서로 다른 사회집단의 생활양식이 지니고 있는 도덕적·문화적 가치의 지표로 취해진다고 시사한다. 실제로 이러한 가정은 "La bonne cuisine est la base du veritable bonheur" – "훌륭한 요리가 훌륭한 삶의 토대이다"라고 대략적으로 번역되는 – 라는 프랑스의 미식가 오귀스트 에스코피에Auguste Escoffier의 주장 속에서 구현되어 있다(Rhodes, 1996: 10). 여기에서 '훌륭한' 음식관행이라는 개념은 더 이상 단순히 영양학적 가치만을 지칭하는 것이 아니라, 그것과 함께 도덕적·심미적인 가치를 전달한다. 나아가 음식취향 – 우리의 좋아하고 싫어함 – 은 (생물학적 또는 개인적이라기보다는) 사회적이고 문화적일 뿐만 아니라, 특정 취향을 다른 취향보다 더 진정한 것으로 바라보는 보다 광범위한 심미적·도덕적 분류체계와도 관련된다. 이를테면 영국 가족의 음식관행에 관한 찰스와 커(Charles and Kerr, 1988)의 연구에서 그들 조사의 응답자들 중 일부는 감자튀김에 심한 혐오감을 드러냈다. 왜냐하면 감자튀김은 그들이 도덕적·심미적으로 노동계급의 궁핍한 취향이라고 여기는 것을 연상시키기 때문이다. 이렇듯 음식소비 관행들은 사회적·문화적 유형의 표상들과 밀접한 관계를 맺고 있었다.

이러한 계급과 음식소비의 이미지들은 다양한 문화형식과 미디어 형식을 통해 광범위하게 재연되고 있으며, 그것의 의미는 그것을 인식할 수 있는 우리의 능력에 의존한다. 우리는 이것의 최근 사례를 영국의 텔레비전 시리즈물 <제이미의 키친Jamie's Kitchen>에서 발견할 수 있다. 요리 프로그램, 다큐소프, 그리고 '리얼리티' 장기자랑대회를 혼합한 이 쇼에는 유명 셰프인 제이미 올리버Jamie Oliver가 출현한다. 이 프로그램의 목표는 제이미가 수천 명의 후보자로부터 선발된 15명의 젊은 실업자들을 자신이 문을 열려고 하는 새로운 레스토랑에서 직원으로 일할 셰프로 만들어가는 과정을 방영하는 것이었다. 하지만 이 쇼는 보통 매 방영분마다 셰프 지망자와 시청자에게 요리시범을 보여주었다. 이 프로그램은 암암리에 시청자들에게 감자튀김, 피자, 베이크드 빈스를 좋아하는 노동계급 셰프 지망자들과 굴 덴푸라, 특선 이탈리아 빵, 레드와인에 잰 스테이크를 좋아하는 제이미 (그리고 암묵적으로는 시청자) 간의 취향을 확실하게 구분했다. 이 과정에서 제이미의 연습생들의 취향이 결함 있는 것으로 제시될 뿐만 아니라, 이 시리즈의 핵심적인 이야기는 그들의 취향을 '바꾸어놓는' 제이미의 능력에 의존했다. 만약 우리가 문화회로 모델이 제기하는 관념을 따른다면, 소비관행은 부분적으로는 진정한 취향과 진정하지 못한 취향에 관한 이러한 표상들에 의해 특징지어질 것이다.

계급, 소비, 취향

이 절과 다음 절은 계급 차이가 음식소비 관행을 이해하는 데 여전히 얼마나 중요한지를 고찰한다. 맥도날드화와 같은 과정이 국가 내와 국가 간 모두에서 먹기를 표준화해왔으며, 그러한 과정에서 (다른 무엇보다도) 계급 차이들을 부식시키고 동질적인 음식문화를 산출해왔다고 자주 주장된다. 이러한 관점에서 볼 때, 산업적 대량생산 과정이 표준화된 형태의 대량소비를 가져온다. 이것은 생산양식이 우리가 그 산물을 소비하는 방식을 결정한다고 시사한다.

　정치경제에 주목하는 것이 음식의 생산, 분배, 소비를 뒷받침하는 사회적 관계를 이해하는 데 중요하기는 하지만, 식품생산의 산업화와 지구화가 반드시 표준화된 음식 또는 표준화된 소비관행을 가져오는 것은 아니다(제1장과 제6장을 보라). 게다가 많은 비평가들은 20세기 후반 포스트 포드주의적 생산방식으로의 이행이 대량시장보다는 오히려 틈새시장과 연관되어 있다고 주장해왔다. 이것은 대량소비라기보다는 오히려 보다 '개별화된 혼성적 소비형태'로의 이행을 시사한다(Lee, 1993: 127). 마지막으로, 스티븐 메넬(Stephen Mennell, 1985: 321)과 같은 비평가들이 볼 때, 식품의 산업화된 대량생산이 표준화된 대량소비를 가져온다는 주장은 근대화가 "보다 풍부한 음식뿐만 아니라 보다 다양한 요리법 또한" 만들어냈다는 사실을 간과한다.

　메넬이 볼 때, 중세시대부터 현재까지 영국의 먹기 관행에서 나타나는 중요한 장기적인 역사적 추세는 "음식습관과 요리취향에서 대립은 감소하고 다양성은 증가해왔다는 것이다"(Mennell, 1985: 322). 음식습관과 취향의 다양성 증가는 하나의 지배적인 요리 스타일이 존재하지 않는, 메넬이 '요리다원주의culinary pluralism'라고 부르는 것으로 귀결된다(ibid.: 329~331). 메넬은 이런 식으로 근대화가 표준화를 가져오지 않았다고 주장한다. 하지만 그럼에도 불구하고 상이한 사회집단들의 음식습관과 취향 간에 존재하던 "대립은 감소"한다. 그는 특히 상이한 사회계급들의 음식습관과 취향들 간에 존재하던 대립이 감소한다고 주장한다.

메넬의 주장은 음식관행에서 나타나는 변화에 대한 광범위한 역사적 설명에 기초한다. 그는 그 과정에서 상층계급과 하층계급의 먹기 관행에서 나타나는 차이가 줄어들어왔다고 설득력 있게 주장한다. 메넬이 계급 차이가 근절되어왔다고 주장하는 것은 아니다. 대신에 그는 그 위계질서가 "축소되어왔으나 결코 사라지지는 않았다"고 주장한다(ibid.: 322). 그럼에도 불구하고 그는 역사적 변화를 강조함으로써, 음식소비에서의 계급 차이가 여전히 중요한 경제적·사회적·문화적 차이라는 생각을 경시하는 경향이 있다.[1]

하지만 많은 사회학자는 "사회적 차별화의 지속"에 더 많은 관심을 가져왔다(Warde, 1997: 39). 이를테면 1860년부터 1980년까지의 영국의 식생활에서 나타나는 역사적 변화에 관한 넬슨(Nelson, 1993)의 논평이 계급 차이가 음식소비에서 지속되고 있음을 시사한다면, 톰린슨(Tomlinson, 1998)은 1990년대에도 음식취향에서 계급 차이가 지속되고 있음을 증명한다. 그러나 이러한 증거가 음식소비에 계급 차이가 존재한다는 점을 경험적으로 입증하는 데 의심의 여지없이 유용하기는 하지만, 그들은 음식소비에 대한 보다 광범위한 이해보다는 소비되는 품목에 더욱 관심을 기울이고 있다. 이러한 이유 때문에, 그들은 우리에게 계급 차이의 **중요성**에 대해 거의 아무것도 이야기해주지 않는다. 문화연구의 관점에서 볼 때, "차이의 의미를 …… 차이의 맥락, 즉 차이의 사회적·문화적인 토대와 그 영향을 살펴보는 방식으로" 탐구하는 것 또한 필요하다(Ang, 1985: 107).

음식소비와 관련한 연구의 최고의 실례 중 하나가 프랑스 사회학자 피에르 부르디외의 『구별짓기Distinction』(1984)이다. 이 책은 1960년대 프랑스의 상이한 계급분파들 사이에서 나타나는 취향과 선호에 대한 방대한 조사연구에 기초한다. 소비관행에 대한 보다 광범위한 연구에서, 부르디외는 어떻게 우리의 음식취향이 결코 개인적인 것이 아니라 상이한 집단들, 특히 사회계급들 간의 사회적 관계에 기초하고 있는지를 입증한다. 부르디외의 연구는 상이한 계급들의 상이한 음식취향과 관행들이 의미를 지니는 까닭은 그것들이 독특한 계급문화의 논리 내에 착근되어 있고 또 그것들이 계급들 간의 문화권력 투쟁과 연루되어 있기 때문이라는 점을 보여준다. 부르디외에 따르면, 우리의 계급위치는 우리가 소유하고 있는 자본의 양, 우리가 소유하고 있는 자본의 유형(경제적·문화적·사회적·상징적), 그리고 집단들이 특정한 역사적 장소에서 그러한 자산을 자본화하는 기회의 산물이다(Bourdieu, 1984: 144). 상이한 사회계급들의 경험은 그 계급들로 하여금 서로 다르게 소비하게 한다. 그리고 이것이 부르디외가 아비투스habitus라고 부르는 것을 통해, 즉 우리가 세상을 분류하고 이해하고 또 무엇이 "우리와 같은 부류의 것"이고 무엇이 아닌지를 구별하는 '성향체계'를 통해 계급문화 내에서 재생산된다. 부르디외의 계급 개념을 사용하면, 상이한 사회계급들의 음식취향과 음식관행이 단순히 경제적 불평등에 대한 질문만으로 설명될 수 없다는 것은 확실하다. 왜냐하면 소비관행 또한 계급에 기초한 문화적 성향의 산물이고, 그러한 문화적 성향 또한 경제적 경험의 산물임에도 불구하고 단순히 경제적 경험들로 환원될 수 없기 때문이다. 이를테면 노동계급의 취향은

그들 노동경험의 직접성에서 그리고 그들의 욕구가 부과하는 압력에서 파생한다. 육체노동을 하는, 그러면서 생계와 편안을 보장받지 못하는 사람은

감각적인 것, 물질적인 것, 그리고 즉각적인 것을 존중하고 열망한다.(Miller, 1994: 150)

이것은 캐서롤, 빵, 고기의 값싼 부위 같은 실속 있고 푸짐한 음식을 좋아하는 취향에서 잘 나타난다. 하지만 이러한 아비투스가 단지 노동계급이 먹는 것을 틀 짓기만 하는 것은 아니다. "음식을 대접하는 방식, 즉 음식을 준비하고 차리고 권하는 방식이 …… 심지어 사용된 식재료의 속성보다도 훨씬 더 많은 것을 보여준다"(Bourdieu, 1984: 193). 부르디외에 따르면, 노동계급의 식탁은 음식으로 풍성하게 잔뜩 채워지는 것이 특징이고, 이것은 부르주아 문화의 특징인 자제와 허식을 거부한다는 것을 세상에 알리는 것이다. 가정의 맥락에서 본다면, 과도하게 차려진 식탁은 또한 충분한 음식의 확보가 결코 보장되어 있지 않는 경제적 상황에서 가족에게 음식을 제공할 능력이 있음을 표현하는 것일 수도 있다(DeVault, 1991를 보라). 이러한 격식성과 자제의 거부는 여타 음식관행들에서도 찾아볼 수 있다. 이를테면 영국에서 신문에 싸서 손가락으로 집어 먹는 피쉬 앤 칩스fish and chips는 노동계급 요리문화의 중심적 특징으로 여겨져왔다. 이렇듯 노동계급의 음식관행은 음식이 주는 즉각적·감각적 기쁨을 강조할 뿐만 아니라 "관대함과 친숙함"을 중시하는 분위기 속에서 그리고 "유쾌함이 과묵함과 자제심을 날려 버린 상태"에서 음식을 먹고 나누는 것이 주는 기쁨 또한 강조한다(Bourdieu, 1984: 179). (이는 바로 앞장에서 논의한 바흐친의 관심사를 생각나게 한다.)

이와 대조적으로 부르주아의 상이한 경험들은 음식에 대해 상이한 종류의 성향을 만들어낸다. "교육과 자본의 추상화와 함께 성장하고 일상 필수품을 보장받고 있는 사람은 그러한 음식욕구들과 거리를 두도록 키워지고, 추상적인 것, 거리 두기 그리고 격식 있는 것에 대한 존중과 열망에 기초하는 취향을 가진다"(Miller, 1994: 150). 이것은 먹기의 '즉각적인' 만족과 먹기라는 "생물학적 욕구"를 벗어나서, 생선이나 야채와 같은 '가볍고' '세련된' 음식을, 그리고 '양'보다는 '질'을 선호하는 음식성향을 창출한다. 부르주아는 음식의 스타일, 표상, 심미적 질에 보다 관심을 기울인다. 아마도 이것을 가장 잘 압축적으로 보여주는 것이 1980년대의 누벨퀴진nouvelle cuisine일 것이다. 이 기발하게 표현된 요리들은 작은 음식 조각들로 장식되어 있다. 누벨퀴진 스타일에서는 시각적·미각적인 요리미학이 음식을 우리를 충전시키는 연료로 보는 관념보다 더 우선시되었다. 부르디외가 볼 때, 부르주아의 먹기 관행은 자제를 특징으로 한다. 즉 식사는 "기다림, 한숨 돌림, 자제를 수반하는 리듬"에 의해 지배된다. "이를테면 마지막 사람이 음식을 제공받을 때까지 기다렸다가 먹기 시작하고, 음식을 탐하는 것처럼 보이지 않게 적당량을 그릇에 담는다"(Bourdieu, 1984: 196).

이러한 상이한 음식성향은 또한 미국의 가정요리와 먹기 관행에 대한 드볼트DeVault의 연구에서도 입증된다. 노동계급의 여성들은 음식을 가지고 실험하는 경향이 덜했으며, 그들의 관행은 "관습과 습관"에 더 많이 기초했다(DeVault, 1991: 203). 노동계급에게 특별한 행사의 기능은 친근한 것, 즉 전통적인 음식과 가족의 중요성 모두를 강조하는 것이다. 노동계급 여성들은 보다 '제한적인' 요리규칙을 재생산한다. 왜냐하면 그들은 자신들의 자본을 활용하여 특정 형태의 이윤을 획득할 수 있는 기회를 거의 가지지 못했기 때문이었다. 반면 중간계급 여성들은 요리책과 잡지에서 획득한 "보다 일반화된 일단의 스타일과 규칙들"을 사용하여 요리에 보다 추상적으로 접근했다(ibid.: 206). 중간계급 여성들은 음식을 "하나의 계급부호로" 사용하는 경향이 있었고(ibid.: 223), 음식을 이용하여 가족 간에 사교활동을 할 뿐만 아니라 동일 계급 출신의 친구들과 동맹을 창출하기도 했다. 음식소비가 경제적·문화적 자본과 관련될 경우, 그것은 또한 사회적 자본을 드러내고 산출하기 위해 사용될 수도 있다.

부르디외의 연구목적은 단지 상이한 계급들이 어떻게 그리고 왜 서로 다르게 음식을 소비하는지를 기술하는 것뿐만 아니라 음식관행에서 그러한 차이가 갖는 중요성 또한 설명하는 것이다. 다른 소비형태와 마찬가지로 음식소비는 계급투쟁의 장이며, 그 속에서 중간계급은 그들의 자산을 자본화할 수 있는 더 좋은 기회를 가지고 있다. 경제적 자본이 이윤을 창출하기 위해 투자될 수 있는 것처럼, 문화적 자본의 소유 또한 "구별짓기 속에서 이윤, …… 그리고 …… 정당성 – 존재(현재의 존재)가 정당하다는 느낌, 즉 현존재가 옳다는 느낌 – 속에서 이윤"을 산출한다(Bourdieu, 1984: 228). 이러한 정당성 의식은 오직 '선천적인' 것처럼 보이는 취향을 지닌 사람들을 거부하는 것이자 그들과의 구별의식에 기초한다. 이렇듯 요리라는 문화자본에 투자하는 <제이미의 키친>의 중간계급 시청자들에게(Bell, 2000) 그 시리즈물은 포카치아에 대한 그들의 취향이 딥 팬 피자에 대한 취향보다 더 진정하다는 것을 확인시켜준다.

부르주아의 취향이 노동계급의 취향을 특징짓는 '단순하고' '통속적인' 즐거움을 거부하는 것에 기초한다면, 노동계급의 아비투스 또한 부르주아 문화를 특징짓는 자제력의 요구를 거부하는 것에 기초한다. 이러한 점에서 "노동계급은 합당한 삶의 방식에 노골적으로 도전한다"(Bourdieu, 1984: 179). 하층 사회계급의 일부 성원들이 그러한 합당한 문화적 성향들을 획득하고자 시도함으로써 부르주아를 따라하고자 할 수도 있다. 하지만 부르디외 이론의 핵심 모델에 따를 때, 각각의 계급은 다른 계급들에 대해 '심미적 불관용'을 드러낸다(ibid.: 56). 그렇지만 부르디외의 모델에서 무엇이 정당한지, "그리고 그 다음으로는 무엇이 부당하거나 부적절하고 또는 심지어 일탈적이라고 판단되어 단속될 수 있는지"를 판정하는 문화권력을 가지고 있는 것은 부르주아이다(Ross, 1989: 61). 노동계급이 유명 셰프의 창조물을 우스꽝스러운 것으로 보고 거부할 수도 있지만(Caplan et al., 1998), 담백하고 세련된 것에 대한 취향이 '정상적인' 식생활로 제시되는 데 반하여 노동계급의 식생활은 병리적이고 영양학적으로 부적절한 것으로 취급된다.

부르디외의 이론은 음식소비 관행을 보다 광범위한 계급불평등과 계급투쟁의 틀 내에 위치시키고 있으며, 그 과정에서 사적 영역의 일상생활에서 벌어지는 '평범한' 일들이 어떻게 계급지배를 실행하는 동시에 그것에 도전하는 현장이 되는지를 보여준다. 계급과 음식소비에 관한 부르디외의 연구는 음식소비에서 계급 차이가 중요할 뿐만 아니라 일상적인 음식관행이 계급정체성을 '표현하는' 동시에 계급정체성을 생산·재생산한다는 것 또한 시사한다.

음식취향의 변화

부르디외의 연구가 음식소비 연구를 틀 짓는 데 영향을 미처왔지만, 몇몇 비판가들은 그의 이론이 1960년대에 수행된 설문조사에 기초하고 있기 때문에 역사적 변화의 동학에 대한 이해라기보다는 특정 시점의 음식관행에 대한 스냅사진일 뿐일 수 있다고 주장해왔다(Mennell, 1985). 현대 서구 음식문화는 다양성의 증대뿐만 아니라 "새로운 것에 대한 요구"에 의해서도 특징지어지며, 이것이 계급문화와 음식소비 간의 관계를 약화시킨다고 주장되어왔다(Grunow, 1997: 28~29). 하지만 새로운 식품들이 점점 더 새로운 방향으로 나아가고 새로운 음식물에 대한 취향이 발전한다고 해서, 그것이 반드시 사회적·문화적 차이의 중요성을 감소시키거나 사회계급이 음식관행에 초래하는 상이한 성향들을 부식시키는 것은 아니다. 게다가 계급구조의 변화에 대한 부르디외의 분석은 새로운 것의 추구가 새로운 사회계급의 등장과 연관되어 있을 수도 있다고 시사한다. 럽톤이 주장하듯이, "새로운 음식과 요리를 시도하는 것은 또한 세련화와 구별짓기의 신호, 즉 기꺼이 혁신적이 되어 일반 대중과 달라지고자 함을 드러내는 신호이다"(Lupton, 1996: 127).

부르디외에 따르면, 보다 전통적인 직업들보다는 오히려 새로운 서비스산업과 화이트칼라 직업들에 기초하는 신중간계급의 등장이 계급관계의 사회적 공간을 변화시킨다. "새로운 취향의 창조자"인 새로운 부르주아는 과거 부르주아의 절제와 금욕을 거부하고 "신용, 지출, 향락에 기초하는 쾌락주의적인 소비윤리를 지지"한다. 그러한 윤리 속에서 사람들은 "그들의 생산능력만큼이나 그들의 소비능력, '생활수준', 생활양식에 의해" 판단된다(Bourdieu, 1984: 310). 좀 더 하급의 동종 산업에서 일하는 경향이 있는 새로운 쁘띠 부르주아 또한 소비와 '삶의 기술'에 투자하고, "재미있는 것, 세련된 것, 멋있는 것, 예술적인 것 [그리고] 상상력이 풍부한 것"에 가치를 부여하는 "의무로서의 쾌락윤리"(ibid.: 366~367)에 기초하는 삶에 가까이 다가간다(ibid.: 359). 실제로 이들 가치는 "새로움과 오락을 쾌락과" 연계시켰던 드볼트DeVault, 1991: 214)의 연구에서 중간계급 요리관행을 뒷받침했던 가치들과 매우 유사하다. 신중간계급은 노동계급 문화의 가치들을 거부함으로써, 그리고 그뿐만 아니라 구중간계급의 가치들을 거부하는 것을 통해 자신들의 취향을 진정한 취향으로 정당화함으로써 자신들을 구분하고자 한다. 하지만 또한 새로운 쁘띠 부르주아는 새로운 부르주아보다도 훨씬 더 큰 불안의식을 특징으로 한다. 즉 그들은 생활양식 기술을 스스로 학습하고자 하지만, 결코 '올바르게' 행하고 있다는 확신을 가지지 못한다. 이들 새로운 계급은 페더스톤(Featherstone, 1991a)이 '일상생활의 미학화aestheticization of everyday life'라고 부르는 것을 통해 다르다는 의식을 획득하려고 노력한다. 음식관행은 이들 계급의 성향을 가시화하는 중요한 방법이 될 수 있으며, 그들이 구별짓기를 실행하는 하나의 수단이기도 하다.

그러므로 점점 더 다양해지고 있는 판매식품들을 소비함으로써 그들 스스로를 구별지을 준비가 가장 잘 되어 있는 것이 바로 이 신중간계급이다.

> 새로운 취향이 주는 감동과 새로운 먹기 경험을 추구하는 것은 스스로를 향
> 상시키는, 즉 생활에 '가치'와 흥분감을 더해주는 수단으로 간주된다. ……
> 이것은 음식준비와 먹기를 하찮은 일이라기보다는 오히려 미학화된 여가로
> 보는 사람들의 경우에 특히 그러하다.(Lupton, 1996: 126)

이처럼 요리가 여가로 점점 더 강조되고 있다는 사실은 최근 영국에서 새로
운 형태의 외식경험을 제공하는 레스토랑과 술집들이 붐을 이루고 있고, 또
황금시간대에 TV 요리쇼의 방영 빈도가 증가하고 있는 데서 발견할 수 있
다. 이것은 또한 중간계급 남성들의 요리참여가 가사노동의 한 형태라기보
다는 하나의 취미로 증가하는 것과 동시에 발생하고 있다(Levenstein, 1993;
Hollows, 2002, 2003a, 2003b). 하지만 음식에 대한 이러한 견해는 풍부한 상상
력을 발휘하여 즐거운 식사를 실제로 날마다 준비해야 하는 책임을 지고 있
는 중간계급 여성들이 그것을 여전히 노동으로 경험하는 정도를 은폐한다
(DeVault, 1991).

 하지만 부르디외의 연구가 분명히 밝히고 있듯이, 음식소비에서의 계급
차이는 무엇을 먹어야 하는지를 지시할 뿐만 아니라 음식에 대한 성향 또한
틀 짓는다. 신중간계급은 새로운 이국적인 음식물을 찾아냄으로써, 그리고
먹기에 적합한 것과 적합하지 않은 것의 문화적 경계를 넘음으로써 새로운
것을 추구할 수도 있다. 럽톤은 이를 다음과 같이 언급한다.

> [그것은] 사내다운 먹기, 즉 거의 전도된 음식속물 근성[이다]. 그러한 먹기
> 에서는 음식이 역겨우면 역겨울수록, 식도락적으로 용감하고 모험적이라는
> 이유로 더 많은 점수를 얻는다. 어쨌든 그러한 음식을 먹을 수 있는 능력은

자기통제의 극단을 상징하며, 일반적으로 받아들여지는 규범과 그 자신의 몸을 정복했다는 것을 그것의 매우 관례 위반적인 성격을 통해 입증한다. Lupton, 1996: 129)

이러한 음식들은 보통 한 문화의 주류 요리의 바깥에 존재한다. 인기를 잃어버린 전통적인 노동계급의 요리와 또 다른 문화인 '농민' 요리가 그와 같은 음식들이다. 이를테면 1990년대 영국 식도락가들의 바이블 중 하나인 『리버 카페 요리The River Café Cookbook』에는 뇌 데침, 쉐장 데침, 송아지 뇌와 쉐장의 프라이팬 볶음 레시피가 실려 있었다(Gray and Rogers, 1995). 마찬가지로 유명 셰프인 앨리스테어 리틀Alistair Little은 영국 노동계급의 전통적인 내장 요리를 유럽적 정취를 지닌 '내장 그라탕'으로 '인증'함으로써 그 요리를 신중간계급 고객들을 위해 재발명한다. 셰프는 내장을 "반추동물 – 되새김질을 하며 위가 네 개나 되는 방으로 나누어져 있는 짐승 – 의 위 안쪽 면"이리고 정의한다. 정보를 제공하는 이러한 정의는 독자의 용기를 더더욱 시험에 들게 한다(Little and Whitington, 1993: 164).

하지만 신중간계급 역시 그들이 자신과 구별짓고 싶어 하는 계급들과 똑같은 음식을 소비할지도 모른다. 그렇기에 그들에게 다르다는 의식을 가져다줄 수 있는 것은 바로 그들이 그 동일한 음식을 소비하는 방식이다. 이를테면 영국의 요리책 작가인 니겔 슬래터Nigel Slater는 칩버티[감자튀김 샌드위치] 만드는 법을 조언하면서 이러한 '전도된 속물근성'을 드러낸다.

나는 칩버티를 좋아한다. 그러나 그걸 만드는 데에는 규칙이 있다. 빵은 희고 얇게 자른 것이어야만 한다. 실제 '제과점의 빵'보다 '부드러운' 빵이 더 적합하다. 왜냐하면 그것이 녹은 버터를 보다 쉽게 흡수하기 때문이다. 감자튀김은 식물성 기름이 아닌 동물성 기름에 튀겨야 하며 그리고 나서는 소금과 맥아를 뿌려야 한다. 그렇다, 나는 맥아식초라고 말했다. 이 샌드위치는 버터를 듬뿍 발라야 한다. 약간 술에 취했을 때 먹으면 좋다. 그리고 발사믹 식초와 파르메산치즈 조각을 곁들여 숯불로 구운 종류의 요리에 대한 완벽한 해독제이다. 그뿐이랴, 너무도 서민적이기까지 하다.(Slater, 1993: 176)

신중간계급은 재미와 쾌락주의에 입각하여 건강한 먹기에 대한 진지한 요구를 경멸하고 또 기존의 계급경계를 넘어섬으로써, 구중간계급의 자제심으로부터 그리고 동시에 소위 '칩버티' 만드는 기술에서 나타나는 보다 심미적이고 저속한 기쁨을 알지 못하는 노동계급으로부터 자신들을 구별지을 수 있다. 게다가 이런 식으로 신중간계급은 그들 자신을 문화적 잡식동물로 규정한다. 그리고 이것은 "중간계급으로 하여금 한때 노동계급을 연상시켰던 취향을 활용하고 그것과 결합함으로써 스스로를 개조하고 일신할 수 있게 한다"(Skeggs, 근간). '쓰레기' 음식에 대한 신중간계급의 취향은 계급과 취향 간의 관계를 해체하는 것이 아니라 그들 자신의 구별짓기를 재확인한다(Warde and Martens, 2000을 보라).

호주에서 실시한 면접에 기초하고 있는 럽톤의 연구는 부르디외가 규명한 구별짓기 전략이 프랑스 밖에서도 역시 작동한다고 시사한다. 그러나 영국의 음식취향에 대한 워드의 조사 또한 계급 차이가 음식소비에서 지속되고 있음을 확증하기는 하지만, 그는 거의 어떤 사람도 그들의 음식관행을 구별짓기의 전략으로 사용하지 않는다는 것을 발견했다. 오히려 그에 따르면, "이제 소비는 구별되지 않는 차이로 가장 잘 특징지어진다. 이러한 상황은 다양한 제품에 대한 소비자들의 욕구와 별 차이가 없는 제품들을 대량으로 공급할 수 있는 산업의 능력이 맞물리면서 발생했다"(Warde, 1997: 155). 그러므로 워드의 연구는 음식소비에서 유의미한 계급 차이가 존재하기는 하지만 그러한 차이의 의미를 단순하게 구별짓기의 추구와 등치시킬 수는 없다고 시사한다. 그에 따르면, "음식선호는 개성(개인적 취향)이나 사회적 우위성(집단 간의 구별짓기)을 강력하게 주장하는 것이라기보다는 개인이 특정 집단의 성원임을 드러내는 것이다"(ibid.: 125). 더욱이 상이한 계급들이 소비하는 음식에서 나타나는 주요한 차이는 대체로 상징적 자원보다는 물질적 자원의 불평등한 배분의 산물이다.

이 절에서는 20세기 후반 음식관행에서 발생한 변화가 어떻게 음식소비에서 드러나는 계급 차이를 일소하기보다 그것을 명확하게 보여주는 새로운 조건들을 창출했는지를 살펴보았다. 일부 비평가들에서 신중간계급의 관행이 구별짓기의 논리에 의해 뒷받침되고 있다면, 워드와 같은 다른 사람들에서는 계급 차이가 지속되기는 하지만 그것은 "분명하게 구별되지는 않았다." 이러한 연구결과의 차이는 서로 다른 방법론을 사용한 결과일 수도 있다. 왜냐하면 보다 질적인 자료는 사람들이 그들의 소비관행에 부여하는 복잡한 의미들을 들추어낼 가능성이 더 크기 때문이다. 하지만 신중간계급이 자신들의 소비관행을 만들어내는 특정 성향을 보다 일반적으로 채택하고 있다고 제시할만한 증거 – 양적 또는 질적 증거 – 는 거의 존재하지 않는다. 즉 신중간계급의 음식관행을 만들어낸 구별짓기 전략이 계급특수적 능력이자 성향이라고 주장할만한 증거는 없다.

취향의 확대

이 장이 계급과 취향의 관계에 관심을 집중해왔지만, 우리는 음식소비와 취향 간의 관계를 연구할 수 있는 여타의 다양한 방식들을 제시하는 것으로 이 장을 끝맺고자 한다. 이 절은 젠더, 인종, 세대 그리고 이것들과 음식소비의 관계를 간략하게 살펴보는 것에서 시작하여, 취향변화를 검토하기 위한 보다 역사적인 틀을 탐구하는 것으로 나아간다. 우리는 그 과정에서 또한 소비를 문화회로와 재차 관련지을 것이다.

젠더, 음식소비, 취향에 대한 연구는 자주 우리가 먹는 것과 먹는 방식이 어떻게 젠더화된 정체성을 재생산하는지에 관심을 집중한다. 이를테면 럽톤은 사람들의 소비관행이 자주 당연시되는 가정, 즉 스테이크와 같은 '무거운' 음식은 남성적이고 샐러드와 같은 '가벼운' 음식은 여성적이라는 가정에 의해 뒷받침되고 있다고 시사한다. 이러한 젠더화된 취향은 문화적으로 구성되지만, '자연적인' 것으로 경험된다. 왜냐하면 그러한 취향이 그간 '상식'이 되었고, 그것들이 관행을 통해 재생산되며 구체화되기 때문이다. 게다가 가벼운 음식 또는 무거운 음식에 대한 젠더화된 선호는 또한 가벼운 것으로서의 여성의 몸과 강하고 무거운 것으로서의 남성의 몸이라는 개념을 뒷받침하고 있다.[2] 이런 방식으로 젠더화된 취향은 "가정과 여타 장소들에서 유년기부터 재생산되어, 개인의 음식습관과 음식선호를 구성하는 데 기여한다"(Lupton, 1996: 111).

다음 장에서는 음식소비 의례들이 어떻게 인종적 정체성을 생산·재생산하는 핵심 메커니즘이 되는지를 규명한다. 국민정체성은 무엇을 먹는지를 통해서뿐만 아니라 사람들로 하여금 집합적 활동에 참여함으로써 보다 광범위한 국가공동체에 연결되어 있음을 느끼게 해주는 영국의 선데이 런치와 같은 의례를 통해서도 확인된다. 마찬가지로 디아스포라 공동체들도 종교 일정에 맞추어 동시에 식사를 함으로써 보다 광범위한 공동체와 연결되어 있다는 의식을 경험하기도 한다. 이를테면 유대인의 유월절 밤 축제는 음식의례를 통해 흩어져 있는 공동체를 한데 모은다(Morley, 1991을 보라). 하지만 먹기 관행은 정체성을 재생산하는 방식일 뿐만 아니라 정체성을 구성하는 방식이기도 하다. 런던에 사는 아프리카계 카리브해인들의 음식습관에 대한 카플란과 그의 동료들(Caplan et al., 1998: 180)의 연구는 그들이 "자신들

의 인종적 정체성에서 서인도 음식이 갖는 상징적 중요성"을 의식적으로 인
정한다는 사실을 밝혀냈다.

음식소비는 인종적 정체성을 재생산할 뿐만 아니라 그 의미를 유통시키
는 데서도 작동한다. 이를테면 마리 길레스피(Marie Gillespie, 1995: 198)의 연
구는 런던에 거주하는 몇몇 남아시아 출신의 젊은이들이 어떻게 오직 '미
국' 음식이나 '영국' 음식만을 먹음으로써, "'오직' 인도 요리만을 먹는 것으
로 보이는" 사람들, 그리고 그런 방식으로 구성된 특정한 인종적 정체성 구
성체들과 그들 자신을 구분하는지를 보여준다. 길레스피가 볼 때, 남아시아
요리전통에 대한 이러한 거부는 "가족문화로부터 일정 정도 독립성을 확립
하는 동시에 자기 자신의 정체성에 대해 일정 정도 통제력을 발휘하고자 하
는 욕망을 표현하는 제스처로 해석될 수 있다"(ibid.: 200). '인도' 음식에 대한
혐오는 이들 젊은이들이 자신들과 특정한 정체성 간의 거리를 표현하고 아
시아 문화, 영국 문화, 미국 문화의 요소들을 접합시킨 새로운 '혼성적' 정체
성을 유포하는 수단이었다. 그 집단의 음식취향은 구별짓기의 한 가지 전략
으로, 차이의식을 분명하게 표현하고 재생산하기 위해 의식적으로 사용되
었다.

하지만 음식취향이 계급정체성, 젠더정체성, 인종정체성들에 의해 틀 지
어지는(그리고 그것들을 틀 짓는) 방식이 시간이 지나면서 변치 않은 채로 남
아 있는 것은 아니다. 특정 음식에 대한 우리의 취향이 특수한 역사적 구성
체들 내에서 틀 지어지는 방식을 인식하는 것 또한 필요하다. 이 맥락에서
유용한 분석적 장치를 제공한 사람이 바로 앨런 워드이다. 그는 "우리 시대
의 구조적 불안을 구성하고"(Warde, 1997: 55) 또 음식소비의 관행과 취향들
을 틀 짓는 네 가지 이율배반 또는 이항대립을 확인한다. 워드가 볼 때, 이
네 가지 이율배반 — 건강과 탐닉, 절약과 사치, 정성과 편의성, 전통과 새로움
— 은 "문화적 가치를 둘러싼 오랜 구조적 대립 — 즉 주장과 반대주장 — 으

로, 음식에 대한 평가를 표현하고 음식과 관련한 결정을 내리기 위해 동원될 수 있다"(ibid.: 55). 이러한 이율배반들 간의 변화하는 균형은 역사변동을 분명하게 도식화할 수 있는 한 가지 수단이다.

워드는 1960년대와 1990년대 사이에 이러한 이율배반들이 다루어지는 방식에서 일어난 변화들을 여성 잡지들의 음식**표현**들을 살펴보고 음식**소비**를 연구함으로써 규명한다. 그러나 그는 또한 이러한 이율배반들을 생산과 정책 또는 규제에서 나타나는 추세들을 인정하는 보다 광범위한 틀 내에 위치시킨다. 그 과정에서 그는 음식소비와 정체성 간의 관계가 특정 역사구성체 내에서 그리고 보다 광범위한 문화회로 내에서 어떻게 표출되는지를 이해하는 방법을 제시한다. 이러한 접근방법은 음식문화를 보다 역사적·지리적으로 예리하게 이해할 수 있게 해준다.

워드는 우리로 하여금 음식취향이 여성 잡지와 같은 문화형식들을 통해 어떻게 매개되는지를 이해하는 것이 갖는 중요성에 관심을 기울이게 하면서도, 또한 소비연구가 불가피하게 우리를 생산의 문제로 다시 돌아가게 한다는 것을 인정한다. 파인(Fine, 1998)이 시사하듯이, 음식소비를 이해하기 위해서는 음식이 생산되고 분배되고 판매되고 매개되는 보다 광범위한 사회경제적 구조에 관심을 기울이는 것 또한 필요하다. 생산의 사회적 관계와 소비의 사회적 관계는 그것들이 서로에게 영향을 미치기 때문에 별개로 연구될 수 없다(Jackson and Thrift, 1995). 이런 식으로 "음식의 구매, 이용, 소비는 사적인 것과 공적인 것, 지역적인 것과 지구적인 것을 결합시킨다"(Cook et al., 1998: 162). 다음의 두 개의 장에서는 쿡과 그의 동료들이 규명한 그러한 공간관계의 변화를 탐구할 것이다.

제5장

국민음식

1999년에 열기구에 의한 무착륙 세계일주여행이 사상 최초로 성공했다. 탑승자는 다혈질이고 대담한 스위스 정신의학자 베르트랑 피카르Bertrand Piccard와 감정을 잘 드러내지 않는 실용적인 영국인 브라이언 존스Brian Jones였다. 이 영국인은 다음과 같이 말하며, 차 마시기를 찬양했다. "세련된 여느 영국인들처럼, 나도 차 한 잔 해야겠습니다"(Author Unknown, 1999). 여기에 놀랄 만한 것이라고는 거의 없다. 존스는 은연중에 '국민음료'의 정체를 밝히고 있으며, 그의 선택에 이의를 제기하는 사람은 거의 없을 것이다. 우리가 제1장에서 주장했듯이, 영국다움과 "좋은 차 한 잔" 간의 연계관계는 확고하고 당연시되는, 그 자체로 '국민문화'의 한 부분이다. 조지 오웰George Orwell도 1946년에 자신의 에세이 「좋은 차 한 잔」(1968a: 58~61)에서 똑같은 논평을 했다. 그리고 브라이언 존스의 말은 그의 개인적 성공을 선언하는 것만이 아니라 두 번째 밀레니엄의 후반 세기 동안 지구상의 매우 많은 지역들을 탐험하고 지도를 작성하고 교육하고 개발했던 영국인의 모험, 대담성, 진취성의 전통 내에 자신이 문화적으로 위치하고 있음을 선언하는 것이었다.

지난 20여 년에 걸쳐 국민과 국민정체성의 구성은 인문학과 사회과학 내에서 많은 비판적 관심을 끌어왔다. 조나단 레(Jonathan Rée, 1992)가 주장하듯이, 특히 네언(Nairn, 1977), 겔너(Gellner, 1983), 앤더슨(Anderson, 1983), 홉스봄(Hobsbawm, 1991)이 집필한 네 권의 책은 그러한 문제에 대한 논의를 새로운 방향으로 이끌었다. "그 저작들 간의 차이에도 불구하고, 이들 연구는 그들이 …… 국민이 '역사만큼이나 오래되었다'는 관념을 단호히 거부한다는 데 의견을 같이하고 있다"(Rée, 1992: 3). 국민에 대한 이러한 강조는 문화연구의 형성에서 중심을 이루어왔던 정체성, 소속감, 차이에 대한 보다 광범한 관심의 일부를 구성한다. 정체성에 대한 질문은 이 책 전반에 걸쳐 일정한 간격을 두고 다루어지고 있지만, 여기서 우리는 음식과 지역적·지방적·국민적 정체성 간의 관계에 관심을 기울인다. 우리는 이 장에서 레가 부각시킨 논쟁에 의거하여, 그 논쟁을 확장하고자 시도할 것이다. 비록 이 문제가 지구적 중요성을 가지고 있기는 하지만, 우리는 대부분의 사례들을 영국 사례들로 제시할 것이다. 그리고 우리는 영국 음식 – 그리고 특히 영국적이라는 것에 부착된 보다 광범한 의미들을 형성하는 데 있어 음식이 관여하는 방식 – 을 둘러싼 몇 가지 의미를 고찰하는 것에서 시작한다. 그 다음에 우리는 특히 베네딕트 앤더슨Benedict Anderson의 저작과 차이에 대한 구조주의적 논의에 근거한 국민정체성의 이론화에 준거하여, 지금까지는 암묵적으로 다루어온 몇몇 이론적 시각들을 명시적으로 다루는 데로 나아갈 것이다. 이 장은 음식의 질의 한 가지 표지로서의 '고유성authenticity' 개념이 갖는 의미에 대한 간략한 논의로 끝맺을 것이다. 이 장은 국민 자체가 불확실하고 정확하게 정의하기 어려운 것만큼이나, 국민음식이라는 개념 또한 불가피하게 그러하다는 점을 전제로 하고 있다.

국민음식의 불분명한 분명함

언뜻 보기에 영국의 국민음식이라는 개념은 문제가 없어 보인다. 만약 영국 사람들로 이루어진 표본에게 '영국적 음식'이라는 말이 생각나게 하는 것이 무엇인지를 묻는다면,[1] 그들의 답변이 일치하지는 않겠지만 그것들은 서로 중첩되는 경향이 있을 것이며, 그러한 중첩은 그것이 '핵심적인 국민음식' 이라는 관념을 고무할 것이다. 아마도 하루의 '식단'은 이럴 것이다. 영국식 아침정식(계란 프라이, 베이컨, 소시지, 토마토 등등), 온갖 고명을 얹은 구운 고기(특히 쇠고기), 스콘 그리고/또는 집에서 만든 케이크를 곁들인 오후의 차, 그리고 가벼운 저녁식사용 피시 앤 칩스. 이것이 영국 사람 대부분의 일 상적 음식소비와는 거리가 멀 수도 있지만, 그럼에도 불구하고 우리가 그것 을 영국 국민의 집합적 상상이 규정하는 국민음식이라고 주장할 수 있는 정 황들이 존재한다. 분명 영국 문화유산단체인 내셔널 트러스트National Trust 소유지의 레스토랑들에서 제공하는 음식은 이러한 관념을 확인해주는 것으 로 보인다. 내셔널 트러스트 전반에 관해 다룬 BBC TV 프로그램 <트러스 트의 보물들Treasures in Trust>(1995)은 노스콘월North Cornwall의 베드러던 스 텝스Bedruthan Steps에 있는 그 단체 소유지의 레스토랑에 방송의 한 꼭지를 할애했다. 크림 티와 수제 케이크가 메뉴의 핵심이었다. 여성지배인은 다음 과 같이 말했다. "우리는 외국 음식을 팔 수 없습니다. 우리는 오직 영국 음 식만을 팔도록 허가받았습니다. 나는 라자냐lasagne나 그와 같은 어떤 것도 팔 수 없습니다." 그곳의 음식은 전형적으로 영국적인 '음식'일 뿐만 아니라 외국 요리를 배척한다는 점에서 무례할 정도로 국가주의적이기도 하다.

하지만 이러한 표면상의 명백함에서 그리 멀리 떨어지지 않은 곳에 매우 실제적인 문제들이 자리하고 있다. 첫째, 최근에 단 하루라도 실제로 그러한 규정식단에 따라 음식을 먹은 영국인은 거의 없을 것이다. 그리고 많은 영국인들이 그 목록에 올라 있는 어떤 한 가지 음식도 규칙적으로 먹지 않는다는 것도 분명한 사실일 것이다. 둘째, 국민음식을 구성하는 것들은 그 자체로 시간의 흐름에 따라 변화할 수밖에 없다. 이를테면 1998년 5월 15일자 ≪선데이 타임스Sunday Times≫에 조 브레넌Zoe Brennan이 쓴 기사는 영국 왕세자가 전형적인 영국 음식을 추천하지 못했다는 것에 대해 분노를 드러내는 보도를 한다. 왕자는 영국 음식에 명예를 부여하기 위해 기획된 레시피 책에 기고해줄 것을 요청받고, 바질과 잣 빵과 페스토소스를 곁들인 뇨키를 제출했다. 이것은 이탈리아에서 유래된 레시피였다. 그 기사는 미래의 군주가 "영국 음식을 좋아하지 않는다"고 결론짓는다. 그 책의 발행인들은 그 레시피를 싣기로 결정했다. 그리고 그 기사는 그들이 그것을 어떻게 정당화했는지를 인용한다. "영국 음식은 이제 너무나도 절충적이어서 우리는 몇몇 이탈리아 레시피를 포함시켰다." 첫눈에 문제가 있는 것으로 보일 수 있는 것도 실제로는 좀처럼 주목받지 못하는 것은 국민 자체가 전혀 분명하지 않기 때문이다. 언뜻 보기에 당연한 것으로 보일 수 있는 것들 — 군주, 위풍당당 행진곡 그리고 내셔널 트러스트의 소유지들과 같은 '초시간적' 아이콘들을 축으로 집적된 지배적 또는 전통적 의미들 — 이 서로 각축하는 계급적, 젠더적 또는 '인종적' 입장들로부터 나온 영국다움에 대한 정의들에 의해 매우 근본적인 의문을 제기받는다. 21세기가 시작되는 시점에서 다문화적 국민의 구성원들이 이들 아이콘에 부여하는 의미들은 실제로 매우 다를 것이다. 국민은 이러한 공적 엠블럼과 의례들뿐만 아니라 평범하고 일상적인 것, 즉 마이클 빌리그(Michael Billig, 1995)가 '일상적 국민주의banal nationalism'라고 기술하는 것을 통해 살아간다. "삶은 쇠고기와 당근"이나 영국식 스콘의 경우도 사정은 전혀 다르지 않다.

영국이라는 '요리 불모지'와 외국 음식의 영향

찰스 왕세자의 선호는 우리로 하여금 외국 음식이 오랫동안 영국 음식에 영향을 미쳐왔으며 그 영향은 최근 수십 년간 더욱 증대해왔다는 것을 깨닫게 한다. 그것의 당연한 결과가, 그리고 어쩌면 그것에 대한 설명이 바로 토착 영국 음식은 좋게 보더라도 평범하다는 인식이다. 1945년 저술에서 조지 오웰은 "영국인들 스스로조차 흔히 영국 음식이 세상에서 최악이라고 말한다"고 논평했다. 그는 같은 에세이의 후반부에서 다음과 같이 평한다. "값비싼 (영국의) 레스토랑과 호텔들 거의 모두가 프랑스 요리를 흉내 내고, 자신들의 메뉴를 불어로 써놓는다"(Orwell, 1968b: 56).

그러한 인식은 오웰 훨씬 이전으로까지 거슬러 올라간다. 음식사학자들에 따르면, 그러한 영향은 프랑스혁명 직후에 시작되었다. 그 시기에, 과거에 프랑스 귀족을 위해 요리했던 사람들 중 많은 이들이 (파리에서 그리고 그 뒤 뉴욕에서처럼) 런던의 레스토랑들에서 새로운 수입원을 찾아 나섰다(Mennell, 1985: 135~144). 19세기 내내 영국의 중간계급은 프랑스를 훌륭한 요리관행의 모델로 삼았다.[2] 이러한 태도는 영국 중간계급 여행자들이 "제대로 된 음식을 먹기" 위해 휴가 동안 프랑스에 머물면서 계속 이어진다. 영국 중간계급은 루Roux 형제들, 레이몽 블랑Raymond Blanc 또는 피에르 코프만Pierre Koffmann과 같은 유명 프랑스 셰프들이 영국 남부에서 요리한 음식을 먹기 위해 꽤 큰 금액을 기꺼이 지불한다. 이러한 역사의 와중에 영국 요리는 외국의 영향 – 특히 가정과 직업 수준 모두에서 그리고 생산자와 소비자 모두가 음식을 진지하게, 심지어는 정중히 다루는 프랑스 – 에 의해 식민화되기를 기다리는 비어 있는 공간이라는 인식이 발전했다.

요리의 불모지라는 생각이 오직 프랑스의 풍요로움과 대비되어서만 나타나는 것은 아니다. 런던의 레스토랑 경영자 슈리람 비드야르티Shreeram Vidyarthi

가 1995년에 한 다음과 같은 말은 영국에서 아시아 레스토랑들이 거둔 놀랄 만한 성공을 설명해준다.

> 인도 음식이 영국인의 상상력과 영국인의 미각을 사로잡았다는 것은 그렇게 놀랄 만한 일이 아니다. 그건 그럴 수밖에 없었다. …… 음식문화의 측면에서 영국은 완전한 공백상태였다. 외국에서 온 그 어떤 것도 그 공백을 메울 수 있었다. 피자가게와 윔피 바, 맥버거와 인도 음식이 그랬다. 어찌 그렇지 않았겠는가? 영국인은 그것을 대체할만한 아무것도 가지고 있지 않았다.3

영국에서 남아시아 음식이 제공된 역사는 양차 세계대전 사이에 시작된다. 당시에 그러한 음식을 이용할 수 있었던 레스토랑은 런던에 소수가 있을 뿐이었고, 그곳에서는 대체로 인도에서 근무하다 은퇴한 관료들에게 음식을 제공했다. 그곳은 배타적이고 사치스러운 고급 시설물이었다. 상이한 종류의 시설이 생겨난 것은 인도 북동부 출신의 실레티 선원들이 선창가 지대에 원래는 노동자들을 위한 카페였던 것을 세운 1930년대였다. 그것들은 소규모로 시작했다. 아시아인들이 소유한 레스토랑들이 영국 소비자들을 끌어들이기 시작한 것은 1950년대가 되고 나서였다. 초기의 메뉴들은 실제로 '영국적인 것'들이었고, 모험적인 식사손님들을 위해 소수의 아시아 요리를 곁들이고 있었다. 점차 '카레요리'가 소개되면서, 1950년대 말경에는 레스토랑들이 거의 전적으로 '인도식' 메뉴를 제공할 수 있게 되었다. 같은 시기즈음에 '카페'가 '레스토랑'으로 서서히 발전함에 따라, 카레는 영국인의 '예리한' 미각을 매혹하기 시작했다. 1959년경에는 인도 레스토랑들이 『고급 음식점 가이드The Good Food Guide』에 이미 확고히 자리잡고 있던 유명 프랑스식 음식점들과 나란히 한 자리를 차지했다.

영국에서 아시아 레스토랑의 성장은 극적이었다. 1950년에 영국에는 여섯 개의 인도 레스토랑이 있었다. 그것은 1970년경에는 2,000개, 1982년에는 3,500개, 그리고 1994년에는 7,500개로 늘어났다(Hardyment, 1995: 124). '카레하우스'에서의 먹기를 축으로 하는 계급지형은 다른 종류의 레스토랑에서 나타나는 계급지형과 현저하게 다르다. 고급 음식점에서의 외식이 적어도 차별의 한 가지 차원이라면, 레스토랑 범주별로 그것에 부여된 문화자본이 실제로 다르다는 것 또한 분명하다. (이에 대한 보다 상세한 논의로는 제4장을 보라.) 주로 런던에 소재한 소수의 최고 레스토랑에서 먹는 경우를 제외하면, 남아시아의 음식을 먹는 것을 중간계급과 상층계급의 영역에 속하는 것으로 보는 경우는 없다. 우리가 음식과 사회계급 문제 간의 연계관계를 이 책에서 처음으로 지적하는 것은 아니다. 그리고 본질적으로 그러한 관계는 영국 문화에서 '인종'이라는 맥락 내에 매우 확고하게 자리잡고 있다. 크리스티나 하디먼트는 영국 중심가에 아시아 음식점들이 다수 존재하는 것을 영국인들이 다문화주의를 극복하는 데 성공한 증거라고 긍정적으로 해석한다. 하지만 "강박적 통합이 아닌 차이의 찬양, 마지못한 관용이 아닌 식견 있는 존중"(Hardyment, 1995: 113)이라는 그러한 긍정적 해석이 비판적인 고찰을 견뎌낼 수 있을지는 알 수 없다. 다른 저술가들은 공급자와 소비자 간의 보다 문제 있는 관계를 지적한다. 그리고 특히 우마 나라얀(Uma Narayan, 1995)은 웨이터와 소비자 간의 관계뿐만 아니라 아시아 레스토랑 경영자와 그 직원 간의 관계를 탐구하는 데에도 관심을 두고 있다. 나라얀은 우리에게 아시아 레스토랑 문화 내에서 식민적·탈식민적 관계들이 생산자와 소비자 사이에서 어떻게 반복되고 있는지에 유의할 것을 충고한다. 하나의 일화 같은 분명한 실례가 금요일 밤 선술집이 문을 닫고 나면 영국 백인 마초들이 아시아 레스토랑들에서 다소 빈번하게 벌이는 추악한 낙인찍기이다. 종업원들은 지독한 인종차별적 모욕을 대부분 참고 넘긴다. 소위 앙갚음은 통상은밀하게 이루어지는데, 그것의 정도는 요리에 들어가는 고추의 양 - 또는 보다 더러운 물질 - 으로 가늠되기도 한다.

　외국 음식이 영국 음식에 영향을 미치는 것은 불가피한 일이지만, 우리는 그러한 영향들이 변형 없이 흡수된다고 가정해서는 안 된다. 처음부터 아시아 음식은 영국인의 미각에 맞게 개조되었다. 그리고 중심가에 위치한 대부분의 카레하우스에서 제공하는 음식은 인도에서 먹는 어떤 것과 거의 관계가 없다는 것도 널리 알려져 있다. 치킨 티카 마살라Chicken Tikka Masala(업자들 사이에서는 CTM)가 좋은 예이다. 로한 대프트(Rohan Daft, 1998)는 "크리스마스 점심이 칠면조일 수도 있지만, 우리의 국민음식은 치킨 티카 마살라이다"라고 말한다. 이 발언의 근거는 양적인 것이다. 대프트가 인용한 바에 따르면, CTM은 매년 레스토랑에서 2,300만 조각이 판매되며, 매주 막스 앤 스펜서Marks and Spencer를 통해 18톤의 완제품이 판매되고, 다른 음식물들에도 (이를테면 파삭파삭한 향미료, 피자 토핑 또는 샌드위치의 속으로) CTM이 들어간다. CTM은 '전통적으로' 또는 '고유하게' 아시아적인 것이기는커녕 1970년대에 영국인의 미각을 위해 발명되었다. 그리고 들리는 바에 의하면 (비록 이러한 주장에 논쟁의 여지가 없는 것은 아니지만), 그것의 제일 중요한 고기국물 소스의 주원료는 캠벨의 농축 토마토 수프 통조림이다. 아시아 음식이 레스토랑 사업에서 성공을 거둔 이후, 1990년대 동안에 슈퍼마켓과 테이크아웃 음식점에서 미리 조리된 아시아 음식을 구입할 수 있는 가능성이 크게 증가했다. 이것은 영국의 음식문화에서 인도 음식이 차지하는 지위가 강화되었음을 의미한다. 그것의 지위는 실제로 너무나도 확고해서, 그것이 영국에서뿐만 아니라 방글라데시와 인도에서도 원래의 문화에 영향을 미치는 실정이다. 1999년 11월 3일자 ≪데일리 텔레그래프Daily Telegraph≫의 헤드라인은 "영국이 인도에 치킨 티카 마살라를 수출하다"라고 쓰고 있다. 그 기사는 인도의 영국 여행객들이 자신들에게 친숙한 요리를 찾고 있다는 점에 관심을 가지고 있었다. 동일한 기사는 영국의 아시아 음식 사학자인 슈라 바니 바수Shrabani Basu의 다음과 같은 말을 인용한다. "나는 인도 방갈로르에 있는 한 레스토랑에서 발티Balti를 발견하고는 소름이 끼쳤다." CTM과 마찬가지로 발티도 영국에서 고안된 것으로 간주된다. 하지만 동시에 영국 음식 문화의 여러 수준에 인도 음식이 이렇게 깊숙이 침투한 것은 인도 레스토랑들의 기하급수적 성장을 저해하는 첫 번째 요인으로 작동했을 수도 있다. 1998년과 1999년에는 다음과 같은 폐점에 관한 기사들이 등장했다. "발티 블루스가 영국의 대형 카레하우스를 강타했다. 20년의 눈부신 성장 이후에, 뜨거운 음식의 세계에 찬바람이 불면서 어쩔 수 없이 레스토랑들이 일주일에 세 개 꼴로 문을 닫고 있다"(Rowe, 1999). 물론 이것이 영국인의 식탁에서 아시아 음식이 제거될 것임을 예기하지는 않는다. 아시아 음식의 소비가 레스토랑에서 가정으로 이전한 것은 그 자체로 그것이 영국 음식문화 속으로 더욱 깊숙이 동화되었음을 보여주는 하나의 지표이다. 이러한 동화는 계급적 특징을 보여왔다. 쿡과 그의 동료들은 다른 무엇보다 인도 '고유' 음식의 생산자들이 표적으로 삼는 것은 중간계급 소비자들이라는 작은 부분일 뿐이라고 지적한다. 그들은 잉글랜드 동남부와 스코틀랜드 일부 지방의 전문직 중간계급이 요리'모험'을 가장 즐기는 사람들이라는 점을 밝혀낸다. "이들 계급은 집 근처에 가장 다양한 세계 각국 요리를 (특히 레스토랑의 형태로) 가지고 있는 사람들일뿐만 아니라 '진품' 음식에 아마도 기꺼이 보다 높은 가격을 지불할 사람들이다"(Cook et al., 2000: 116). 세계 각국 요리가 중간계급시장에 침투한 것을 염두에 둘 때, 라자냐를 외국산이라는 이유로 금지했던 바로 그 내셔널 트러스트 카페가, 레스토랑 경영자의 표현으로 "표면적으로 카레가 영국적"이라는 이유로 손님들에게 카레요리를 제공했다는 것은 의미심장한 일이다.

국민의 형성과 음식문화의 역할

지금까지 우리는 시간이 경과함에 따라 영국 음식에 영향을 미쳐온 변화들 중 몇 가지, 특히 영국 음식이 외국의 영향을 수용해온 과정을 살펴보았다. 이러한 상황은 우리로 하여금 그처럼 영향받은 음식을 얼마나 **진정으로** 영국적이라고 간주할 수 있는가라는 질문을 제기하게 할 수도 있다. 하지만 순수성과 불변성을 분명하게 가지고 있지 못하다는 점이 영국의 국민음식이라는 개념 자체의 토대를 침식한다고 보아서는 안 된다. 길버트 아데어(Gilbert Adair, 1986: 50)가 "피시 앤 칩스는 …… 우리가 국민적 단합을 위한 하나의 힘이라고 …… 부를 수 있는 것을 구성한다"고 제시할 때, 그는 국민정체성의 형성에서 음식이 수행하는 역할에 관한 중요한 사실을 지적하고 있다. 국민정체성 형성의 한 가지 핵심적 차원이 바로 베네딕트 앤더슨(Benedict Anderson, 1983)이 설득력 있게 탐구한 '상상된 공동체imagined community' 개념이다. 앤더슨의 주장에 따르면, 국가가 당연히 서로를 직접 알 것으로 기대할 수 없는 사람들에 의해 공유되는 소속감의 진원지를 이루는 경우, 그것은 본질적으로 '상상된' 것이다. 앤더슨이 논평하듯이, "심지어 가장 작은 규모의 국가의 성원들조차도 그들의 동료성원들 대부분을 결코 알지도, 만나지도 또는 심지어 그들에 대해 들어보지도 못할 것이지만, 각각의 마음속에는 친교communion의 이미지가 살아 있다"(Anderson, 1983: 6). 많은 논평자들은 국민정체성을 구성하는 과정에 도움이 되는 요인들과 동인들을 규명하기 위해 노력해왔다. 앤서니 스미스Anthony Smith는 핵심적인 영토적·법적·경제적·정치적 요인들을 규명하고 나서, 계속해서 다음과 같이 말한다. "국가는 전체 주민을 조국에 하나로 묶어놓는 수단인 공통의 문화와 시민 이데올로기, 일련의 공통적인 이해와 열망, 감상과 사상을 가지고 있어야만 한다"(Smith, 1991: 11). 앤더슨은 책 그리고 나중에는 신문의 발전이 국민정체성의 발전에 결정적이었다고 지적한다. 즉 "인쇄자본주의가 …… 급속히 증가하는 수많은 사람들이 근본적으로 새로운 방식으로 그들 자신에 대해 생각하고 그들 자신과 다른 사람들을 관련짓는 것을 가능하게 만들었다"(Anderson, 1983: 36). 달리 말해 그것은 국민형성을 이해할 수 있는 열쇠를 제공하는 국가제도의 장치이자 문화적 장치이다. 실제로 제임스 도널드James Donald는 부분적으로는 앤더슨에 의지하여, 문화적 요인들의 우선성을 주장한다.

> 담론, 기술, 제도의 장치들(인쇄자본주의, 교육, 대중매체 등등)이 …… 일반적으로 '국민문화'라고 인식되는 것을 생산했다. …… 국민은 그러한 문화적 기술의 한 가지 결과이지, 그것들의 원인이 아니다. 국민이 자신의 문화를 통해 스스로를 표현하는 것이 아니다. 즉 문화적 장치들이 '국민'을 생산한다.(Donald, 1988: 32)

앤더슨은 자신의 주장 속에서 국민정체성의 '상상적' 또는 "문화적으로 구성된" 속성이 어떤 점에서는 그것의 정당성을 훼손한다는 그 어떤 비난에도 단호하게 저항한다. 그리고 그는 "국민과 쉽게 병치시킬 수 있는 진정한 공동체가 존재한다"는 그 어떠한 추론에 대해서도 경고한다. 실제로 앤더슨은 자신이 "사람들이 자신들의 상상의 발견물에 대해 느끼는 **애착**"이라고 부른 것이 지닌 힘을 애써 강조한다(Anderson, 1983: 6). 때때로 이러한 애착은 애국적 국민감정의 분출 속에서 열정적으로 표출되고, 이는 우리에게 곧장 국민정체성에 부착되어 있을 수도 있는 감정적 책무의 수준을 일깨워준다. 하지만 분명 국민감정은 이처럼 강렬한 수준에서 지속적으로 작동하지는 않는다. 또한 마이클 빌리그의 '일상적 국민주의'라는 관념은 국민정체성의 대체로 그리 강렬하지 않은 차원, 즉 당연시되지만 겉으로 드러나지 않는, 그러면서도 무한히 지속되는 세속적인 애착, 즉 조용하고 편안한 소속감을 보여준다(Billig, 1995: 6). 일부 논평자들이 주장하듯이, "국민은" 일상생활로부터 결코 멀리 떨어져 있기는커녕, "시민들의 삶 속에서 날마다 나타나고 '나부낀다'. 국민주의는 이미 확립된 국민 속에 간헐적인 분위기로 존재하는 것이 아니라 국민의 고유한 조건이다"(ibid.). 음식은 바로 이 수준에서 국민형성에 기여한다. 그리고 "좋은 한 잔의 차", "피시 앤 칩스" 그리고 "옛 영국의 로스트비프"가 지닌 진정한 중요성이 위치하는 곳도 바로 이러한 맥락이다. 우리는 그러한 것들이 '공통의 문화'와 '시민 이데올로기'의 요소들이라는 점에서, 그리고 국가성원들이 공통으로 간직하고 있는 '친교 이미지'에 기여한다는 점에서 중요하다는 것을 인식할 필요가 있다. 그리고 더 나아가 우리는 그러한 중요성이 규칙적으로 차, 피시 앤 칩스, 쇠고기를 소비하는 영국 사람들의 숫자와 정확히 비례하지는 않는다는 것에 주목해야만 한다.

음식, 국민정체성 그리고 '차이'

이제는 앞서 제기한 주장, 즉 국민을 규정하는 과정에서 음식이 수행하는 중요한 역할에 관한 주장들을 좀 더 상세하게 살펴보는 것으로 돌아가야 할 때이다. 여기서 대중문화의 한 특수한 사례가 유용할 것으로 보인다. 영국의 TV 시트콤 시리즈 <폴티 타워즈Fawlty Towers>(1979)는 엄청난 인기를 누리며 거듭 재방송되었고, 1980년대와 1990년대 수출시장에서 매우 성공적인 소득원이었다. 이 시리즈의 무대는 호텔/레스토랑이며, 그것의 가장 유명한 방송분들 중 하나인 "월도프 샐러드 에피소드"는 음식과 직접적으로 관련되어 있다. 영업이 끝날 무렵에 레스토랑을 찾은 미국인 손님 한 명이 월도프 샐러드를 주문하지만, 이미 주방문을 닫은 관계로 식당 주인인 폴티는 음식을 제공하는 데 고생한다. 폴티는 그것을 인정함으로써 체면을 잃을 수는 없다. 게다가 그는 월도프 샐러드가 무엇인지도 거의 알지 못한다. 더욱 더 필사적으로 숨기려는 폴티와 점점 더 욕구불만에 찬 손님 간의 충돌 속에서 코믹한 소동이 벌어진다. 그 미국인의 단호함은 폴티 레스토랑에서 일어나는 통상적 장면의 일부가 아니다. 그곳의 손님들은 폴티가 그들에게 제공하는 것을 받아들이면서 더할 나위 없이 행복해하며, 그곳에서의 불평은 최후의 수단이다. 물론 이것이 함의하는 바는 바로 그것이 전형적인 영국적 행위형태라는 것이다. 즉 레스토랑에서 영국인은 조용히 시키는 대로 따르며, 가장 형편없는 서비스에 대해서도 불평하기보다는 참아낸다. 우리가 보고 있는 미국인, 즉 외국인의 행동은 이와 대치된다. 자신이 적절한 서비스를 받을 권리를 당연시하는 미국인은 그러한 서비스의 결여를 큰소리로 불평하고, 그럼으로써 그의 타자성을 공포한다. 즉 그는 그 밖의 어떤 것, 다른 어떤 것, 영국적인 것이 아닌 어떤 것이다. 이 사례는 정체성 형성과정에 대한 문화연구에서 가장 유력한 접근방식 중 하나를 부각시킨다. 그 접근방식은 정체성 형성과정에서 차이, 즉 대조적인 '타자'가 수행하는 역할을 강조한다.

우리가 제1장에서 살펴보았듯이, 언어적 차이에 관한 소쉬르의 연구는 구조주의적 사고의 토대가 되었고, 그러한 방법은 그 후 문화적 관행, 문화생산, 문화형성 등 많은 영역에 대한 분석에 적용되어왔다. 그리하여 우리는 정체성 형성의 측면에서 우리가 '타자들'과의 차별화 과정을 통해 우리 자신을 정의하고 나아가 그러한 타자들이 그러한 정의과정에서 가장 근본적인 요소라고 생각하게 된다. 필립 슐레진저Philip Schlesinge는 이를 다음과 같이 설득력 있게 표현한다.

> 정체성은 포함에 관한 것인 만큼이나 배제에 관한 것이기도 하다. 그러므로 인종집단을 규정하는 결정적 요인이 되는 것은 다른 집단과 관련하여 인종집단을 규정하는 사회적 경계이지 …… 이들 경계 내의 문화적 실체가 아니

다.(Schlesinge, 1987: 235)

'우리'라는 의미의 첫 번째 요소가 되는 것은 "그들이 아니라는 것"이다. 음식은 분명 '다른' 국민이라는 것을 확인하는 데 도움이 된다. 구체적으로 카레 또는 스파게티를 먹는 타자, 또는 일반적으로는 '외국의 더러운 음식' 소비자들과 자신을 멀리 떼어놓는 것이 영국다움을 규정하는 데 크게 기여해왔다. 그 결과, 상상된 국민은 요리의 순수성을 보호될 가치가 있는 것으로 보게 된다. 이는 앞서 우리가 검토한 바 있는 것, 즉 영국 음식을 외국 음식의 침입에 취약한 요리 불모지로 인식하는 것과는 전혀 다르다. 우리는 또한 영국 음식이 전반적으로 세계적인 요리가 되는 과정에 있다고 제시하는 어떠한 견해에도 너무 열광적으로 찬동해서는 안 된다. 오래된 편견은 좀처럼 사라지지 않고 국민감정의 표현에서 외국인 혐오태도가 수행해온 지속적인 역할을 과소평가하는 것도 적절하지 못하다. 우리는 앞에서 인도 레스토랑을 찾은 일부 고객들의 행동 속에서 드러나는 인종차별적 요소를 살펴보았다. 또 다른 예가 '외국인에 대한 농담'이다. 이것은 영국의 대중문화 속에 여전히 생생히 살아 있으며, 또한 자주 음식에 초점을 맞추고 있다. 아일랜드 사람에 대한 농담은 삶은 감자, 튀긴 감자 그리고 포테이토칩만큼이나 '믹의 그릴Mick's grill'이라는 정의에서도 특히 두드러지게 나타난다. 유사하게 영국에서 아일랜드 사람들이 차지하고 있는 문화적 공간과 거의 동일한 문화적 공간을 프랑스에서는 벨기에 사람들이 차지하고 있다.

질문: 벨기에 여자들의 젖꼭지는 왜 네모날까?
답: 벨기에 젖먹이들에게 벨기에식 감자칩을 먹을 수 있도록 준비시키기 위해.

감자칩을 먹는 벨기에 사람들은 프랑스인들의 음식취향을 그들보다 월등히 세련된 것으로 규정하고 증명해주는 열등한 타자로 구성된다. 그러한 '농담'의 대상은 자주 비非대도시 사람들과 최근에 이주한 지배문화의 주변부 주민들이다. 외국인 농담은 지방 시골뜨기를 놀림의 대상으로 삼아온 오랜 경향의 현대적 표현이다. 중심부의 관점에서 볼 때, 주변부의 타자는 깔봄의 대상이다. 크리스티 데이비스(Christie Davies, 1988)는 유머(그리고 특히 아일랜드 사람에 대한 농담)가 중심/주변, 그리고 자아/타자관계를 유지하는 데서 핵심적 역할을 수행한다고 설득력 있게 주장해왔다.

음식문화가 최근의 국민형성에서 수행하는 역할을 보여주는 마지막 사례로 제시할 수 있는 것이 바로 영국산 쇠고기와 '광우병'이다. 우리가 제12장에서 검토하듯이, 영국산 쇠고기의 안전성 및 그것과 뇌질환인 크로이츠펠트-야콥병CJD의 관계와 관련된 두 차례의 먹거리 패닉이 1987년과 1996년에 발생했다. 동물의 질병과 인간질병 간에 있을 수도 있는 연계성에 대한 불안이 증폭됨에 따라, 1996년 독일은 일방적으로 영국산 쇠고기제품의 수입을 금지했다. 그 뒤를 이어 유럽연합은 쇠고기 관련 제품의 수출을 전면 금지했다. 로이 그린슬레이드(Roy Greenslade, 1996)가 이 위기에 대한 영국의 신문보도에 관한 논의에서 입증하듯이, ≪더 선The Sun≫의 대응이 특히 자극적이었다. 그 신문은 "메이저 총리, 마침내 정면으로 대응하다MAJOR SHOWS BULLS AT LAST"라는 헤드라인 아래, 독자들에게 다음과 같이 권고한다. "독일 국기를 공개적으로 불태워, 그 재를 헬무트 콜 수상에게 보내자. 독일 관광객들에게 '우리는 여러 해변에서 너희와 싸울 것이다'라고 외치자. 그리고 벨기에 초콜릿 불매운동을 하자." 같은 날, ≪더 스타The Star≫도 영국 총리의 "유럽에 대한 강경 자세"를 똑같이 마음에 들어했다. 그것의 헤드라인은 "망할 유럽연합 놈들이 메이저 총리를 폭발하게 하다EFF EU LOT BLASTS MAJOR"였다. 유럽 이사회European Council의 의장인 룩셈부르크인 자크 상테르Jacques Santer가 영국의 외국인 혐오에 대해 우려를 표명한 것에 대응하여,

그 사설은 "유럽의 아가리 좀 다치게 해라, 이 얼간이 자크야"라고 웅대했다. 그리고는 계속해서 다음과 같이 썼다. "좋다. 네놈들은 쇠고기 금지를 통해 우리를 더러운 무엇으로 매도했다. …… 이것이 우리가 너희를 증오한다는 것을 뜻하지는 않는다. 우리는 단지 너희의 뻔뻔스러움을 참을 수 없을 뿐이다"(Greenslade, 1996). 이러한 헤드라인들을 이해할 수 있게 해주는 한 가지 맥락은 의심의 여지없이 영국이 유럽연합과 맺고 있는 관계의 정치이다. 그리고 특히 타블로이드판 신문들이 그러한 방식으로 정치를 그려낸다. 몇몇 타블로이드판 신문들에서 독일을 경멸적인 방식으로 표현하는 것도 역시 마찬가지이다. 하지만 동시에 타블로이드판 신문보도가 드러내는 강렬한 감정 중 몇몇의 원인은 분명 영국 국민에게 부착되어 있는 의미들 가운데서 쇠고기가 지니는 중심성에까지 거슬러 올라가기도 한다. 우리는 이미 일요일에 먹는 로스트비프의 사례를 영국다움의 핵심적 아이콘 중 하나라고 지적했다. 18세기의 노래 "오, 옛 잉글랜드의 로스트비프여Oh, For the Roast Beef of Old England"는 영국인과 쇠고기의 관계가 오래된 것이라는 점을 상기시킨다. 우리는 엘리자베스 시대의 자료들에서조차 영국인이 먹어치우는 쇠고기의 양이 엄청나다는 것을 발견할 수 있다(Morris, 1953). 또한 이 노래는 "삶은 쇠고기와 당근Boiled beef and carrots"이라는 대중가요로 20세기에도 이어지고 있다.4 쇠고기 금지가 불러일으킨 감정의 강도는, 만약 그것이 다른 종류의 식품수출 - 이를테면 영국산 쇠고기와 같은 반향을 전혀 불러일으키지 못하는 밀 또는 심지어는 생선 - 문제였더라면, 아마도 덜 했을지도 모른다.5

이 지점에서 우리가 앞서 제임스 도널드의 논문에서 인용한 것을 상기하는 것이 적절할 것이다. 거기서 그는 국민을 창출하는 것은 바로 문화적 장치이며 이들 장치에는 "인쇄자본주의, 교육, 대중매체 등등"이 속한다고 주장한다. 이 장의 관심사와 관련하여 중요한 공간을 열어주는 것이 바로 '등등'이라는 구절이다. 도널드는 국민의 구성된 성격을 주장하면서, 그러한 과정에서 일익을 담당하는 추가적인 기관을 확인할 수 있는 여지를 남겨두고 있다. 그가 음식이 국민을 형성하는 문화적 장치들 중 하나라고 명시적으로 언급하는 것은 아니다. 음식문화가 실제로 그러한 과정에 기여하는 한 가지 중요한 요소라는 것이 바로 이 장의 주장이다. 우리가 살펴본 사례들은 음식을 둘러싼 의미들이 우리로 하여금 정체성을 형성할 수 있게 해주는 몇 가지 방식들을 보여준다. 그리고 그러한 정체성이 부여하는 의미가 사람들로 하여금 자기 자신을 (특히 타자와의 대립 속에서 만들어지는 국민정체성과 관련하여) 사회적 행위자로 인식하게 해준다.

전통, 고유성 그리고 질

음식과 관련하여 사회과학자들이 최근에 수행한 많은 중요한 연구들은 음식선택의 근원에 자리잡고 있는 여러 동기들을 탐구해왔다.[6] 앞 장에서 우리는 앨런 워드(Alan Warde, 1997)가 제시한 "취향의 네 가지 이율배반"에 대해 소개했다. 서로 대립되고 빈번히 모순적이기도 한 일련의 매력들이 오늘날 영국에서 이루어지고 있는 음식선택의 토대가 되고 있는 것으로 보인다. 특히 워드의 범주들 중 하나인 새로움/전통의 이율배반이 이 장과 밀접한 관계가 있다. 워드는 우리가 음식을 선택할 때 새로움은 매력적인 요인이라고 지적한다. 소매상인과 광고업자들은 어떤 음식이 '색다르고', '자극적이고', '이국적'이라며 또는 아주 '새롭다'며 우리를 끊임없이 유혹한다. 그 음식은 지난주에 그리고 그 지난주에 우리가 먹었던 것과는 다른, 긍정적 가치를 지닌 무언가를 약속하는 어떤 것일 수도 있다. 하지만 그와 동시에 그리고 매우 역설적이게도 여전히 전통적인 것에는, 즉 집안과 가정에서 충분한 검증을 거친 '안전하고' 편안한 음식을 먹는 오랜 관행들에는 어떤 매력이 있다.

이 장이 더 큰 관심을 기울이는 것도 바로 이러한 매력이다. 지난 2~30년 동안 영국의 음식취향을 구조화하는 데 있어 전통이 수행한 역할에 대해서는 할 말이 많다. '전통적인' 것이 자주 '시골'이나 '양질의 것'과 동일시되는 것도 이러한 맥락에서이다.7 곡식 알갱이가 들어 있는 빵, 플라우맨스 런치ploughman's lunch, 노퍽 칠면조Norfolk turkeys, 크림 티 그리고 진짜 에일 맥주는 전통 영국 음식으로 판매되는 수백 가지 품목들 중 단지 소수에 불과하다. 만약 누군가가 "이를테면 소방관이나 철도노동자 또는 경찰관의 모듬요리가 아니라 하필이면 농부ploughman의 점심인가?"라고 질문한다면, 그 답변은 아마도 영국 음식에 의미를 부여하는 데서 전통적인 것과 농촌적인 것이 갖는 중요성을 강조하고 나설 것이다.

전통에 대한 호소는 음식이 국민을 구성하는 데 관여하는 방식들 중 하나를 매우 확실하게 특징짓는다. 만약 우리가 음식이 수행하는 그러한 기능을 완전히 이해하고자 한다면, 우리는 그것을 1980년대 동안 국민문화를 형성하는 데 관여했던 여타의 많은 문화적 생산물 및 문화과정과 나란히 배치할 필요가 있다. 많은 논평자들은 1980년대 동안에 영국다움을 구성하는 과정에서 '국가의 과거'가 크게 강조되었다고 지적해왔다(Wright, 1985; Samuel, 1989; Corner and Harvey, 1991). 마가렛 대처Margaret Thatcher가 1979년 그녀의 첫 번째 선거 승리 이후에 추진한 프로젝트는 그녀가 경제 불황과 쇠퇴의 원인이라고 지목했던 1960년대와 1970년대의 파멸적 궤적으로부터 국가를 회복시키는 것이었다. 우리가 앞서 살펴보았듯이, 국민정체성은 국가제도와 문화적 관행 모두를 가로지르며 동시에 정당화된다. 국가적 중요성을 지닌 건물이나 기념물들을 보존하는 데 이전 행정부가 실패했다고들 하는 것을 역전시키기 위해 기획된 1980년의 국가문화유산법에서처럼, 과거의 '국가'의 영광을 회복하는 것이 때때로 정책의 명시적인 추진원리가 되기도 한다(Wright, 1985: 42~48). 하지만 더욱 중요한 것은 1980년대와 1990년대에 보다 광범위한 문화가 국가의 과거와 관련된 것들로 가득 차 있었다는 것이다. 국정 교과과정은 교육에서 영국 역사를 우선시하도록, 그리고 영어에서는 특히 셰익스피어를 강조하는 것과 함께 고전 문학유산에 대한 수업을 우선시하도록 규정하고 있다. 영화관과 텔레비전에서는 1981년에 처음 상영되었던 <다시 찾은 브라이즈헤드Brideshead Revisited>와 <불의 전차Chariots of Fire>와 같은 '문화유산영화들'이 1980년대 내내 그리고 그 이후까지도 이야기의 각색 방향을 틀 짓는 데 중요한 요소로 작용했다. 그리고 그러한 영화가 영국 영상물의 수출에서 매력적인 것이 되었을 뿐만 아니라 수입국들에서 영국 문화를 인식하는 데서도 중심적인 것이 되었다. 라파엘 사뮤엘(Raphael Samuel, 1989: 1)은 자신이 "'소 영국주의자Little Englander'적 사고방식을 특징 짓는 고상한 쇄국주의"라고 부르는 것의 문화적 표현을 규명하면서, "하나의 문화적 이상 – 또는 환상 – 으로서의" 유산이 "활기찬 사후의 삶을 향유하는 것처럼 보인다"고 주장한다. 하지만 '문화유산'에 관한 분석은 문화적 형태가 단지 지배적인 정치집단의 반영물에 불과하다는 매우 단순한 독해들을 경계해야만 한다. 종속집단들이 반드시 그러한 문화적 형태들이 부호화되어온 것과 동일한 방식으로 메시지들을 해독하는 것은 아니다(Hall, 1997). 그리고 국가의 과거에 대한 찬양이 고래古來의 사회질서에 대한 그리움뿐만 아니라 소규모의 것, 지역적인 것, 장인적인 것에 대한 갈망 등 다양한 종류의 욕구와 욕망을 포함하고 있다는 것도 분명한 사실이다.

음식, 전통, 질 간의 연계관계는 음식저술이 영국 치즈라는 한 가지 특정 식품항목에 부여하는 암시적 의미를 간략히 탐색하는 것만으로도 예증될 수 있다. 최근 몇 년 동안에 '전문 치즈' 제조업이 크게 부활했다. 그리고 BBC가 간행한 ≪굿 푸드 매거진The Good Food Magazine≫의 페이지들은 그것에 부여되는 여러 암시적 의미들에 대해 유익한 통찰을 제공한다. 한 가지 좋은 예가 영국 치즈시상식British Cheese Award(1997년 11월)의 최근 수상작들에 관해 줄리엣 하버트Juliet Harbutt가 쓴 특집기사이다. 뛰어난 치즈는 특색이 있으면서도 통상 저온살균하지 않는, 매우 소량의 치즈를 개인적으로 생산하는 이름난 장인 남녀들의 전통적 제조방법이 낳은 결과이다. 1995년의 최우수상 수상작은 키르크햄Kirkham 여사의 랭커셔치즈였다.

> 매일 12시간 동안 루스 키르크햄Ruth Kirkham은 그녀의 얼마 안 되는 소에서 짠 우유를 치즈로 만들기 위해 지칠 줄 모르고 일한다. 그녀는 3일간 굳힌 우유를 자르고 배합하여 거의 어떤 랭커셔치즈들도 도달할 수 없는 질감과 풍미의 복합체를 생산한다.(Harbutt, 1997: 65)

물론 다른 랭커셔치즈들의 약점은 키르크햄 여사가 기울이는 정성스러운 돌봄과 관심을 덜 요구하는 현대적 생산방법으로 부패시킨다는 데서 찾을 수 있다. 전통적인 체다치즈 농장이라는 넓은 범주에서는 고급스러운 치즈의 또 다른 표지는 주로 생산규모에 맞추어져 있다. 이를테면 "1996년 최고의 체다치즈"인 몽고메리의 숙성 치즈는 여타의 전통적인 체다치즈들과는 차이가 있다(그러므로 정의상 그 자체로 '고급' 치즈이다). "다른 지역의 낙농장이 하루 수백 톤을 생산하는 데 비해, 몽고메리치즈는 하루에 단지 8개에서 10개만이 생산된다"(ibid.: 64). 소규모 생산만이 정성, 장인기술 그리고 개별적인 개인적 몰입을 가능하게 하고, 이것이 '고유성'을 유지하는 데 핵심적인 요소라고 가정된다. 영국 음식의 질에 대한 이해는 식품의 생산과 조제 모두가 전승된 농촌문화 전통 속에 확고히 기초하고 있던 시대에 근거하여, 빈번히 전통적인 것과 지방적인 것을 합체한다. 이와 마찬가지로 치즈 역시 그것이 '지방'의 낙농장에서 만들어졌다는 것이 결정적이다. 지방적 정체성과 국민적 정체성 간에 발생할 수도 있는 어떤 긴장도 전자에 부착되어 있는 긍정적인 암시적 의미들에 의해 포섭되는 것처럼 보인다. 콘월의 고기파이나 베이크웰의 푸딩이 전통적인 영국의 **국민**음식과 동의어가 되는 데에는 메인 주에서 잡은 바닷가재가 미국적인 것이 되는 것만큼이나 아무 문제도 없어 보인다. 음식이 그것이 기원한 장소와 가능한 한 명시적으로 연계되어야 한다는 주장이 현대 음식문화의 한 가지 핵심적 경향으로 보일 수도 있다. 우리가 프랑스 요리의 헤게모니와 관련하여 앞에서 논평한 것에 비추어 볼 때, 영국에서 치즈에 부여하는 암시적 의미와 프랑스에서 와인에 부여하는 암시적 의미를 비교하는 것은 흥미로운 일이다. 프랑스에서는 원산지명칭통제제도appellation contrôlée가 생산자에게 생산자의 와인과 와인 생산지역을 명시적으로 결합시킬 자격을 부여한다. 이 제도는 법으로 엄격하게 규제되며, 와인 생산자들은 이를 프랑스 와인의 우수성에 대한 가장 신뢰할만한 보증서로 삼고 있다.

그렇다면 고유성이 음식의 질에 대한 열쇠를 제공하는 것으로 보일 수도 있다. 하지만 특히 '고유한 영국 음식'과 관련한 자기모순은 여전히 문제를 불러일으킨다. 일반적으로 전통음식은 우리로 하여금 "할머니가 요리하곤 했던" 음식세계로 향수 어린 여행을 하게 하지만, 그것은 동시에 음식문화에서 가장 혁신적이고 "최신 유행하는" 경향들과 연관되어 있다. 앨리슨 제임스(Alison James, 1997)는 대도시, 주로 런던의 레스토랑 문화에서 나타나는 최근의 몇 가지 발전들을 탐구한다. 배티(Bati, 1991)의 연구에 의지하여, 그녀는 1990년대 초반 수도의 부유한 사람들을 위해 "진정으로 영국적인" 요리를 부활시킨 유명 레스토랑들에 '음식향수'가 미친 영향을 입증한다. 여기에서 소비자의 새로운 것에 대한 집요한 요구는 진정으로 오래되었다고 주장되는 것, 이를테면 브레드 앤 버터 푸딩과 같은 오래된 디저트에 새로운 맛을 추가한 것을 제공하는 것을 통해 충족된다. 제임스는 계속해서 그녀가 '음식의 혼성화food creolization'라고 부르는 것 — 여러 요리 재료, 스타일, 효과들이 함께 혼합되어 하나의 단일한 음식이 되는 일종의 문화혼합형태 — 속에서 일어나는, 고유성으로부터의 한층 더 분명한 이탈에 관해 논의한다. 그러한 추세는 일부 패스트푸드점들에서 가장 흔히 드러난다. 이를테면 감자 칩을 카레소스와 함께 제공하거나 통감자 구이에 이탈리아식 파스타소스를 쳐서 제공하는 것이 그러한 것들이다. 보다 고급스러운 예는 런던의 올드 브롬프턴 로드Old Brompton Road에 위치한 카페 라지에즈Café Lazeez이다. 제임스가 인용한 바에 따르면, 그곳의 '프론티어 버거'의 설명문에는 "동양적인 것과 서양적인 것의 복잡 미묘하고 군침 돌게 하는 혼합물"이라고 적혀 있다. 그리고 1990년대 초반 그곳의 직원과 실내 장식은 인도적 요소, 이탈리아적 요소, 영국적 요소 그리고 호주적 요소를 결합시킨 것이었다(James, 1997: 81~84). 제임스는 그러한 혼성화가 다문화적 영향을 받아들이기 위해 새로이 획득된 개방성과 자발성의 한 가지 표현이라고 분석하지 않는다. 오히려 그녀는 혼성화가 나타나는 특정 조건들을 지적하고, 그것이 저비용과 최대한의 편리한 선택지를 제공한다는 점에서 그러한 현상은 부분적으로는 오랫동안 영국 음식문화의 기본이 되어왔던 특정 태도들을 재확인하는 것이라고 주장한다. 패스트푸드점이나 테이크아웃점들에서 전형적으로 발견되는 음식은 최소한의 노력과 저비용이라는 정명 — 음식을 그 자체로 중요하게 여기지 않는 문화에서 우선시되는 — 과 아무런 문제없이 어우러진다.

지금까지 우리는 국민음식을 명백한 것으로, 그리고 당연한 것으로 간주될 수 있는 것으로 보았던 애초의 전제에서 출발하여 상당히 먼 거리를 여행해왔다. 국민음식은 끊임없이 유동하고 변형되는 상태에 있다. 특정 시기에 어떤 국민을 가장 잘 특징짓는 것처럼 보이는 것을 찍은 스냅사진이라고 하더라도, 그것은 '고유성'으로부터 이탈되어 있기 때문에 국민음식이라는 바로 그 관념을 훼손하는 것처럼 보이게 하는 모순들로 가득할 것이다. 만약 우리가 국민을 정적인 실체, 즉 국제법상으로 인정되는 물리적 경계에 의해 밀폐되고 고정된 지리적 또는 정치적 실체로 보는 사고를 넘어선다면, 그러한 것들에 놀랄 만한 것은 아무것도 없을 것이다. 국민은 유동적인 문화적 구성물이고, 음식은 국민을 구성하고 또 지속적으로 재정의하는 데 관여하는 많은 동인 중 하나이다. 우리가 다음 장에서 살펴보듯이, 각국 음식문화의 끊임없는 변화는 부분적으로는 지구화과정에서 기인한다.

제6장

글로벌 키친

영국 노팅엄의 셔우드Sherwood는 노팅엄 도심에서 약 2마일 떨어진 교외지역이다. 셔우드의 주요 도로인 맨스필드 가Mansfield Road 주변에는 수많은 음식점들이 들어서 있다. 거기에는 두 개의 인도 레스토랑, 한 개의 일본 레스토랑, 한 개의 카리브 레스토랑, 한 개의 프랑스 와인바, 모로코 레스토랑을 겸하고 있는 한 개의 피자가게, 한 개의 이탈리아 레스토랑, 한 개의 지중해 레스토랑, 두 개의 카페, 전 세계의 요리를 제공하는 한 개의 고급 레스토랑, 그리고 퓨전요리를 지향하지만 질이 조금 낮은 또 다른 레스토랑이 있다. 거기에는 두 개의 인도 음식 그리고 세 개의 중국 음식 테이크아웃 점포, 한 개의 테이크아웃 피자가게, 한 개의 피시 앤 칩스 가게, 한 개의 남부식 프라이드치킨 가게, 그리고 여섯 개의 바와 술집도 있는데, 이들 가게 대부분은 몇 가지 종류의 메뉴를 제공한다. 레스토랑들은 계속해서 다른 것들로 바뀐다. 그리고 지난 몇 년 동안 셔우드의 자랑거리 또한 멕시코 레스토랑과 태국 테이크아웃 점포였다. 1마일도 떨어지지 않은 곳에는 맥도날드 레스토랑이 하나 있다. 소매점들로는 한 개의 퀴크세이브 슈퍼마켓과 한 개의 협동조합 슈퍼마켓, 좀 더 작은 한 개의 스파Spar 편의점, 두 개의 청과물가게, 두 개의 빵가게, 한 개의 조제식품점, 한 개의 자연식품 판매점 그리고 한 개의 폴란드 음식 전문점이 있다. 1마일 내에 한 개의 대규모 세인스버리 슈퍼마켓과 새로 생긴 소규모의 테스코 체인점 하나가 있다.

누군가는 서우드가 아주 전형적인 영국의 교외지역이라고 상상할 수도 있다. 그곳에서는 전통적인 영국 음식(카페, 피시 앤 칩스 가게)에서부터 지구적인 프랜차이즈(맥도날드)에 이르기까지, 그리고 일반적인 형태의 '외국' 요리(인도와 중국 음식, 피자)에서부터 보다 '이국적인' 요리(일본, 카리브, 모로코 음식)에 이르기까지 매우 다양한 종류의 레스토랑과 테이크아웃 점포들을 이용할 수 있다. 유사하게 그곳의 상점과 슈퍼마켓들은 지역에서 재배한 감자에서부터 남아프리카의 버터너트 호박까지, 그리고 지역에서 생산된 스틸턴치즈부터 대량생산된 코카콜라에까지 이르는 물건들을 판매한다. 겨우 30년 전에 소비자들이 이용할 수 있었던 보다 제한적인 기회들과 비교할 때, 오늘날의 영국 음식산업은 지역적인 것에서 지구적인 것에 이르기까지, 전통적인 것에서 이국적인 것에 이르기까지 우리에게 다양한 요리와 문화를 제공하는 것처럼 보일 수도 있다. 하지만 동시에 서우드는 우리가 영국 전역의 다른 도시와 소도시들에서 발견할 수 있을 것으로 기대하는 것과 동일한 일련의 물건과 상점들을 제공한다. 그곳 슈퍼마켓의 선반에는 다른 지역에서 발견되는 것과 동일한 통조림 캔들이 진열되어 있으며, 그곳 맥도날드와 피자헛의 메뉴들은 영국 도처의 다른 곳들과 동일하다. 이러한 관점에서 볼 때, 음식기회는 점점 더 동질적으로 되는 것처럼 보이기도 한다. 계절과 지방별 별난 미식 차이도 한결같은 획일적인 요리로 대체되어온 것처럼 보인다.

최근 수십 년 간의 먹거리 공급에서 나타난 중요한 변화를 초래한 것으로 일반적으로 주장되는 과정이 지구화이다. 이 장에서는 그러한 과정과 그것이 음식문화에 미친 영향을 앞에서 규명한 두 가지 관점을 심문하는 방식으로 검토하고자 한다. 첫 번째 관점이 지구화를 미식의 문화적 다양성의 전조로 파악한다면, 후자는 지구화가 요리의 동질성을 예고한다고 본다. 하지만 이들 두 가지 관점을 탐구하기에 앞서, 우리는 지구화에 관한 이론적 논쟁을 살펴볼 것이다.

지구화의 이론화

지구화 개념은 1980년대의 사회 이론과 문화 이론 내에서 하나의 핵심적인 용어로 대두되었다(Robertson, 1992: 8). 배리 스마트Barry Smart의 설명에 따르면, 지구화에 관한 논쟁은 다음과 같은 점을 인정한다.

> 우리의 행위, 우리의 조건, 우리가 알거나 믿고 있는 것, 그리고 우리가 반응하거나 대응하는 것은 이러저러한 측면에서 다양한 정도로 국제경제에 의해, 지구적 형태의 의사소통의 증가에 의해, 세계적 규모의 문제들에 맞서 초국적으로 작동하는 기구들과 운동들에 의해, 생산과 소비의 유형, 군사적 갈등과 여타의 대재해들이 유발하는 기후변화 등등에 의해 영향을 받는다.(Smart, 1993: 131~132)

오늘날의 음식문화가 이러한 사태와 긴밀하게 얽혀 있다는 것은 분명하다. 이를테면 케냐산 초록깍지 강낭콩 또는 윈드워드제도산 바나나 소비자로서의 우리의 행위는 정도의 차이가 있지만 케냐 노동시장의 조건 또는 바나나 수출에 관한 국제관세의 영향을 받는다. 존 알렌(John Allen, 1995: 107)이 설명하듯이, 이러한 의미에서 지구화는 "지금까지는 다른 지역에서 발생하는 일에 크게 영향받지 않았을 수도 있는 세계의 다양한 지역 사람들이 이제는 동일한 **사회적 공간** 속에 빨려 들어가 있고 또 실제로 동일한 **역사적** 시간의 지배를 받고 있는 자신을 발견한다는 사실을 지칭한다." 이전에는 사람들이 먹는 음식은 시간과 장소의 제약에 의해 결정되었다. 즉 음식은 계절에 구애받고, 지역적으로 생산되었다. 하지만 이제는 매우 다양한 식재료들이 일 년 내내 제공되고, 세계의 모든 지역으로부터 수입된다. 이 과정은 16세기와 17세기 동안 지구적 무역과 탐험이 시작된 이래로 진행되어왔음이 틀림없을 것이지만, 20세기를 경과하면서 "점점 더 가속적으로" 발전해왔다(Robertson, 1992: 8). 잭 구디(Jack Goody, 1997)가 주장했듯이, 음식문화의 측면에서 볼 때 그러한 과정은 식품생산의 점증하는 기계화뿐만 아니라 식재료의 보존, 소매, 운송기술의 발전에 의해 촉진되어왔다.

그러나 현재 지구화가 산출한 상호연결관계가 존재한다는 데에는 동의가 이루어져 있지만, 그러한 과정의 정확한 성격과 방향에 관해서는 여전히 얼마간 논쟁이 계속되고 있다. 여기에서 우리는 그러한 논쟁 중 두 가지에 초점을 맞추고자 한다. 첫째가 지구화의 정치이고, 둘째가 그것의 문화적 결과이다. 정치적 논쟁의 진원 중 하나인 지구화는 그것의 옹호자와 비판자 모두를 가지고 있다. 지구화 옹호자들은 지구화를 가장 부유한 국가들의 부가 발전도상 국가들로 퍼져 나가는 과정으로 특징짓는다. 이를테면 영국의 정치가 잭 스트로(Jack Straw, 2001)는 지구화에 도전하는 것은 "[그것이] 그리고 지구적 자본주의가 수백만 명에게 가져다줄 실제적 이득을 위험에 처하게 하는 것"이라고 주장해왔다. 스트로는 각국 정부의 역할은 그러한 추정된 이익을 확보하기 위해 지구화과정을 실현하는 것이라고 생각한다. 이러한 입장은 필시 자본주의의 성격에 대해 호의적으로 바라보는 견해, 그리고 국민국가가 다국적기업의 활동을 규제할 수 있는 능력에 대해 낙관적으로 바라보는 견해 둘 다에 의거하고 있다. 이와 대조적으로 지구화 반대자들은 지구화를 노동착취를 증가시키고 부자와 빈자 간의 격차를 지구적 규모로 확대하는 과정이라고 파악한다. 최근 수년간 활동가들은 1999년 11월 시애틀 세계무역기구 정상회의와 2001년 7월 제노바에서 열린 세계 주요 경제 강국 G8 회담과 같은 세계 지도자들의 정상회담에 항의하기 위해 집결해왔다. 크리스 하먼(Chris Harman, 2000: 11)이 제시하듯이, 이들 비판가들은 "자본주의체계의 비인간화에 대해, 사람들의 삶이 그들의 통제를 벗어난 맹목적인 힘들에 예속되는 것에 대해, 그리고 그들이 그 속에서 살아야만 하는 환경을 파괴하는 것에 대해 매우 비판적이고 심금을 울리는 맹공"을 가해왔다(또한 Ross, 2001: 9도 보라). 하지만 하먼이 주장하듯이, 이 특별한 반지구화 비판의 표적은 자본주의 자체라기보다는 경제적 신자유주의이다. 그는 오히려 그러한 비판에서 확인되는 "공포의 [대]부분은 자본주의 자체만큼이나 오래된 것이지, 단지 최근 몇 년간의 산물이 아니라고 주장한다"(Harman, 2000: 11; 또한 Ross, 2001: 9도 보라). 필 로스(Phil Ross)가 지적하듯이, 자본주의의 지구화 논리는 분명 "자신의 산물을 위해 끊임없이 팽창하는 시장의 욕구가 부르주아 계급으로 하여금 지구 표면의 모든 곳을 샅샅이 뒤지게 한다"는 마르크스와 엥겔스의 주장 속에 예기되어 있었던 것처럼 보이기도 한다. 마르크스와 엥겔스는 그 결과 자본주의는 "모든 곳에 둥지를 틀고, 모든 곳에 정착하여, 모든 곳에 거래처를 확립하고, 모든 나라의 생산과 소비에 세계주의적 성격을 부여할 것이 틀림없다"고 주장한다(Marx and Engels, 1973: 37; Ross, 2001: 1).

지금까지 개관한 지구화에 대한 정치적 논쟁은 지구화의 경제적 논리와 밀접하게 관련되어 있다. 하지만 지구화는 단지 경제적 영역에서만 작동하는 것이 아니다. 존 톰린슨(John Tomlinson, 1999: 16)이 주장했듯이, 지구화는 다차원적 현상으로 "경제, 정치, 문화, 기술 등등의 영역에서 작동하는, 동시적이며 복합하게 관련된 과정이라는 측면에서 이해될" 필요가 있다. 우리가 다룰 두 번째 논쟁은 지구화의 문화적 결과와 그러한 상호연결이 만들어낸 문화적 유형과 관련되어 있다. 여기서의 한 가지 입장은 지구화를 대량생산된 상품들이 그 어느 때보다 상이하고 다양한 시장들을 발견하는 것을 가능하게 만드는, 하나의 동질화의 힘으로 파악하는 것이다. 알렌이 제시하듯이,

> 세계 전역에서 모든 종족의 사람들이 콜라 캔의 따개 고리를 잡아당기고 있지는 않지만, 그와 유사할 정도로 광범위한 민족들이 빅맥 한 조각을 베어 먹고 있는 것을 발견한다. …… 지구적 문화의 토대는 (비록 그러한 아이콘들로 끝나지는 않지만) 그러한 아이콘과 함께 시작된다.(Allen, 1995: 109)

알렌이 인용한 예들이 시사할 수도 있듯이, 지구화가 유발하는 동질성은 미국의 문화제국주의의 한 형태로 인식되는 경향이 있다. 톰린슨(Tomlinson, 1991)은 이러한 견해에 이의를 제기해왔다. 다른 누구보다도 그는 토착전통들이 문화적 수입품들에 그렇게 쉽게 그리고 또한 그렇게 단순하게 굴복하지 않는다고 주장한다. 울프 해너츠(Ulf Hannerz, 1990: 238)도 유사한 입장을 개진하면서, 지구적 문화는 보다 정확하게는 "획일성의 복제라기보다는 다양성의 조직화에 의해 특징지어지며, 의미와 표현체계의 그 어떤 전적인 동질화도 발생하지 않았고, 또한 그러한 일이 곧 일어날 것 같지도 않다"고 주장한다. 이들 비판가들은 동질성과 다양성 간의 명백한 모순을 지구화의 중핵에 존재하는 긴장관계로 파악한다. 이를테면 조나단 프리드먼(Jonathan Friedman, 1990: 311)은 "문화적 파편화와 …… 동질화는 오늘날의 세계에서 발생하고 있는 것에 관한 두 가지 주장, 즉 두 가지 대립하는 견해가 아니라 지구적 현실의 두 가지 구성적 경향"이라고 주장해왔다. 유사한 맥락에서 로버트슨은 지구적 과정과 지역적 특수성 간에 이루어지는 매우 중요한 상호관계를 부

각시키기 위한 하나의 수단으로 '글로컬리제이션glocalization'이라는 용어를 주장해왔다. 그의 주장에 따르면, "지구적인 것이 그 자체로 지역적인 것과 배치되는 것은 아니다. 오히려 자주 지역적인 것이라고 지칭되는 것이 본질적으로 지구적인 것 내에 포함되어 있다"(Robertson, 1995: 35). 우리가 서우드의 소비자가 이용할 수 있는 음식기회들 속에서 확인했던 획일성과 다양성, 지구적인 것과 지역적인 것 간의 모순에 견주어볼 때, 지구화의 문화적 영향에 대한 이 독특한 견해는 추적해볼만한 가치가 있어 보인다. 따라서 우리는 먼저 오늘날의 음식문화에서 나타나고 있는 동질화 경향들을 검토해보고자 한다.

음식의 동질성

1998년에 코카콜라는 텔레비전 광고캠페인을 벌였다. 그중 한 광고는 "호주의 오지, 화씨 124도"라는 자막과 함께 연기가 피어오르는 붉은 하늘과 노란 태양으로 시작했다. 음악이 흐르기 시작하면, 그것이 디저리두로 연주되고 있다는 것이 확실해진다. 분위기는 엄숙하다. 등장인물들이 붉은 배경으로부터 등장한다. 그들은 춤을 추고 있으며 원주민 장식을 하고 있다. 하늘을 올려다 살펴보는 어린 소년의 얼굴이 클로즈업되어 나타난다. 그는 빈 코카콜라 병을 공중으로 던진다. 그러자 장면 전체가 갑자기 활기를 띠기 시작한다. 디저리두 음악이 대중적인 음악의 시엠송으로 바뀐다. 액체가 무희들에게 비처럼 내린다. 카메라가 사방으로 움직이자, 그들 각자는 이제 코카콜라 병을 하나씩 들고 있다. 마지막 화면은 우리를 붉은 하늘과 불타는 태양의 이미지로 다시 돌려보내지만, 이제 태양의 색깔은 더 하얀 빛깔을 하고 있다.

어쩌면 이 광고는 무의식중에 지구화의 경제적 차원에 대해 말하고 있는지도 모른다. 2001년에 코카콜라는 195개국에서 판매되었다. 그리고 제조업자들은 코카콜라로 160억 달러의 수입을 올렸다(Shiva, 2001). 국제연합이 산출한 추정치에 따르면, 현재 10억 명 이상의 사람들이 깨끗한 마실 물을 얻지 못하고 있다(Barlow, 2001). 반다나 시바(Vandana Shiva, 2001)가 지적하듯이, "멕시코의 마킬라도라 지역[북미 기업 생산물의 하청지역]은 마실 물이 너무도 부족해서 아기와 어린이들이 코카콜라와 펩시를 먹을 정도이다"(Shiva, 2001). 이러한 맥락에서 볼 때, 코카콜라를 원주민 갈증의 해결책으로 제시한 광고에는 아이러니가 존재한다. 동시에 그 광고방송은 지구화 비판가들이 비난하는 바로 그 동질화의 영향을 찬양하는 것처럼 보인다. 처음부터 원주민문화는 원시적이고 다소 위험한 것으로 묘사된다. 무희들은 열기의 아지랑이 속으로 희미하게 사라지고, 그들의 검은 피부는 하늘의 짙은 붉은 색과 융합된다. 그들의 춤은 레인 댄스이고, 코카콜라의 도착은 마치 비가 내리기 시작하는 것처럼 묘사된다. 이 이벤트는 그 광경을 효과적으로 현지화함으로써, 이국적인 것과 원시적인 것을 일상적인 것(코카콜라, 음악)으로 대체한다. 마지막 장면은 오지와 원주민문화의 식민화를 선언한다. 이제 오지의 하늘 색깔은 문화와 음식의 동질성에 꼭 맞는 상징인 코카콜라 기업의 색깔을 상징한다.

우리가 제1장에서 살펴보았듯이, 조지 리처(George Ritzer, 1993, 1998, 2000)는 표준화된 생산물을 지구적 규모로 제공할 수 있는 기업들의 능력을 '맥도날드화' 과정과 관련하여 설명해왔다. 리처에 따르면, 막스 베버Max Weber가 근대사회의 합리성 패러다임으로 규명한 관료제적 정명定命은 이제 우리가 맥도날드의 기업구조 속에서, 그리고 코카콜라와 같은 그와 유사한 기업들에서 발견하는 형태의 합리화로 대체되었다. 리처에 따르면, 맥도날드의 성공은 효율성, 계산 가능성, 예측 가능성, 통제라는 원칙에 기초한다(Ritzer,

1993: 9~12). 그는 맥도날드가 그러한 원칙들을 적용함으로써, "레스토랑 사업뿐만 아니라 미국 사회 그리고 궁극적으로는 세계를 혁명적으로 변화시켰다"고 주장한다(ibid.: xi). 이러한 방식으로 맥도날드화된 음식산업은 지구화 자체를 이해하는 하나의 수단이 된다.

여기서 우리는 리처의 테제를 프랑스에서의 맥도날드 수용과 관련하여 탐구하고자 한다. 첫 번째 맥도날드 가게가 파리에서 문을 연 것은 1972년이었다. 그리고 이제 그것은 약 800개의 매장을 가진 프랑스 최대 레스토랑 체인이다(Normand, 1999: 29). 릭 팬타시아Rick Fantasia는 프랑스의 패스트푸드 산업을 매우 상세하게 분석한 바 있다. 그는 맥도날드 종업원 및 손님들과의 일련의 인터뷰에 기초하여, 맥도날드의 매력을 떠받치는 것이 바로 패스트푸드가 지닌 미국다움이라고 주장한다(Fantasia, 1995: 228~230). 그는 그 결과 맥도날드의 성공에 편승하고자 시도했던 프랑스의 햄버거 체인들은 자신들의 제품을 "미국 말처럼 들리는 이름"(프랑스-퀵, 프리타임, 매직버거, B버거, 맨해튼버거, 케이티버거, 러브버거 그리고 키스버거)으로 판매하는 경향이 있다고 제시한다(ibid.: 206). 그러한 체인들과 나란히 전통적인 프랑스식 스낵을 맥도날드화된 원리에 기초하여 제공하는 프랑스식 패스트푸드 회사들(라 브리오슈 도레La Brioche Dorée, 라 크루아상트리La Croissanterie, 라 비엔느와즈리La Viennoiserie)도 있다(Ritzer, 1993: 3; 1995: 207). 하지만 팬타시아가 주장하듯이, 그러한 체인들이 미국에서 어느 정도 성공적으로 자리잡아왔지만, "크루아상과 햄버거의 교환을 동등한 문화적 교환에 근접하는 어떤 것으로 보기는 어렵다."

그것들은 지역의 원재료와 가문의 레시피에 의존하는 전문적인 프랑스 '제빵업자'나 '제과업자들'에 의해서가 아니라 기계화된 주방에서 생산되고 판매되며, 표준화된 레시피와 공정을 사용하는 중앙집중적 도매점을 통해 공

급되고, 효율성과 시각적 과장을 위해 설계된 레스토랑들에서 팔리고 있
다.(Fantasia, 1995: 234)

이러한 상황의 진전은 맥도날드화가 지구적 과정이며 그 효과는 맥도날드 기
업 자체를 넘어서는 것으로 감지된다는 리처의 테제에 중요성을 더해준다.

리처의 테제를 비판하는 사람들도 있다. 어떤 사람들은 그것이 결국에는
"근대성과 산업주의에 대한 한탄"으로 끝난다고 불평해왔다(Finkelstein, 1999:
80). 다른 사람들은 합리화의 새로운 한 가지 형태로서의 맥도날드화의 지위
에 이의를 제기하면서, 실제로 그것은 막스 베버가 20세기 초반의 근대사회
에서 구별해낸 합리화과정의 확장에 불과한 것으로 보아야만 한다고 주장
해왔다(Smart, 1999). 음식의 동질성을 확고히 하는 데 있어 지구적 기업들이
발휘할 것이라고 가정되는 전능성 또한 문제가 될 수 있다. 리처 자신이 지
적하듯이, 실제로 맥도날드는 미각의 지역적 편차를 해결하기 위해 매우 열
심히 노력해야만 한다. 그 결과가 국가별로 독특한 미각을 만족시키기 위해
고안된 일련의 제품들이다. 이를테면 통밀로 만든 빵에 시라소스를 친 노르
웨이의 연어버거, 데리야키소스를 친 태국의 사무라이 돼지버거, 간장, 생
강, 양배추 그리고 겨자 마요네즈를 버무린 일본의 치킨타츠타 등등이 그것
이다(Ritzer, 2000: 172~173). 그리고 맥도날드는 해외 117개 국가에 약 1만
5,000개의 점포를 소유하고 있지만(Schlosser, 2001: 229), 10개국에서 175개 레
스토랑이 문을 닫을 것이라는 2002년 11월의 발표에서 알 수 있듯이, 그것의
운은 현재 꺾이고 있는 중이다(Burkeman, 2002: 2). 의심할 바 없이 이러한 문제
들은 부분적으로는 "음식산업의 지구화가 …… 통제의 중심을 지역적인 것
에서 지구적인 것으로 이동시킴"에 따라, "새로운 불안과 불확실성의 영역
들"이 소비자에게 알려지고 있다는 사실에서 기인한다(Tomlinson, 1999: 126).
그러나 그러한 문제들은 맥도날드에 대한 정치적 반대운동에 의해서도 또

한 부추겨져왔다(Smart, 1994). 그리고 그중 가장 세간의 이목을 끈 사건의 하나가 프랑스에서 발생했다. 1999년 프랑스 남서부의 미요 시내에 새로 들어서는 맥도날드 레스토랑 건물에 반대하여 농민동맹의 조제 보베José Bové가 조직한 시위가 발생했다. 연이은 보베의 체포는 그를 '맥도날드의 지배'에 맞서, 지구화와 미국의 문화적 제국주의에 맞서, 그리고 무엇보다 '저질 먹거리' 또는 '쓰레기 음식'에 맞서 싸우는 투사로 프랑스에서 그리고 그 이외의 지역에서 칭송하게 만들었다(Taylor, 2001).

우리는 분명 코카콜라 광고에서부터 맥도날드의 지구제국에 이르는 지구화된 음식산업의 권력이 점점 더 동질화된 음식물을 만들어내고 있음을 지적할 필요가 있다. 하지만 우리는 또한 그러한 과정이 아무런 경쟁 없이 진행되고 있는 것은 아니며 또 그러한 과정이 동의받기 위해서는 자주 열심히 노력해야만 한다는 점을 인식할 필요가 있다. 그와 동시에, 우리가 앞서 주장했듯이, 지구화의 논리는 동질성뿐만 아니라 다양성 또한 산출한다. 우리가 이제부터 살펴보는 것이 바로 그 미식의 다양성 문제이다.

미식의 다양성

2000년 11월에 신문 ≪옵저버The Observer≫와 함께 발행되는 잡지 ≪라이프Life≫의 음식 특별호가 "접시 위의 세계"라는 제목으로 발간되었다. 그것은 현대 영국에서 손에 넣을 수 있는 다양한 음식들을 찬양하는 데 바쳐졌다. 그 책에서 요리법 저술가인 클로디아 로덴(Claudia Roden, 2000: 29)은 "우리의 요리는 하나의 진정한 도가니가 되었다. 이것이야말로 우리 다문화사회의 공동유산이다"라고 주장했다. 이어지는 기사들은 계속해서 영국의 소비자들에게 다양한 민족의 음식을 공급하는 사람들과 전통적인 레시피의 이국적 변형에 대해 조사했다. 그것은 또한 "세계음식의 A-Z"를 제시하면서(Webster, 2000), 전복에서 하리사에 이르는 그리고 월귤에서 줄루족의 파이어소스에 이르는 세계 곳곳의 진기한 재료들에 관한 소小사전을 제공한다. 지구적으로 먹는다는 것이 결코 그렇게 쉬운 일은 아니었던 것 같다. 이제 우리 모두는 어느 곳에서도 집처럼 편안하게 느끼는 세계주의적인 사람이 될 수 있다.

미식의 다양성에 대한 '도가니' 접근방식은 영국 식생활에 생긴 변화를 (다)문화적 혼종성의 긍정적 형태로 파악하는 낙관적 시각이다. 스티븐 메넬(Stephen Mennell, 1996: 329)의 지적에 따르면, 전후 영국에는 외국 음식의 영향이라는 측면에서 네 번의 물결이 있었다. "대략 연대순으로 이탈리아, 중국, 인도 그리고 그리스와 터키 음식의 물결이 그것이다." 미국의 패스트푸드와 나란히, 그것들 모두는 영국의 식생활에 깊이 뿌리내리는 데 성공해왔다. 그 결과 그것들은 영국 소비자에게 "점점 더 다양한 것들"을 공급하는 데 기여해왔다(ibid.: 327). 메넬은 이것이 오늘날 음식문화의 특징들 중 하나이며, 영국 국민의 식생활 전반에 존재하던 현저한 사회적 차이들을 감소시켜왔다고 주장한다. 하지만 이러한 두 가지 특징들이 연관되어 있다는 것이 반드시 사실인 것은 아니다. 이를테면 우리가 제4장에서 살펴보았듯이, 요리의 다양성 자체는 사회적 구별짓기를 위한 하나의 수단이 될 수도 있다. 이러한 의미에서 이국적 또는 민족적 음식의 소비는 아마도 틀림없이 현대 사회 내에서 보다 광범하게 일고 있는 '일상생활의 미학화' 경향의 일부일 것이다. 이러한 경향은 소비자들의 "끊임없이 학습하여 스스로를 풍부하게 하려는 욕망, 즉 끊임없이 새로운 가치와 어휘를 추구하고자 하는 욕망"에 의해 부추겨진다(Featherstone, 1991a: 48). 패션 서적 및 라이프스타일 칼럼집들과 나란히 놓여 있는 잡지 ≪옵저버≫ 특별호는 미식의 다양성에 관한 이러한 견해를 지지하는 것으로 보인다. 그러한 다양성은 소비자에게 권력을 부여한다. 그리고 세계주의적 음식의 상점들은 세리아 루리(Celia Lury, 1996: 241)의 용어를 사용하면, "모두를 위한 모험적 놀이터"가 된다.

다른 논평자들은 우리가 요리의 다양성의 성격을 평가하는 데 좀 더 신중할 것을 촉구해왔다. 이를테면 앨런 워드는 적어도 영국에서 먹거리 지출이 1960년대보다 사회적으로 덜 구조화되고 있다는 증거가 거의 존재하지 않는다고 주장해왔다. 그는 미학화된 세계주의적 음식소비 유형의 분명한 출현은 아마도 "새로운 음식관행이 채택되었다기보다는 선택담론이 더더욱 만연하는 데서 기인하는" 것일 것이라고 시사한다(Warde, 1997: 189). 잡지 ≪옵저버≫와 같은 일요신문의 컬러부록들이 아마도 틀림없이 그러한 담론구성의 핵심적 장소일 것이다. 워드는 또한 점증하는 요리의 다양성이 시장메커니즘의 측면에서 중요한 기능을 행사하고 있으며, 세계주의적인 소비를 지나치게 찬양하는 설명들은 어쩌면 그러한 측면을 간과하는 경향이 있다고 주장한다(ibid.: 16). 이를테면 우리 지역의 슈퍼마켓이 이제는 네 가지 다른 종류의 케이퍼를 팔고 있다는 사실에 기뻐할 때, 우리는 다양성이 판매되고 있다는 점, 따라서 다양성의 공급이 "거의 전적으로 자본주의적 기업논리와 함수관계에 있다"는 점을 기억할 필요가 있다(ibid.: 169). 워드가 지적하듯이,

> 다양성의 찬미는 상품문화를 강화하는 한 가지 주요한 수단이다. 비록 아무도 반대하지 않겠지만, 다양성이 항상 미덕은 아닐 것이다. 가장 명백한 것은, 오늘날의 영국 식단에 일 년 내내 오르는 다양한 식품들이 지구적 분업에 의존하며, 그러한 분업은 종종 제3세계 주민들의 건강에 해를 입히면서 작동한다는 것이다.(Warde, 1997: 161)

우리가 이 장의 앞부분에서 살펴본 것처럼, 지구화과정은 세계의 전혀 다른 지역 사람들 간의 시간적·공간적 상호연결을 증가시키고, 따라서 우리의 다

양한 음식의 소비는 그러한 다양성을 생산하는 제3세계 사람들의 노동조건 및 생활조건과 관련되어 있다. 이안 쿡(Ian Cook, 1995)은 망고와 같은 이국과일에 대한 자신의 사례연구에서 그러한 상호연결의 구체적 좌표를 찾아내고자 해왔다. 쿡은 망고를 재배하는 자메이카의 농장에서부터 영국 슈퍼마켓의 판매장에까지 이르는 망고의 궤적을 추적한다. 그 과정에서 그는 농장소유권의 유형, 자메이카의 농업정책과 수출절차, 슈퍼마켓 바이어의 역할, 그리고 슈퍼마켓에서의 이국 과일 마케팅을 기술한다. 그는 또한 그 궤적에 관련된 사람들과 인터뷰를 하여, 박봉의 농장노동자들의 불만과 슈퍼마켓 바이어들이 영국으로 귀국할 때 느끼는 죄책감을 기록한다. 쿡은 "'우리가' '우리의' 일상적인 음식소비 관행을 통해 복잡하게 연결된 '탈식민적 미식 정치'에 연루되면서, 우리가 '제3세계의 발전' 가능성을 제약하는 지배와 저항의 각본 속에서 적극적인 역할을 하는" 얽히고설킨 장면이 출현한다고 결론짓는다(ibid.: 141).

우리는 동질성과 다양성이 비록 모순적인 요리추세임에도 불구하고 모두 지구화라는 동일한 과정의 일부라고 주장해왔다. 이들 경향을 하나로 묶어 주는 것은 그것들이 서로 다른 장소의 제조업자, 노동자, 소비자 사이에 만들어내는 상호연결들이다. 다시 이 상호연결이 지구적인 경제적 불평등을 이런저런 정도로 강화한다. 하지만 또한 우리는 음식상품의 마케팅이 자주 "그것의 원산지를 감추는" 경향이 있다는 점에 주목할 필요가 있다(Sut Jhally; Cook and Crang, 1996: 135에서 인용함). 계속되는 로버트 색Robert Sack의 지적에 따르면, "소비자의 세계는 그것이 생산주기와 생산장소와는 거의 또는 전혀 관련이 없다는 인상을 창출하고자 시도한다. 그것은 그러한 극히 중요한 관계를 은폐하거나 위장한다"(Cook and Crang, 1996: 135에서 인용함). 마르크스주의 이론에서 이 과정은 상품물신주의commodity-fetishism로 알려져 있다. 이제 이 문제를 살펴보기로 하자.

상품물신주의와 음식문화

마르크스는 상품물신주의를 다음과 같이 설명한다.

> 상품이 …… 신비한 것인 까닭은 단지 그 속에서 인간노동의 사회적 성격이 인간에게 그 노동의 산물 위에 새겨진 객관적 성격으로 등장하기 때문이다. …… 그들의 눈에 사물들 간의 관계라는 환상의 형태를 취하고 나타나는 것은 다름 아닌 바로 사람들 간의 일정한 사회적 관계이다.(Marx, 1970: 72)

상품의 교환가치, 즉 시장가격은 당연히 하나의 사회적 관계, 즉 상품의 생산·분배·소매에 들어간 노동비용의 표현이다. 이를테면 영국 슈퍼마켓 세인스버리의 현재 망고 가격은 1.49파운드이며, 이 금액은 쿡이 자신의 분석에서 규명하고 있는 다양한 경제적 상호연결의 한 가지 표현이다. 하지만 상품물신주의 과정은 우리로 하여금 이 망고 가격을 망고 자체의 속성으로 이해하게 한다. 상대적으로 비싼 과일인 그것의 가격은 이국성과 사치성을 함유한다. 우리는 이러한 함의가 자메이카에서부터 슈퍼마켓의 선반에까지 이르는 망고의 궤적에 포함된 복잡한 사회적 관계보다는 망고 자체의 성질과 풍미에서 나온다고 생각할 수도 있다. 이러한 결론은 먹거리 상품이 시장에서 거래되는 방식, 즉 많은 경우에 그것의 생산조건에 대한 소비자들의 지식을 제한하는 경향이 있는 과정에 의해 촉진되고 부추겨진다. 이것은 식품광고의 통상적 특징의 하나이다. 식품광고는 대량생산의 비도덕적 속성으로부터 생산물 자체를 분리시키기 위해 자주 이용된다. 이를테면 백스터 수프의 잡지광고에는 스프 한 그릇과 그 옆에 수프를 만든 원재료(야채와 파스타), 도마, 부엌칼이 놓여 있는 사진이 실려 있다. 그 물건들 옆에는 "백스터는 여러분과 동일한 방식으로 수프를 만듭니다. 단지 우리의 냄비가 좀 더

클 뿐입니다"라는 설명문이 붙어 있다. 이 설명문은 이탤릭체로 써 있는데, 이 이탤릭체는 레시피 노트도 손으로 썼을 것이라는 점을 암시한다. 이 모든 것의 요지는 백스터 수프를 실제로 집에서 만든 것처럼 묘사하는 것이다. 그것이 실제로 만들어지는 생산조건(그것은 기계화된 조리형태를 이용하여 공장에서 만들어진다), 즉 사회적 관계는 의도적으로 은폐된다. 세리아 루리가 설명하듯이, 이렇듯 상품물신주의는 "상품의 외양이 상품을 만든 사람들과 그 사람들이 상품을 만드는 방식에 관한 이야기를 감춤으로써, 상품을 위장하고 가장하는 것"을 지칭한다(Lury, 1996: 41).

하지만 오늘날의 음식문화에서 상품물신주의는 이것보다 훨씬 더 복잡하다. 이를테면 쿡과 크랑은 먹거리에 대한 우리의 지식이 "'이중적' 상품물신주의와 밀접히 관련되어 있다"고 주장해왔다.

> 한편으로 그것은 우리에게 먹거리 상품을 제공하는, 우리에게서 공간적으로 멀리 떨어져 있는 공급체계에 대한 소비자들의 지식을 제한한다. 그러나 다른 한편으로 그리고 그와 동시에 그것은 또한 원산지가 서로 다른 먹거리 상품들에 대한 지리학적 지식을 점점 더 많이 강조한다.(Cook and Crang, 1996: 132)

달리 말해 점점 더 증가하는 다양한 요리의 공급은 소비자들로 하여금 특정 식재료의 원산지에 대한 그들의 지식을 드러냄으로써 그들의 문화적 자본을 돋보이게 할 수 있게 해준다. 이러한 가능성을 가장 잘 보여주는 것이 아마도 와인일 것이다. 와인의 경우 포도와 와인의 생산지를 '알아내는' 능력은 누군가로 하여금 와인전문가로서의 그의 자격을 뽐낼 수 있게 해준다. 그러나 이는 다른 경우에서도 분명하게 드러난다. 이를테면 세인스버리 슈퍼마켓의 사내 월간지 ≪더 세인스버리 매거진The Sainsbury's Magazine≫은 소비자들에게 특정 식재료의 원산지에 관한 심층정보를 제공하기 위해 「재료의 해부」라는 제목의 고정 특집기사를 게재하고 있다. 이를테면 그 잡지에 터키의 살구 재배 지역에 관해 설명하는 기사를 쓴 슈 로렌스(Sue Lawrence, 1998: 72)는 살구 상인들과 농민들을 방문하여 "살구가 어떻게 강렬한 태양빛으로 말려지면서 단 5일 만에 황금빛 노란색에서 가을의 주황색으로 변화하는지를 밝힌다." 요리책들 또한 지리학적 지식을 전달하기 위한 사이트들을 운영한다. 이를테면 『멕시코 요리 수업Cooking Class Mexican Cookbook』은 멕시코 요리전통의 배경에 대해서는 거의 어떠한 정보도 주지 않은 채, '멕시코 요리'라는 직접적인 개념을 이용한다. 이 책은 광범위한 국가별 요리들을 망라하고 있는 『요리수업Cooking Class』 시리즈의 한 권이다(Swallow, 1994). 우리는 이 텍스트를 릭 베이리스Rick Bayless와 딘 그런 베이리스Deann Groen Bayless의 『진짜 멕시코 요리Authentic Mexican』와 대비해볼 수 있다. 주로 미국의 독자층을 겨냥하고 있는 이 책의 저자들은 미국에서 멕시코 음식으로 통하는 것의 대부분이 원래 멕시코 요리의 "거의 우스꽝스러운 모방"에 불과하다고 치부한다(Bayless and Bayless, 1987: 15). 나아가 그들은 멕시코의 요리유산, 시장, 주방과 레스토랑, 그리고 지역별 미각에 관해 상세하게 설명한다. 그 책에 포함되어 있는 레시피들 모두는 그러한 지역별 차이를 설명함으로써, 우리에게 그것이 그 요리의 진정한 원조이며 저자들이 그것에 정통하다는 확신을 준다.

지구화는 우리가 먹는 음식이 시간 및 공간과 관련하여 갖는 중요성의 토대를 침식함으로써 전통의식을 위협한다. 음식의 기원 찾기 ―『진짜 멕시코 요리』는 그것의 한 가지 실례이다 ― 는 아마도 이러한 도전에 직면하여 고유성에 대한 의식을 일정 정도 회복하고자 하는 것임에 틀림없을 것이다. 마르크스의 상품물신주의 이론이 말하고자 하는 것은 상품의 생산관계가 무시되고 있다는 것이며, 우리는 그것이 여전히 지구화된 음식문화의 한 가지 특징이라고 주장해왔다. 하지만 동시에 우리는 자주 이중적 상품물신주의가 작동하며, 사람들로 하여금 특정 제품의 기원과 고유성에 매혹되게 한다는 쿡과 크랑의 주장에도 동의해왔다.

결론: 지구화에 저항하기?

지구화는 음식문화의 동질성을 증대시키는 동시에 다양성을 증가시켜왔다. 이 두 경향은 문화를 그것의 현장으로부터 분리시켜 서로 다른 민족 및 장소와 결합시키고, 지역에서 재배된 계절 먹거리를 훨씬 더 먼 바깥에서 생산된 물품들로 대체하는 능력을 공히 가지고 있다. 하지만 우리가 살펴보았듯이, 지구화과정이 도전받지 않거나 저지받지 않는 것은 아니었다. 프랑스에서 보베가 벌인 맥도날드 반대캠페인은 정치적 스펙트럼을 가로질러 지지를 이끌어냈으며, 그는 미국식 패스트푸드의 파괴로부터 프랑스의 요리전통을 지켜낸 국민적 영웅으로 칭송되었다(Taylor, 2001: 59). 톰린슨은 지구화가 문화적 불화라는 위협을 초래하는 것으로 보이기도 하지만, 그러한 변화들은 "정반대로 빠르게 정상상태에 동화되어, 지금까지 그래 왔거나 또는 그래야만 하는 삶의 방식에서 파생된 일련의 것들이 아니라 오히려 (비록 불안하기는 하지만) '삶의 방식 그 자체'로 이해된다"고 주장해왔다(Tomlinson, 1999: 128). 보베의 성과 그리고 그가 주도했던 캠페인은 성공한 상태이다. 그는 실제로 지구화된 음식문화의 표면적 정상상태에 의문을 제기하는 데 어쨌든 성공했고, 그것은 다시 그것을 발생시키는 경제논리에 대해 의문을 제기하게 한다.   .

　오늘날의 식품생산과 소비형태들 내에는 우리가 지구화에 대한 저항으로 간주할 수 있는 또 다른 예들이 존재한다. 이를테면 다음 장에서 우리는 지구화과정이 위협하는 지역 생산 식재료들만을 전문적으로 거래하는 농민시장이 최근 몇 년간 출현하고 있음을 살펴볼 것이다. 우리는 또한 사람들이 그들 자신의 먹거리를 재배하는 데 다시 흥미를 느끼고 있다는 것을 목도해왔다. 이를테면 TV 시리즈물과 함께 발간되는 휴 핀리-휘팅스톨Hugh Fearnley-Whittingstall의 『리버 코티지 요리책River Cottage Cookbook』(2001)은 자기 자신의 먹거리를 스스로 생산하는 노동을 탐색하고 그것을 찬양한다. 유사한 관심이 최근 정부정책 수준에서도 다루어져왔다. 분할대여농지 공급에 대한 영국 의회의 최근 보고서에 따르면, "먹거리와 건강에 대한 우려와 관련된 '녹색' 쟁점과 개발의제가 지속적인 관심"의 대상이 됨에 따라 "분할대여농지의 수요가 증가하고 있다"(Environment, Transport and Regional Affairs Select Committee, 1998). 한편 2002년 환경식품농무부가 출간한 보고서 「농업과 먹거리의 미래The Future of Farming and Food」는 먹거리 생산의 지방적·지역적·국가적 형태들을 지켜내는 것이 갖는 중요성을 강조하고 있다. 지역을 이탈한 지구화된 음식문화에 직면하여, 이 모든 예들이 추구하는 것은 지역에 뿌리를 둔 제철 먹거리의 재발견을 강조하는 것이다.

지구화과정에 도전하는 또 다른 방식이 바로 '윤리적인' 먹거리 생산과 소비이다. 이를테면 공정무역재단The Fairtrade Foundation은 지구적 수출을 위해 개발도상국의 곡물생산을 통제하는 데서 다국적 기업들이 행사하는 권력에 반대하는 일에 헌신하고 있다. 다국적인 먹거리 생산이 "경제적으로 주변화된 사람들을 희생하여 산업화된 사회들에 먹거리 선택과 먹거리 다양성을 제공한다"면(Beardsworth and Keil, 1997: 41), 공정무역활동은 이들 주변화된 집단을 보호하는 것을 목적으로 한다. 이를테면 퍼콜Percol의 공정무역 콜롬비아 커피는, 그 포장지에 쓰여 있듯이 "선별된 소규모 농장소유자들로부터 제품을 공급받아 생산자들의 직접적이고 공정한 이익을 위해 판매된다." 이러한 점에서 공정무역제품의 마케팅은 제품생산의 동학을 분명하게 드러냄으로써 상품물신주의 과정에 대처한다.

또한 그 속성 때문에 지구화과정에 의해 전유되지 않는 식재료들도 있을 수 있다. 이에 해당하는 하나의 사례가 베니스 주변에서 재배되는 야생 홉의 순인 브루스칸돌리이다. 음식 저술가인 엘리자베스 데이비드는 1969년 그녀가 한 레스토랑에서 주문한 리소토에서 처음으로 그것과 마주했다(Jones and Taylor, 2001). 브루스칸돌리는 수명이 짧아서, 단지 5월 초에 10일 정도만 수확할 수 있다. 또한 브루스칸돌리의 정확한 속성에 대해서도 지역별로 이견이 있는 것으로 보인다. 어떤 지역에서는 그것이 홉의 순의 한 종류가 아니라 야생 아스파라거스의 한 형태라고 파악한다. 그럼에도 불구하고 데이비드가 이 식물에 대해 가장 관심을 가지는 것은 바로 그것의 속성과 근대 지구화된 먹거리 생산과정 간에 존재하는 현저한 차이이다.

> 일 년 내내 세계의 모든 지역으로부터 농산물 — 멕시코의 딸기, 캘리포니아의 아스파라거스, 이스라엘의 리치, 케냐의 호박 — 이 수입되는 우리 영국사회에서, 베니스 사람처럼 봄에 나는 식물과 야채와 과일들을 여름에 나는 그러한 것들과 구분해주는 미묘한 기후경계를 재발견하는 것은 때때로 매우 큰 즐거움이다. 그러한 구분선으로 인해 그것들이 어느 날은 그곳에 그렇게 많다가 그 다음 날에는 사라져버리기 때문에, 브루스칸돌리는 특히 선명하게 깊이 기억된다.(David, 1986: 113)

우리가 여기에서 이 사례들을 살펴본 목적은 지구화의 영향력이 전적으로 모든 것을 포괄하지는 않는다는 점을 제기하기 위해서이다. 셔우드에 관한 우리의 묘사가 함축하듯이, 실제로 지구화의 효과는 조제식품에서 발견되는 다양성에서부터 맥도날드에서 발견되는 패스트푸드의 동질성에 이르기까지 일상적인 음식관행의 구조 속에서 경험된다. 그럼에도 불구하고 우리가 지구화된 음식문화 속에서 확인했던 경향들이 지속될 것으로 보이기는 하지만, 생산자와 소비자들은 여전히 수많은 방식으로 음식문화의 뿌리를 보존하거나 재확립하는 동시에 지구화의 논리에 대항하고 도전하고자 할 수 있다. 우리는 이제 그것을 좀 더 탐구해보고자 한다.

제7장

식품 쇼핑

지리학자인 도린 매시Doreen Massey는 탈근대성 문헌에 관한 저술에서 "가속화, 지구촌[들] [그리고] 공간적 장벽의 극복"이라는 공상과학적 수사어구들을 사용하면서도, "많은 사람들의 경우에 삶의 대부분은 여전히 버스 정류장에서 쇼핑한 물건을 가지고 도무지 오지 않는 버스를 기다리고 있는 것이다"라는 보다 조심스러운 주장을 개진했다(Massey, 1994: 163). 쇼핑객들의 가방이 내구재나 사치품들로 가득 차 있다고 생각할 수도 있지만, 거기에 식품이 담겨 있을 가능성이 훨씬 더 커 보인다. 우리가 쇼핑하러 간다고 말할 때 우리 대부분에게 그것이 의미하는 바는 식품의 구매이다.

매시가 버스 정류장에 초점을 맞추는 것은 전후 영국의 소비문화에 대해 조금은 시대착오적인 광경을 날카로운 통찰력으로 상기시킨다. 의심할 바 없이 영국에서 대중교통이 중요한 문제이기는 하지만, 1970년대 이후 차량 소유의 배증과 1980년대 교통규제의 완화는 버스 정류장에 서 있는 것이 쇼핑경험을 대표한다는 관념을 문제 있는 것으로 만든다. 그보다는 이러한 도시광경이 의미를 지니는 경우는 그것을 (자동차를 소유하고 있지 못한 젊은이와 노인들이 그 대부분을 차지하는) '새로운 빈민들'과 (버스여행이 비록 확연히 젠더화된 활동이기는 하지만 덜 낙인찍히는 일이었던) 1945년 이후 시기의 노동계급과 연관시킬 때이다. 매시는 우리에게 최근 들어 새로운 모습을 갖춘 세계에 대해 생각하기보다는, 과거의 문화적 형태, 태도, 관행이 현재에도 여전히 잔존하는 변화, 즉 불편하게도 자주 불평등을 생각나게 하는 변화에 주목할 것을 요구한다. 이 우울한 공동 쇼핑공간의 이미지는 그것이 하나의 항구적인 공통 문화라는 관념을 불러낸다.

우리는 두 가지 이유 때문에 식품 쇼핑에 대한 논의를 이러한 지리적 장면으로 시작한다. 첫째, 당신은 이제 음식문화에서 공간과 장소 – 특히 앞의 두 장에서 논의한 지구화와 국민정체성의 문제들과 관련하여 – 가 갖는 중요성을 잘 알고 있을 것이다. 이 장은 전 지구를 그 범역으로 하는 식품 소매산업들을 지역(생산지, 시장, 자치구, 교외)이라는 공간과 국민국가라는 공간과의 관계 속에서 고찰한다. 이 장이 끝날 때쯤 당신은 근대의 일상적 삶 속에서 공간과 장소 그리고 (세 번째 핵심용어인) 시간의 배열이 어떻게 변화하고 있는지를 보다 잘 이해할 수 있게 될 것이다.

둘째, 우리는 이 장에서 전후 영국의 식품 쇼핑 **풍경**에 초점을 맞춘다. 우리는 일정한 유형들, 특히 소매와 쇼핑이 대규모 슈퍼마켓으로 집중되고 있음을 관찰할 수도 있지만, 이들 유형이 한결같고 또 예측 가능한 변화의 서사를 형성하지는 않는다고 주장한다. 특히 그러한 유형들은 식품 쇼핑에 관한 비관적인 설명, 즉 지역의 대면적 식품공급 방식이 도시 외곽에 자리잡고 있는 대형 슈퍼마켓의 특징 없는 쇼핑경험에 의해 전적으로 대체되고 있다는 설명의 근거가 되지도 않는다. 이러한 비관주의의 이면에는 자주 사람들의 일주일의 일과와 그들의 슈퍼마켓 내에서의 행동이 자본주의적 식품 소매상인들과 그들의 '숨어 있는 설득자들'에 의해 완전히 결정된다는 관념이 자리하고 있다. 이와 달리 이 장에서 우리는 외관상 시대에 뒤진 형태의 소매와 쇼핑의 복귀를 포함하여 중요한 연속성과 상호의존성 또한 관찰할 수 있다고 제시한다. 우리는 모든 문화구성체들은 **지배적** 요소, **잔여적** 요소 그리고 **신흥** 요소들 모두를 포함한다는 레이몬드 윌리엄스(Raymond Williams, 1980)의 견해를 이용하여, 식품 쇼핑 내의 지배적 요소(슈퍼마켓)가 잔여적 쇼핑공간(시장) 및 신흥 식품 쇼핑 사이트들(개인용 컴퓨터에서의 홈쇼핑)과 불편하고 불균등한 관계 속에서 공존하고 있다는 것을 보여준다. 우리는 이러한 도식을 더 잘 이해할 수 있게 하기 위해 또다시 워드(Warde, 1997)의 취향의 해부학을 이용하여, 절약과 사치, 편의성과 정성, 그리고 새로움과 전통의 공간적 분포를 면밀히 검토한다.

우리는 주로 영국의 상황을 기반으로 하여 전후 시기의 핵심적인 특징은 노동계급 공동체들이 신도시, 교외, 주택단지들로 **분산**되었다는 데 있다고 주장한다. 이러한 상황은 물질적·이데올로기적 수단을 통해 식품을 관리할 것을 요구했다. 슈퍼마켓은 그러한 관리에 상대적으로 성공을 거둔 유일한 것이기는 하지만, 상대적으로 조야한 수단에 불과하다. 다양한 문화형태들이 그것에 대해 드러낸 적대감의 수준은 그것의 조야함을 보여준다(Bowlby, 1997; Riddell, 2003). 시장, 번화가, 가정 모두가 분산되어 있고 이동성이 높은 주민들의 음식욕구에 어떻게든 맞추어왔다. 우리는 앤서니 기든스Anthony Giddens의 연구를 이용하여, 공동체로부터 탈착disembedding이 발생한 이후 물질적·감정적 재착근re-embedding이 일어나왔음을 보여준다. 하지만 이것은 완전하게 이룩된 어떤 것이 아니다. 즉 탈착과 재착근의 역동적 과정은 음식문화 전역에서도 목도된다. 이를 보다 충실히 이해하기 위해 우리는 먼저 분산의 문화적 계기와 그것을 유발한 대표적인 기술들을 살펴볼 것이다.

유동하는 사사화

앞서 우리는 레이몬드 윌리엄스가 새로운 분산된 공동체에 관한 중요한 이론가 중의 하나임을 지적했다. 윌리엄스가 방송매체에 초점을 맞추고 있기는 하지만, 그는 양차 세계대전 사이의 시기에 출현했으나 1945년 이후에야 결합된 두 가지 다른 '기술', 즉 소규모 가정용 주택과 자동차를 규명한다(Williams, 1983: 171). 가정용 주택의 부엌, 식료품 저장실 그리고 그보다 나중의 냉장-냉동장치와 자동차의 트렁크는 변화된 식품 쇼핑 네트워크 속으로 가족을 끌어들이는 데 필수불가결한 설비들이 되었다.

이 두 가지 기술은 교외 생활양식에서 중심적인 위치를 차지했다. 이러한 생활양식은 사람들이 도심을 떠난 1950년대와 1960년대 동안 출현하기 시작하여 지배적인 양식이 되었다.1 우리는 여기에서 '교외'라는 말을 양차 대전 사이의 무계획적인 교외에서부터 1945년 이후에 건설된 신도시와 도시 외곽 공영주택단지에 이르기까지 다양한 주거형태를 포괄하는 용어로 사용한다. 우리가 표준화된 중간계급 정체성을 교외지역이나 그러한 지역의 거주자들에게 귀속시키기 위해 이러한 별개의 공간들을 하나로 묶는 것은 아니다. 하지만 그 시기의 문화해설자들은 자주 재빠르게 그렇게 했고, '부르주아화embourgeoisement'를 지지하는 담론과 비판하는 담론 모두가 그 시대 내내 부상했다. 전자가 새로운 교외거주자들의 '개척자'적 심성을 칭송했다면(Humphery, 1998: 75), 후자는 계급 차이의 명백한 평준화를 비난했다(Hebdige, 1988). 우리가 앞으로 살펴보듯이, 이 후자의 담론형태 중 하나가 슈퍼마켓 쇼핑에 관한 관념들에 계속해서 영향을 미치고 있다.

전후 시기의 노동계급 사람들이 점점 더 중간계급이 되고 있었든 아니면 그렇지 않았든 간에, 그들은 의심할 바 없이 소비의 영역에 참여할 것을 전례 없이 부추김당하고 있었다. 윌리엄스에 따르면, 사람들은 스스로를 교외

거주자 또는 신도시 사람으로 동일시하는 것과 함께 '자주적인 소비자'로 바라보도록 부추겨졌다. 그가 보기에 이러한 정체성을 가장 명시적으로 드러내고 또 가장 "즉각적으로, 심지어는 열심히 받아들이는" 장소가 슈퍼마켓이다. 대중문화 비관주의에 굴복하는 것을 경계하는 윌리엄스는 그러한 정체성이 사람들을 통째로 규정한다고 생각하지 않는다. 그보다는

> 그러한 정체성은 그것이 그러한 삶의 수준, 즉 분잡한 슈퍼마켓의 수준을 기술할 때만 받아들여진다. 카트의 물건들을 자동차에 싣고 집으로 돌아가서 열쇠를 돌리는 순간, 거기에는 가족, 부부관계, 자식, 친척, 친구와 같은 보다 완전하고 보다 인간적인 정체성이 기다리고 있다.(Williams, 1983: 188)

우리가 나중에 슈퍼마켓에서는 완전한 인간적 정체성을 획득할 수 없는가라는 문제를 제기할 것이지만, 정체성은 시간과 공간에 따라 결정되는 것이지 일방적으로 주어지거나 채택되는 것이 아니라는 윌리엄스의 주장은 매우 가치 있다. 사람들이 여러 장소를 상대적으로 쉽게 옮겨 다닐 수 있고 그렇기에 장소에 따라 그들의 정체성이 달라질 수도 있다는 것은 근대사회에 독특한 것이다. 윌리엄스는 이러한 오락가락하는 태도를 '유동하는 사사화 mobile privatization'라고 이름 지으며, 오직 그처럼 명백히 모순적인 신조어만이 이 새로운 조건의 양가성을 포착할 수 있다고 주장한다.

　'사사화'를 구성하는 요소들 중에서 그것이 함축하고 있는 반反사회적 은둔이라는 의미에 집중할 경우, 유동하는 사사화라는 모순적인 단어 배합이 지닌 '외부지향적' 특성, 즉 가정생활과 자아가 전후의 정주공간들에 새롭게 순응해간 것을 놓치기 쉽다. 윌리엄스는 사사화에 일정 정도의 은둔이 포함되어 있다는 데 동의하면서도, 이렇게 주장한다. "그것[유동하는 사사화]은 불우한 유형의 은둔적 사사화가 아니다. 왜냐하면 무엇보다도 그것이 제

공하는 것은 유례없는 이동성이기 때문이다. 그것은 단절된 방식으로 살아가는 삶이 아니다"(Williams, 1983: 171). 특히 자동차는 이러한 이동성을 경험하는 결정적으로 유용한 용품이 되었다. 비록 처음에는 자동차가 전적으로 남성을 위한 기술이었지만, 분산된 소비 및 복지 네트워크와 가족 간을 이어주는 가장 중요한 매개수단으로서 자동차가 갖는 중요성은 어쨌든 점차 그것이 남성노동과 여가에서 수행하는 역할만큼이나 중요하게 되었다(Lee, 1993: 130). 게다가 자동차의 이동성이 가져다줄 것으로 인식된 자유가 비싼 유지비와 환경악화 같은 일련의 불이익을 수반한다는 증거에도 불구하고, 자동차는 개성과 가족생활에 관한 관념 속에서 여전히 중심적인 역할을 차지하고 있다. 윌리엄스는 이러한 판단이 상식으로 침전되어 강력한 이데올로기적 견인력을 발휘한다고 지적한다. 그는 "[이러한 조건들] 내부에서 형성된 의식은 그러한 자유롭게 선택된 이동성이나 소비를 방해하게 될 외부의 어떤 것에 대해서도 적대적 – 몇몇 경우에는 당연히 적대적 – 이었다"고 쓰고 있다(Williams, 1983: 172).

그러므로 '유동하는 사사화'는 우리에게 핵가족을 중심으로 하는 형태의 정체성이 발전할 것이라는 점을 시사한다. 핵가족 속에서 개인들이 소비장소들과 맺는 공간적 관계는 그간 크게 확대되어왔다. 이것이 또한 우리에게 시사하는 것은 사람들이 그러한 상황을 (비록 때에 따라 다르고 타협적이기는 하지만) 자유의 한 형태로 그리고 다른 사람들에 대한 돌봄의 한 형태로 경험한다는 것이다. 다음 두 절에서 우리는 이 유동하는 사사화라는 개념을 슈퍼마켓과 연관지어 살펴볼 것이다. 왜냐하면 이 전례 없는 이동성의 많은 부분이 바로 이 축을 중심으로 하여 발생하고 있기 때문이다.

슈퍼마켓과 균질성이라는 유령

비록 대규모 슈퍼마켓 체인들이 분산된 주민의 필요에 재빨리 적응한 것이기는 하지만, 초기 영국 슈퍼마켓들은 도시에 위치했고, 쇼핑은 여전히 지역화된 활동이었다(Humphery, 1998: 73~74). 하지만 오늘날 슈퍼마켓들은 일반적으로 도시의 상업단지나 도시 외곽에 자리잡고 있어, 차를 몰고서만 그곳에 갈 수 있다. 슈퍼마켓의 본질적 특징은 그것의 물리적 특징이나 그것의 서비스와 쇼핑양식이라기보다는, 그곳에 차를 몰고 간다는 것, 즉 하나의 이동행사a mobile event라는 관념이다. 이것이 바로 슈퍼마켓(또는 1960년대 이래로 식료품산업이 채택하고 있는, 점점 더 탈지역화되고 과장된 형태의 표현으로는 슈퍼스토어, 하이퍼마켓 또는 하이퍼스토어)을 규정한다. 피터 런트Peter Lunt와 소니아 리빙스톤Sonia Livingstone은 슈퍼마켓이 도시 바깥에 입지한 것이 "지역적인 것과 지구적인 것 간의 구분을 붕괴시켰다"고 지적하면서, 식품 쇼핑을 할 때 "슈퍼마켓이 길모퉁이를 돌아가면 있을 때조차도 자동차는 필수적인 것처럼 보이며, 아무리 짧다고 하더라도 자동차에서 보내는 시간은 현장과의 거리를 부호화한다"고 논평한다(Lunt and Livingstone, 1992: 98).

차량을 이용하는 쇼핑객은 지역이라는 얽히고설킨 이질적인 공간을 뒤로한 채 보다 균질화된 공간을 방문한다고 지적한 것은 런트와 리빙스톤만이 아니다. 이러한 균질성에 대한 비판들은 일반적으로 두 가지 형태를 띠고 있다. 그러한 비판들은 첫째, 슈퍼마켓이 지역적, 지방적 또는 국가적 차이에 무감각한 동일한 풍경을 구성하는 것에 대해 반대하고, 둘째 상점 안에서 일어나는 소비자들의 행위를 제약하고 지시하는 내적 균질성을 비난한다. 그러한 비판들 중 전자를 대표하는 건축 저널리스트 조나단 글랜시Jonathan Glancey는 슈퍼마켓의 설계에서 나타나는 이중적 허구성을 간파한다. 슈퍼마켓의 풍경은 근본적으로 균질적일 뿐만 아니라, 중간계급 (특히 중하계급) 소비자들의 문화적 반응력에 시각적으로 호소함으로써 차이와 구별의 환상 또한 제공한다.

> 테스코Tesco와 세이프웨이Safeway는 촌락의 헛간, 옛 공회당의 외관을 취해 왔다. 전통적인 지역 건축자재가 주로 돌, 부싯돌, 노란 벽돌, 붉은 벽돌 또는 떡갈나무 판자라는 것에 아랑곳하지 않고 한결같이 번쩍번쩍하는 벽돌로 뒤덮은 이러한 민속적 스타일을 …… 우리는 전국 도처에서 발견할 수 있다. 그것들은 잉글랜드 중간계급(또는 웨일즈와 스코틀랜드의 중간계급)의 가치를 표상한다.(Glancey, 1999: 110)

비록 글랜시가 이 정형화된 디자인을 영국적 현상이라고 주장하지만, 최근 슈퍼마켓 쇼핑에서 일어나고 있는 중요한 사실 중 하나는 영국 쇼핑객들의 운전 반경이 유럽 대륙으로까지 확대되었다는 것이다. 저렴한 영국해협 횡단요금, 파운드화의 강세 그리고 낮은 주세酒稅에 편승하여 영국 소비자들은 음료와 식품을 찾아 프랑스와 벨기에의 하이퍼마켓으로 여행한다. 이러한 현상에 대한 묘사는 일반적으로 그러한 쇼핑경험이 문화적 독특성을 결여하고 있으며, 그것이 장소의 제한이 없는 공간placeless space을 조장한다는 점을 강조한다. 그런 다음에 스스로를 동질적이라고 여기는 사람들이 그 공간을 차지하고 있는 것으로 담론적으로 구성된다. 이를테면 ≪데일리 텔레그래프Daily Telegraph≫는 프랑스로 밀려드는 영국 슈퍼마켓은 세인스버리와 테스코 같은 체인들만이 아니며, 지위가 낮은 영국인들의 특성을 이용하는 대형할인매장 업체들(이를테면 부저스Boozers 또는 분산된 공동체를 노골적으로 지칭하는 이스트엔더스EastEnders) 역시 프랑스에 진출하고 있다고 지적했다. 이들 장소에서 쇼핑하는 사람들은 그들이 서로 다르지 않다는 것을 보여주는 것처럼 보인다. "새벽 3시에 24시간 문을 여는 방대한 창고에 서 있다는 것은 마음을 푸근하게 해준다. …… 그리고 여러 묶음의 라거 비어를 흰색 밴에 싣는 영국인들을 지켜보라"(Peregrine, 2001). 이 기사는 또한 하이퍼마켓에서 **시간**의 균질성을 포착하고 있다. 식품 쇼핑은 전통적인 쇼핑리듬을 깨뜨린 24시간 활동으로 제시된다. 비록 이러한 상황이 주로 제한된 시간 동안에만 값싼 운임을 받던 연락선ferry 회사들에 의해 만들어진 것이기는 하지만, 그것은 24시간 활동으로서의 슈퍼마켓 쇼핑에 관한 보다 일반적인 우려들과 합쳐진다. 저녁쇼핑, 일요일 영업 그리고 24시간 슈퍼마켓이 잇달아서 일상생활의 특징들로 **빠르게** 정착되었다.

슈퍼마켓 비평가들이 전형적으로 거론하는 두 번째 균질성은 상점의 진열과 소매상들이 채택한 마케팅 전략이 소비자들에게서 프로그램화된 집단적 반응을 불러일으킨다는 것이다. 해협횡단 하이퍼마켓으로 되돌아가면, ≪메일 온 선데이Mail on Sunday≫는 쇼핑객들이 오샹Auchan의 매장을 바쁘게 뛰어다닐 수밖에 없는 '말도 안 되는' 장면들을 보도했다. 버스 운전사는 이렇게 말한다. "나는 내 고객들을 주차장에 내려줄 때 그들에게 말합니다. 이 빌어먹을 버스를 가득 채우는 하이퍼마켓 싹쓸이 타임은 세 시간뿐입니다"(Barrett, 2000). 그 기사는 악명 높은 저질 텔레비전 퀴즈쇼에 대한 언급으로 소비주의에 사로잡힌 대중에 대한 묘사를 끝맺는다.

소매상들은 분명 그러한 방향으로 사람들의 행동을 이끌고자 **시도**한다. 최초의 슈퍼마켓으로 널리 인식되는 미국 체인업체 피글리 위글리Piggly Wiggly는 마치 돼지 달리기 경기처럼 소비자들이 선반들을 따라 왕복하게 하는 진열로 매우 유명했다. 보다 최근에 슈퍼마켓들은 이를테면 매장 '무대' store 'theatre'를 설치함으로써 소비자들이 덜 상스럽게 행동할 수 있게 하고자 했다. 몇몇 슈퍼마켓에서는 조제식품 계산대와 생선 계산대를 분리시키고, 매장 내 빵집들이 갓 구운 빵 냄새를 파이프를 통해 매장 여기저기로 나르게 함으로써 장터의 느낌을 재현하고 있다. 그러나 논평자들은 자주 이러한 소매점의 의도들을 쇼핑객들의 행동이 전적으로 예측 가능하며 순응주의적이라는 것을 보여주는 증거로 오인한다(Riddell, 2003). 우리가 앞으로 살펴보듯이, 소매점의 의도와 사람들의 쇼핑관행 간의 접합은 불완전하다.

그러므로 슈퍼마켓에 대한 비평들은 균질화의 유령을 축으로 하여 한데 모인다. 이러한 비평이 소매자본주의의 권력에 당연히 적대적이지만, 그것은 또한 음식취향의 이율배반들이 계속해서 양극화될 것이 틀림없다는 암묵적 또는 명시적 판단에 기초하고 있다. 슈퍼마켓의 설계에 대한 글랜시의 비평과 해협횡단 쇼핑에 대한 신문의 묘사는 슈퍼마켓에서 취향이라는 범주가 파괴되어 탈각된다는 인식을 공유하고 있다. 우리가 제4장에서 지적했듯이, 취향의 이율배반은 "뿌리 깊은 모순이자, 어쩌면 해소될 수 없는 …… 우리 시대의 구조적 불안을 구성한다"(Warde, 1997: 55). 문화적 엘리트들은 확실히 그러한 분명하게 정의된 범주들을 자신들의 문화자본을 산출하고 그것을 영속적으로 축적하는 수단으로 삼는 데 관심을 가지고 있다. 하지만 대규모 슈퍼마켓은 (이를테면 값이 싼 자체 브랜드 상품과 고가의 자체 브랜드 상품, 건강에 좋은 식품과 다이어트를 실패하게 할 식품, 그리고 냉장요리 식품과 레시피 카드 모두 판매하기 등) 그러한 이항대립을 전조할 때조차도 그러한 대립을 조화시키는 데 거의 어떠한 어려움도 느끼지 않는다. 우리는 앞으로 이와는 대조적으로 시장이 하나 또는 다른 하나의 극단을 향하는 경향이 있는 것으로 담론적으로 구성된다는 것을 살펴볼 것이다. 또한 개인들은 슈퍼마켓에서 이 이율배반들을 여타 쇼핑상황들에서 가능했던 것과는 다른 이질적인 방식으로 처리하며 쇼핑바구니를 채울 수도 있다. 우리는 이제 개인들의 그러한 슈퍼마켓 쇼핑경험을 살펴볼 것이다.

슈퍼마켓에서의 정성과 사랑

우리가 살펴보았듯이, 슈퍼마켓 쇼핑에 대한 윌리엄스의 설명은 슈퍼마켓의 정체성과 "보다 완전하고 보다 인간적인" 정체성을 구별한다. 우리는 당연히 기존 논의에 대한 이러한 윌리엄스의 일축이 슈퍼마켓에서 일어나는 모든 행동을 다 포괄하는가라고 물을 수 있다. 윌리엄스의 설명을 더욱 예리하게 인지할 수 있도록 하기 위해, 우리는 사람들이 상점의 목적지향적 소매 논리를 무시하고 자신들의 기분에 따라 행동하는 순간들을 고찰할 수도 있다. 즉 사람들은 이것저것 구경하고 시식하고 친구와 친척들을 만나고 물건을 훔치거나 또는 이국적인 과일과 야채 사이에서 낭만을 찾기도 한다. 그러나 우리가 그러한 "카니발적 전도의 사례들과 합리적 사회질서에 대한 대안들"을 분명 발견할 수 있기는 하지만(Shields, 1991: 17), 쇼핑객의 '저항적' 행위를 전제로 하는 접근방식은 우리에게 수많은 식품 쇼핑 중 제한적인 형태의 구매만을 보여준다. 식품공급에 대한 지배적 인상은 실제로 그것이 합리적인 사회질서라는 것이다. 하지만 그것은 여성들에 의해 지배되는 사회질서이다. 우리는 상품의 수준에서 슈퍼마켓이 일반적으로 취향의 이율배반들을 균질화한다고 지적해왔다. 다니엘 밀러(Daniel Miller, 1998a)는 그의 슈퍼마켓 쇼핑객들에 관한 민족지적 연구에서 또 다른 수준, 즉 감정의 수준에서 여성의 슈퍼마켓 쇼핑은 정성과 편의성이라는 한 가지 특수한 이율배반과 밀접하게 관련되어 있다고 지적했다. 그의 관찰에 따르면, 정성 – 또는 밀러가 거의 동의어로 사용하는 용어로는 사랑 – 의 실천과 관련한 수사들은 연애 기간 동안 형성되는 애정에 대한 요구 그 이상의 것이다. 오히려 "정성은 삶이 당연히 헌신해야 하는 것으로 인식되는 애정의 훨씬 더 광범위한 영역, ······ 즉 쇼핑행위의 토대를 이루고 있다"(Miller, 1998a: 20).

비록 밀러가 여타의 가족성원들과 이웃들에게 집중되는 사랑의 형태에 대해 묘사하고 있기는 하지만, 대체로 그 사랑은 (전적으로) 아이들과 (그보다는 애매하게) 남성 파트너들에게 바쳐진다. 그의 연구에서 그들의 계급 또는 젠더가 무엇이든지 간에, 모든 쇼핑객들이 사용하는 여타의 중요한 담론은 '검약'이다. 검약은 또한 그것이 존경할만한 일이고 또 공공선을 위한 일이라는 점에서 사랑의 표현이기도 하다. 밀러가 관찰한 쇼핑객들이 그들의 쇼핑에 부여하는 가치가, 워드가 말하는 취향의 이율배반이 영국의 음식관행들을 틀 짓는 방식들과 어떻게 부분적으로 겹치고 또 어떻게 다른지에 주목하는 것은 흥미로운 일이다. 워드는 정성과 편의성의 대립에 관한 자신의 분석 속에서 여성 잡지들에서 정성에 대한 강조가 줄어들고 있음을 발견하지만, 밀러가 관찰한 쇼핑객들은 정성-사랑의 관념 — 상대적으로 변화에 저항하는 듯이 보이는 — 을 이용한다. 마찬가지로 워드는 절약과 낭비의 대립에 관한 자신의 분석에서 검약-절약에 부여된 가치가 물적 자원의 불평등한 분포와 긴밀히 연관되어 있음을 발견하지만, 밀러의 민족지는 검약이 훨씬 더 널리 존중받고 있음을 보여주는 것처럼 보인다.[2]

따라서 밀러가 관찰한 쇼핑객들이 분명 그들 자신의 최대 이익에 반하는 행동을 하고 있지만, 그의 연구는 쇼핑객을 압박하는 구조들이 지배적 이해관계를 결코 반영하지 않는 관행이나 감정들과 결부되어 있음을 입증한다. '낭비'가 현대 쇼핑의 특징으로 널리 기술되지만, 쇼핑상황에서 낭비가 모습을 드러내는 경우는 작은 대접을 하고자 할 때뿐이며, 그때에도 가족의 필요에 반하는 쇼핑객의 개성은 최소한으로만 용인된다. 밀러의 분석은 쇼핑이 보수적 감정구조를 지탱하는 힘들고 단조로운 일이라는 점을 밝히고 있지만, 그렇기에 그의 분석은 완전한 인간적 정체성과 슈퍼마켓이라는 공간이 양립할 수 없다는 윌리엄스의 명제를 더욱 예리하게 이해할 수 있게 해준다. 이를 진술하는 또 다른 방법은 슈퍼마켓에 구현되어 있는 **탈착** 메커니즘들 — 통로, 계산대, 카트, 주차장의 배열 속에서 그 형식을 발견하는 근대세계의 소외되고 대량화된 측면들 – 이 (개인들로 하여금 그러한 세속적이고 고된 일상의 일들을 하게 만드는) 정성과 자제를 통해 **재착근**된다는 것이다. 착근 과정들은 개인과 집단의 수준에서 발생할 뿐만 아니라 공간적·문화적으로도 발생한다. 이제 이 수준들을 살펴보기로 하자.

탈착과 재착근

우리는 전후 시기 영국의 중요한 특징들 중의 하나가 공동체의 분산이라고 주장해왔다. 소매상들과 쇼핑객들은 새로운 식품공급 풍경을 창출하고 협상하는 전략들을 채택해왔다. 우리는 이것이 지역에 대해 갖는 함의에 의문을 제기할 필요가 있다. 왜냐하면 교외화 경향이 도시로부터의 대대적인 탈주와 동일하지 않다는 것은 분명하기 때문이다. 많은 사람들은 그들이 분산되기 이전의 장소와 상대적으로 가까운 곳에 머물고 있을 뿐만 아니라 도시는 자주 다른 주민들에 의해 다시 채워졌다. 이 절에서 우리는 도시의 시장들을 통해 음식쇼핑 공간이 여전히 계속해서 유의미하게 '얽히고설켜 있다'고 제안하고자 한다. 이것이 시장이 슈퍼마켓보다 반드시 '더 낫다'고 주장하는 것은 아니지만(이러한 슈퍼마켓의 구조는 장소에 갇혀 있는 상대적으로 빈곤한 주민들보다는 빈민가를 고급 주택단지화 하고 있는 중간계급이 더 쉽게 접근할 수 있을 수도 있다), 우리는 다양한 사회집단들이 시장에 대해 공통의 지향을 공유하고 있다고 주장한다.

　하나의 문화형태로서의 시장은 슈퍼마켓에 시기적으로 앞서지만, 시장이 항상 오래된 것은 아니다. 실제로 몇몇 경우에 시장은 슈퍼마켓에 대한 대응이다. 이러한 한결같지 않음을 인식하기 위하여 우리는 사회학자 앤서니 기든스의 연구를 이용하여 도시변동을 하나의 역동적 현상으로 설명할 것이다. 기든스는 근대 제도가 지역적 맥락으로부터 사회적 관계들을 들어내어 그것들을 "무한한 넓이의 시간과 공간을 가로질러" 재접합시킨다고 지적한다(Giddens, 1991: 18). 그는 이 과정을 '탈착'이라 부르면서, 그러한 들어내기 lifting-out가 사람과 제도를 매개하는 **추상체계**abstract system의 성장을 동반한다고 주장한다. 이를테면 돈을 매개로 한 재화와 서비스의 교환이 훨씬 더 정교화되었지만, 우리의 일상적 거래는 우리가 제한적인 지식만을 가지고 있는 기술적·관료제적 체계들에 대한 신뢰에 의존한다. 두 경우 모두에서 슈퍼마켓은 탈착의 전형적 장소이며, 그러한 과정은 운송, 지불, 품질통제, 포장, 셀프서비스에서의 혁신을 수반한다.

기든스는 이러한 발전이 단순히 선형적인 것이 아니라고 지적함으로써 그러한 역사적 과정에 복잡성을 덧붙인다. 오히려 사회제도들은 계속적으로 수정되거나 **성찰**reflexivity의 대상이 된다. 이를테면 대량생산된 식품의 유독성에 대한 전문지식과 대중의 공포는 슈퍼마켓 제품에 대한 비판적 견해를 불러일으켜왔으며, 그것에 대한 응답으로 슈퍼마켓의 유기농 식품 판매대가 증가했다. 그리고 그것의 비용, 맛 그리고 유기농 수칙의 준수 정도 역시 성찰적 고려의 대상이 된다.

이러한 성찰적 지향은 **재착근**이 일어나는 과정에서 드러날 수도 있다. 기든스는 재착근이라는 용어를 "탈착된 사회관계가 지역적인 시간과 장소의 조건에 …… 자리잡게 하기 위해 그러한 사회관계를 개조하는 것"이라고 정의한다(Giddens, 1990: 79~80). 비록 기든스가 대면적 접촉을 통한 기업과 관료제의 인간화를 염두에 두고 있지만, 우리는 그와 마찬가지로 분산된 공동체들이 탈착된 다음에 제한된 공간 내에서 재착근되어왔으며, 그 속에서 음식 관련 시설들이 다시 도시로 돌아왔다는 것을 관찰할 수 있었다. 기든스는 성찰성이 지역적 공간에서 잔여적인 감정구조를 유지하거나 회복할 수도 있다는 생각을 기각하는 경향이 있다. 그는 비록 "일생을 지역적 환경 속에 재착근시키고자 하는 적극적 시도가 다양한 방식으로 수행될 수도 있지만", 그러한 시도들은 "아마도 너무나 막연해서 어렴풋하게 떠오르는 과거에 존재했던 그 무언가를 되찾는 것 그 이상을 할 수는 없을 것"이라고 설명한다 (Giddens, 1991: 147).

따라서 기든스의 연구는 분산된 주민들이 어떻게 음식을 관리하는지에 관해 생각할 수 있는 유용한 방식을 제공한다. 근대성은 종래의 대면적 관행들(시장과 번화가의 쇼핑)을 탈착시켜 어딘가 다른 곳(슈퍼마켓)에 재설치한 후, (우리가 슈퍼마켓에서 행하는 것에 의해) 감정적으로 그리고 (잔여적 형태들이 다시 효력을 발휘함에 따라) 지형학적으로 재착근시킨다. 하지만 이러한 재착근은 여전히 불안정하며, 따라서 성찰적 평가의 대상이 된다. 이를 분석하기 위해 우리는 현대 영국 도시들에 존재하는 상이한 형태의 식품시장들을 고찰한다. 하지만 이러한 주장을 펼치기 위해 우리는 먼저 시장을 의미의 소재지의 하나로 고찰할 것이다.

시장의 신화들

피터 스탤리브래스와 앨론 화이트(Peter Stallybrass and Allon White, 1986: 27)는 장터는 지역적 정체성의 대명사이지만(실제로 어떤 장소를 자주 주변의 공동체들보다도 더 중요한 것으로 규정하게 했던 것이 바로 장터이다), 다른 곳으로부터 들어온 재화의 거래와 수송에 의해 그러한 정체성을 동요시키는 곳이기도 하다고 논평한 바 있다. 그러므로 우리는 시장을 순수하게 지역적인 것으로 생각하기보다는 지역화와 지구화라는 경쟁하는 과정들이 이미 항상 작동하고 있던 장소로 생각할 필요가 있다. 그럼에도 불구하고 현대 식품 쇼핑의 탈착경향에 직면하여, 시장의 지역적 측면이 최근 몇 년 동안 특히 중요해졌다. 도시의 담론적 구성은 통상적으로 시장에, 그리고 시장을 둘러싼 의미와 시장을 구성하는 의미에 특권을 부여해왔다. 이를테면 시장의 역사적 깊이와 같은 의미는 계급과 인종, 유기체론과 생태학, 가족적 연속성과 검소한 기업가정신 간의 관계를 일시적으로 중지시켰다. 예컨대 시애틀의 파이크 플레이스 마켓Pike Place Market은 재창조된 이 도시의 역사에서 중심에 서 있다. 이 각색된 역사에 따르면, 따뜻한 시장 상거래가 보다 강압적인 자본주의적 형태의 거래를 대체했다. 이 매혹적인 서사는 중간상인들이 생필품의 가격을 올리고 있던 1897년 클론다이크 골드러시Klondike Gold Rush 이후에, 지역 생산자들이 손수레를 끌고 직접 상품들을 팔기 위해 도시로 왔다고 기록하고 있다(Cook et al., 1998: 990). 이 이야기는 파이크 플레이스 마켓이 착취의 장소라기보다는 오히려 생산자와 소비자 간의 친교의 장소라고 생각하게 한다. 그 다음에 그것은 그러한 가치가 살아남아 그대로 현재로 이어지고 있다는 연속성 의식을 창출함으로써 그러한 이미지를 강화한다. 『파이크 플레이스 마켓 해산물 요리교본The Pike Place Market Seafood Cookbook』은 다음과 같이 기록하고 있다.

> 시티 피시City Fish는 연어 가격이 파운드 당 25센트로 터무니없이 치솟았던 1918년에 시애틀 시의회가 문을 연 시설이었다. …… 1922년에 데이비드 레비David Levy가 …… 그 사업을 인수하여 상업시설로 전환시켰다. …… 그것은 항상 가족경영기업이었다. …… '굿 웨이트 데이브Good Weight Dave'의 자손들은 알라스카의 전직 어부 존 다니엘스Jon Daniels가 그 사업을 인수한 1995년 2월까지 계속해서 시티 피시를 운영했다. 다니엘스는 바다와 같은 블루그레이의 눈을 가지고 있었으며 또한 바다에서 보낸 여러 해로 인해 연마된 손으로 바이스로 죄는 듯한 힘찬 악수를 하는 건장한 젊은이였다.(Rex-Johnson, 1997: 7)

이 구성 중인 '신화' 속에서 자본주의의 정상적 작동은 일시적으로 중단된다. 쇼핑과 판매의 경험 모두가 어쩔 수 없이 매개되고 또 소원할 수밖에 없는 것이라면, 시티 피시의 이야기는 우리를 지역의 세계, 가족의 세계, 그리고 구매자와 판매자 간의 그리고 인간과 사물 간의 대면적 친교의 세계라는 전자본주의적 세계로 되돌아가게 한다. 이 시장신화가 탁월하게 각색될 수는 있지만, 그것 자체도 탈착과 성찰적 반응의 순환을 면하기는 어렵다. 파이크 플레이스 사례에서 여타 다양한 여가장소들(조제식품점, 시장제품을 이용하는 레스토랑 그리고 자기 집에서 만든 맥주를 파는 술집)은 시장의 부대시설물로 출현했다. 이들 중 가장 성공한 것의 하나가 스타벅스 커피전문점 체인이었다. 스타벅스는 파이크 플레이스 인근에서 시작한 이래로 북미 전역과 유럽, 아시아 그리고 남양주로 확대되었다. 스타벅스가 이 시장에 부여된 함의에 편승하여 크게 성공했기 때문에, 리처는 이 프랜차이즈를 "맥도날드화에 대한 심대한 도전"으로 제시한다(Ritzer, 1998: 178). 하지만 이 체인에 대한 점점 더 성찰적인 반응들은 그것을 그 자체로 균질화되고 침략적이 되고 있는 것으로 파악한다(Blythman, 2001; Pendergrast, 2002).

따라서 재착근 메커니즘들은 기껏해야 "어렴풋하게 떠오르는" 전근대적인 사회적 행동양식들을 "되찾는 것" 뿐이라는 기든스의 지적이 옳을 수도 있다. 하지만 사람들이 이들 메커니즘을 널리 실행하고 있을 뿐만 아니라 그것에 유의미하게 참여하고 있다는 것도 똑같이 사실이다. 거리시장(McRobbie, 1989)과 벼룩시장(Gregson and Crewe, 1994)에 관한 짧은 민족지들은 이러한 '전통적'이고 '진정'하며 '전산업적'인 행사들이 오늘날 쇼핑풍경의 중요한 특징 중 하나라는 점을 밝히고 있다. 비록 맥로비, 스레그슨, 그리고 크루가 그러한 시장들의 계급교차적 성격을 애써 강조하기는 하지만, 모든 시장이 상이한 주민들에게 똑같이 개방되어 있지 않다는 것은 분명해 보인다. 그렇기 때문에 우리는 상이한 계급, 젠더 그리고 인종 특성을 지니고 있는 영국의 두 가지 식품시장 형태들을 간략히 살펴보고자 한다.

정교화된 시장들

험프리Humphery는 호주의 슈퍼마켓에 대한 연구에서 식품공급의 증대된 균질화에 대응하는 한 가지 방식이 원정 쇼핑을 하는 것이며, 이 원정에서 일상의 쇼핑관행들은 먹을 수 있는 음식에 대한 즐거운 탐색으로 '정교화'된다고 지적했다. 그의 응답자들에게서 조제식품점과 시장을 이용하는 것은 보다 참다운 경험이다. 왜냐하면 그것이 보다 완전한 사회적 경험이기 때문이다(한 응답자는 자신이 정보가 단순히 전달되기보다는 **교환되는** 쇼핑형태를 더 선호한다고 말했다). 기든스의 근대성 개념은 예측 가능성에 기초하지만, 험프리의 응답자들은 예측 불가능성이라는 특징을 과거와 관련시키면서 예측할 수 없는 것이 더 가치가 있다고 주장한다. 예측 불가능성은 일관성이 없다는 것을 뜻하지만(일반적으로 식품위생에서는 예측 가능성이 바람직한 것이다), 제철 농산물은 예측 불가능성을 가치 있는 것으로 여기게 하는 것으로 보인다.[3]

계절성은 이제 농민시장이라는 형태 속에서 영국의 식품소매의 한 자리를 구축하고 있다. 농민시장이 1997년에 단지 하나의 개념으로 출현했지만, 2002년 즈음에 영국에는 약 300개의 농민시장이 들어서서 지역 식품, 계절 식품, 그리고/또는 유기농 식품이라는 이름으로 판매되는 다양한 상품들을 제공했다. 이 용어들은 음식공급을 **두 가지** 지역적 풍경 – 인근의 도시풍경과 상상 속의 농촌 배후지 – 내에 재착근시키고자 하는 시도들이자 시간적 특수성 의식을 창출함으로써 24시간 쇼핑이라는 시간 균질성을 파괴하려는 시도들이다. 아래의 신문 특집기사가 두 개의 장소를 어떻게 하나로 묶는지에 주목하라.

> 이 시장의 [한 가지] 이점은 모든 식품 ─ 이것들은 M25 고속도로의 반경
> 100마일 이내에서 온 것이어야만 한다 ─ 이 지역적이고 따라서 계절적이
> 라는 것이다. …… [또한] …… 그것들은 그 지역으로 친절한 공동체 정신을
> 다시 가지고 들어온다. 사람들은 서로를 서둘러 지나쳐버리는 대신에 보다
> 여유 있게 구매한다. 그들은 구매뿐만 아니라 또한 한담을 나누기 위해서도
> 그들의 집과 사무실에서 밖으로 나온다.(Linley, 2002: 3)

농민시장들은 농촌에 대한 향수를 조야하게 불러일으키기보다는 거리距離
에 의해 분리된 상상의 공동체들을 하나로 묶는 보다 복잡한 감정구조를 드
러낸다. 실제로 향수라는 요소는 **근대성**의 핵심 비유들 중 하나로, 새로운 것
을 찾아 근대 도시의 소비장소들을 어슬렁거리며 한량flâneur처럼 행동하는
개인들의 능력과 관련된 것이다(Tester, 1994). 21세기 도시생활을 관통하는
전형적인 이동방식이 자동차로 이동하는 것이지만, 한가롭게 거닐기 또한 근
대 대도시에 하나의 존재형태로 여전히 지속되고 있는 것으로 보인다(Smart,
1994: 161~162). 그리고 이러한 지속성은 도시 지역이라는 공간 내에서 그리
고 그것을 넘어 지리적으로 분산되어온 활동들을 재착근하고 다시 매혹시
키는 도시공간의 능력에서 기인한다.

　일정 정도의 의외성에 대한 이러한 갈망에도 불구하고, 이러한 일시적 장
소들은 그 자체로 정착되어 예측 가능한 것이 되기도 한다. 이러한 일이 급
속하게 생겨날 수 있다는 것을 잘 예증하는 것이 바로 오랜 기간에 걸쳐 자
리잡은 청과물 도매시장에 매주 유기농 농민시장이 가세하면서 발전한 런
던의 버로우 마켓Borough Market이다. 처음에 자칭 음식애호가 페어Food Lovers'
Fair라고 불렸던 이 시장은 1998년에는 매달 그리고 그 다음해부터는 매주

열렸다. 비록 처음에는 상대적으로 '예측 불가능한' 제도였지만, 또 다른 수준에서 본다면 이러한 정착은 충분히 **예측 가능한** 것이며, 어떻게 음식이 재건과정에 사로잡힌 도시지역을 다시 매혹시키는 데 이용될 수 있는지를 입증해준다. 주킨(Zukin, 1991: 206)은 미식가의 음식소비와 "고급 주거지화라는 심오한 심미안" 간에는 유사성이 존재한다고 지적했다. 우리는 더 나아가 이제 고급 주거지화는 그것이 동반한 식도락의 변화에 주의를 기울이지 않고는 이해할 수 없다고 주장할 수도 있다. 따라서 농민시장이 생기기 훨씬 이전부터 그 시장지역은 '무감각한' 재개발의 위협 아래 있었지만, 음식애호가 페어의 등장과 함께 요리에 대한 고급 취향과 건축상의 고급 취향을 한데 결합시킨 보다 '감각적인' 형태의 재개발을 할 수 있게 되었다.[4] 처음에는 일시적인 그리고 의외의 식품쇼핑 장소로 생겨났던 것이 이제는 미식가를 위한 상점과 주차장 도면으로 둘러싸인 시장과 함께 보다 확고한 현상으로 자리잡고 있다.

농민시장이 주로 중간계급의 공간이며, 단지 농산물뿐만 아니라 진정성, 소박함, '유산'(항상 영국적이지 않다는 점에서 전통에 의해 얼마간 의문시되기도 하는)이라는 문화적으로 값진 가치들도 거래한다는 것은 앞서의 논의로부터 분명해졌을 것이다. 하지만 급속한 성장에도 불구하고 이러한 식품시장들은 영국에서 여전히 상대적으로 희소하다. 보다 흔한 것은 주로 나이가 지긋한 사람들, 상대적으로 가난한 사람들, 그리고 인종적 소수집단이 이용하는 지붕이 있는 시장과 노천시장이다. 거기에도 정교화된 시장의 특징들, 즉 정보의 교환, 역사적 뿌리에 대한 일정한 인식, 임시시장과 상설시장으로서의 지위 역할의 수행, 그리고 희귀 농산물이나 계절 농산물의 획득 가능성이 역시 존재한다. 하지만 이들 시장의 특성은 분명 농민시장의 그것과 매우 다르다. '후기산업' 도시들인 맨체스터와 셰필드에 관한 테일러와 그의 동료들(Taylor et al, 1996)의 민족지는 농민시장은 버로우 마켓과는 매우 다르게 장소와 사회적 입지를 정신적으로 치밀하게 구성하는 지도제작법에 따라 입지하고 있다고 주장한다. 그들은 시장을 일상적으로 방문하는 사람들과 그것들을 이따금 이용하는 사람들 간에는 중요한 차이가 있다고 주장한다. 대체로 나이가 지긋한 정기적인 방문자들은 그들과 시장의 관계를 자신들의 주간 일정, 근접성, 그것이 제공하는 사교활동 기회, 그리고 상품의 저렴함과 관련하여 표현했다. 관광객 또는 그 도시에 새로 온 사람들은 "분잡한 시장 장면을 매우 다른 시선으로 바라보면서, 사회적 다양성, 싼 상품 그리고 사회관계의 '전근대적' 속성을 호의적으로" 맛본다. "왜냐하면 그곳은 그들이 되돌아갈 어딘가가 아니기 때문이다"(Taylor et al., 1996: 153). 테일러와 그의 동료들의 목적은 많은 노동계급과 인종적 소수집단 응답자들의 쇼핑행동에서 경제적 궁핍이 갖는 중요성을 알아내는 것이다. 그들의 연구는 부의 불평등이 절약과 낭비의 이율배반을 공간화하는 등 불평등이 식품공급에서 여전히 중요하다는 것을 보여준다(또한 Warde, 1997: 175를 보라). 많은 응답자들이 강력히 주장하듯이, 절약이 지역 내에 착근되어 있다면, 낭비는 세인스버리와 테스코로 차를 몰고 가는 길을 따라가며 탈착을 일으킨다(Taylor et al., 1996: 156).

그럼에도 불구하고 테일러와 그의 동료들의 연구에서 인상적인 것은 기성 집단과 새로 들어온 사람들의 집단이 '시장가치'에 관한 인식을 공유하고 있다는 것이다. 시장은 퀵 세이브Kwik Save나 디스카운트 쇼퍼Discount Shopper와 같은 싸구려 물건을 파는 인근에 있는 슈퍼마켓과는 달리 긍정적으로 부호화된 잔여적 공간이다. 그러한 슈퍼마켓 공간에서 가장 중요한 것이 분명 절약 이율배반이라면, 시장에서는 그와는 다른 취향 문제가 보다 가치 있는 것으로 평가될 수도 있다. 이것은 아시아계와 아프리카-카리비아계 셰필드 주민의 시장 이용에 관한 간략한 언급에서 가장 분명하게 드러난다. 즉 런던의 아시아인들을 위한 사우스홀Southall과 이스트엔드East End의 시장들, 그리고 아프리카-카리비아인들을 위한 브릭스톤Brixton과 해크니Hackney의 시장들은 잉글랜드 북부의 지역 시장이 단조롭다고 인식되고 있는 것과는 달리 다채롭고 기발한 요리재료들을 제공한다. 이러한 시장들에서는 경제적 동기보다도 더 중요한 것이 바로 음식전통을 재생산하는 데서 시장이 수행하는 역할이다.

지금까지 우리는 식품쇼핑 관행이 도시 외곽으로 분산된 것이 영국 식품 공급에 대한 완전한 그림을 제공하지는 않는다고 주장해왔다. 오히려 시장이 서로 다른 주민들에 의해 상이한 방식으로 계속해서 이용되고 있다. 균질화의 공포와는 반대로 사람들은 예측 불가능성을 그것의 중요한 비유법으로 이용하는 세련된 음식 지도제작법을 가지고 있다고 제안할만한 강력한 증거가 존재한다. 만약 길모퉁이 상점, 미니마트, 번화가 상점 그리고 조제 식품섬에 대한 분석이 이루어진다면, 그것 역시 상이한 방식 속에서이기는 하지만, 공급자, 판매자 그리고 쇼핑객 사이에 존재하는 탈착과 재착근의 성찰적 배치를 보여줄 것이다. 결론을 대신하여 우리는 지속적인 반향을 일으키고 있는 잔여적 공간으로부터 새로운 방식으로 분산관리에 초점을 맞추고 있는 신흥 쇼핑장소로 옮겨가고자 한다.

홈쇼핑

앞서 기술한 윌리엄스의 유동하는 사사화라는 개념은 고립상태로의 전반적인 은둔에 대한 논의가 아니라 "도시와 산업사회의 핵심적 경향, 즉 집이 물리적으로 그리고 사회적으로 더 소원해지지만 …… 그러면서도 소비의 중심을 이루고 있는 것"에 관한 논의이다(Mackay, 1997b: 264). 윌리엄스가 볼 때, 사람들이 공적 영역과 사적 영역 모두에 전적으로 참여하는 것은 매우 있을 수 있는 일이었다. 왜냐하면 그는 사람들이 '고립된 채로' 살지 않는다고 주장했기 때문이다. 하지만 최근 몇 년 동안 집에 기초한 여가와 소비가 유의미하게 보다 강화됨으로써, 사적 영역으로의 전반적인 은둔에 대한 공포가 부활했다. 이러한 강화에서 중심적인 것이 가정용 컴퓨터, 그리고 인터넷과 이메일의 출현이었다. 이러한 발전은 식품공급의 성격을 근본적으로 바꾸어놓고 있다. 자동차가 '집'과 외부 세계 간을 매개하는 중요한 기술을 제공했다면, 개인용 컴퓨터는 훨씬 더 광범위한 사생활로의 철수를 조장한다(또는 그렇게 할 조짐을 보이고 있다).

하지만 앞서 개관한 '슈퍼마켓화' 담론처럼 식품공급에 관한 그러한 견해는 영국의 식품 쇼핑에서 드러나는 양가성과 모순을 다루지 못한다. 비록 영국에서 가정용 컴퓨터가 상당히 널리 보급되어 있기는 하지만(Mackay, 1997a: 307), 홈쇼핑 이용객의 비율은 예상보다도 훨씬 더 느리게 증가했다. 1996년에 경제예측가들은 홈쇼핑이 2002년에는 식료품 소매의 약 20%를 차지할 것이라고 내다보았다. 하지만 그 시기 즈음에 홈쇼핑이 차지한 실제 비율은 전체의 1% 미만이었다(Rushe, 2001). 비록 이러한 수치가 영국의 몇몇 온라인 소매상들(테스코 그리고 한동안은 아이스랜드Iceland)의 상대적인 성공을 은폐하기는 하지만, 그들의 경쟁자들 중 다른 업체들(특히 아스다Asda, 세인스버리, 세이프웨이 그리고 버진스Budgens)은 그들의 온라인 전략과 절차들을 재평가하고 철저히 개혁하지 않을 수 없었다. 온라인 쇼핑의 식품공급 비율은 분명히 증가할 것이다. 그러나 앞서 검토한 간략한 역사는 전후 영국의 식품 쇼핑이 균일하게 발전하지도 또 전적으로 예측 가능하게 발전하지도 않았다는 우리의 앞서의 고찰과 일치한다. 앞서의 논의로부터 우리는 균질화와 기술결정론이 상대적으로 새로운 형태의 판매와 쇼핑의 출현에 대한 충분한 설명이 아니라는 것을 알 수 있다. 대신에 우리는 개인용 컴퓨터를 이용한 홈쇼핑에 대해 다음의 세 가지 우연명제contingent proposition를 제시하고자 한다.

1 지배적 문화, 잔여적 문화 그리고 신흥 문화의 수준들은 별개로 존재하지 않는다

우리는 인터넷상의 물품공급이 전적으로 새로운 어떤 것이라는 주장을 의심해보아야만 한다. 인터넷 쇼핑서비스가 보다 널리 보급되었고 또 개념적으로도 민주화되었다 할지라도, 거기에는 기존의 전화 쇼핑과 텔레비전 쇼핑과의 명백한 연속성이 존재한다. 동시에 신흥 기술상품인 개인용 컴퓨터는 잔여적인 문화형태와 양식들에 접근할 수 있게 한다. 즉 그것은 인근 상점들에서는 획득할 수 없는 '고유한' 상품들을 사고, 가정배달과 같은 분산되기 이전의 서비스 방식들을 이용할 수 있게 한다. 케빈 로빈스(Kevin Robins, 1996)는 신흥의 것과 잔여적인 것의 이러한 조합 속에 존재하는 근본적 향수를 지적했다. 그러나 우리는 상이한 문화적 수준들을 하나의 유의미한 구성체로 결합하고자 하는 시도가 전후 식품풍경의 일관된 특징 중 하나라고 말할 수도 있다.

그러한 시도는 1999년에 냉동식품 슈퍼마켓 체인 아이스랜드가 유기농 식품에 대한 폭발적 관심과 홈쇼핑을 결합하고자 시도했던 것에서도 분명하게 드러난다. 아이스랜드는 싸구려 브랜드로 널리 인식되어왔지만, 낮은 가격, 유전자변형 농산물에 대한 저항(이 회사는 전 세계 유기농 채소 재고의 40%를 사들였다고 주장했다), 그리고 그들의 매장에 접근할 수단을 갖지 못한 쇼핑객들을 표적으로 한 인터넷주문 가정배달 서비스를 결합시킴으로써 처음에는 자신을 '윤리적' 틈새시장 내에 재위치시키는 데 성공했다. 하지만 2001년 무렵 이러한 전략은 이윤이 하락하고(이는 유기농제품에 더 비싼 값을 기꺼이 지불하고 싶어 하지 않는 고객들의 성찰과 대량구매 할인제도의 철회에 의해 초래된 것으로 생각되었다) 고객들 — 맥귀건(McGuigan, 1996)의 표현으로 이들 중 다수는 '정보 빈곤층information-have-nots'이었다 — 이 온라인 쇼핑을 꺼려함에 따라 실패했다(그리하여 아이스랜드는 체인 상점들의 이미지를 Iceland.co.uk로 새롭게 바꾸기 위해 일시 휴업했다)(Bridge, 2002). 그럼에도 불구하고 개편된 아이스랜드의 웹사이트와 세인스버리의 웹사이트 모두는 유기농산물이 영국의 식품판매에서 차지하는 비율에 대해 성찰하지 않은 채 여전히 유기농산물에 중요성을 부여하고 있다. 이렇게 볼 때, 인터넷 식품 쇼핑은 지배적이 되고 있는 신흥의 관행이라기보다는 세상에 대한 일련의 지향들 내에 존재하는 하나의 관행이다.

2 균질화는 협상된다

우리는 영국의 식품공급에 관한 극히 단순화된 설명들이 균질성의 문제에 집중하고 있는 반면, 보다 미묘한 차이를 잡아내는 설명은 식품 쇼핑 상황에서 작동하는 균질화와 개별화 모두를 인식하고자 한다고 주장했다. 인터넷 쇼핑의 출현은 사람들이 하루 24시간 동안 쇼핑하는 것을 가능하게 함으로써 시간을 균질화하는 것으로 인식될 수도 있지만, 개인들은 또한 자신의 형편에 따라 쇼핑시간을 변경함으로써 시간적 특수성을 되찾고자 한다. 이러한 이유에서 가정용 컴퓨터는 워드(Warde, 1999)가 '초근대적인 편의장치'라고 명명했던 것의 한 가지 형태이다. 상대적으로 풍요한 집단들에게 냉동고와 VCR과 같은 장치들의 출현은 시간의 질서를 재정렬할 수 있게 해준다.

새로운 편의 개념의 발전은 시간의 재평가와 연관되어, 사람들이 개인적인 스케줄을 자율적으로 조직화할 수 있기를 점점 더 갈망하게끔 한다. 적어도 일부 집단의 사람들에게 …… 개인적 목적에 비추어 시간 이용을 조직화할

수 있다는 것은 자신의 특권을 드러내는 표지 중 하나[이다].(Warde, 1999: 522)

그리하여 소매상의 '의도'와 소비자의 '의도' 간에 부조화가 발생한다. 유통센터를 이용하는 온라인 슈퍼마켓들은 일반적으로 고객이 일정한 배달시간대를 기입해줄 것을 요구하지만, 소비자 수요는 특정 주말시간 내로 집중되는 경향이 있다. 식품 소매산업들이 유순한 주민들에게 어떤 정형화된 반응을 강요하는 것과는 전혀 다르게, 소비자들은 자신들의 기존의 가족리듬, 노동리듬 그리고 여가리듬에 맞추기 위해 균질적인 시간에 기꺼이 맞선다는 것을 보여주어왔다. 그럼에도 불구하고 우리가 시장의 경우에서 살펴보았듯이, 이러한 불일치를 자신들에게 이익이 되도록 가장 잘 전환할 수 있는 집단은 가정용 컴퓨터를 소유하고 사용하는 데 필요한 경제자본과 교육자본이 많은 사람들이다.

3 온라인 쇼핑은 정성 - 사랑의 행위이다

일부 소비자들이 다른 소비자들보다 시간적·공간적 균질화에 더 잘 저항할 수 있지만, 우리는 대부분의 소비자들이 정성 - 사랑 행위를 통해 감정적으로 쇼핑을 재차 분산시킨다는 밀러의 명제에 찬성하는 주장을 펼쳐왔다. 인터넷 식품 쇼핑에 대한 저널리즘의 반응들은 일반적으로 홈쇼핑의 이러한 측면을 다루고 있다. 한 신문의 기사에 따르면, 슈퍼마켓은 정성에 나쁘게 작용하여 과도한 모성적 죄책감을 유발한다. 한 '전업주부'가 보고하듯이, 이러한 불균형은 온라인쇼핑을 통해 시정될 수 있다.

아이들은 우리가 문을 나서기도 전부터 다투기 시작한다. …… 우리가 도착한 다음에도 상황은 더 나아지지 않는다. 나는 카트를 밀며 두 아이를 살핀다. 나는 아이들을 조용히 시키기 위해 무언가 먹을 것을 주지만, 누군가가 내가 그 물건을 훔쳤다고 생각할 수도 있기 때문에 나는 죄책감을 느끼기 시작한다. 아이들이 마음대로 무언가를 집어먹는다고 해도 상황은 마찬가지로 나쁘다. 온라인 쇼핑은 나를 그러한 궁지에서 벗어나게 해주는 것이었다. 온라인 쇼핑 없이 우리가 대체 어떻게 그것에 대처할 수 있겠는가.(Rushe, 2001: 7)

가장 성찰적인, 따라서 가장 성공한 온라인 소매점인 테스코는 이러한 정성의 이율배반을 재접합하는 전략에 기초해왔다. 세인스버리와 아스다-월마트가 처음부터 유통센터를 널리 분산시켜 개장하는 균질화전략을 채택했다면, 테스코는 지역 매장에서 온라인 주문을 처리하는 '피킹' 전략'picking' strategy을 선택했다. 그것의 메시지는 분명 테스코가 이익을 희생하더라도 정성에 헌신하고 있음을 증명하는 것이었다. 이러한 메시지는 어머니와 딸의 관계에 초점을 맞춘 일련의 광고들에 의해 강화되었고, 그와 동시에 식품공급에서의 여성의 중심성을 확립하고 또한 현저히 남성적인 '신기한 장난감'으로서의 가정용 컴퓨터의 문제를 처리했다. 흥미로운 사실은, 비록 피킹이 비경제적이라고 계속해서 주장되었지만 그 후 세인스버리, 세이프웨이 그리고 아스다의 온라인 전략들은 피킹과 분산유통을 결합시키는 것이었다는 점이다.5

결론

우리가 제1장에서 지적했듯이, 문화연구에 대한 반복되는 비판은 그것이 소비를 찬양하는 것에 지나지 않는다는 것이었다. 우리는 그러한 희화화에 저항할 것이지만, 많은 연구가 식품구매와 식품판매라는 매우 평범한 활동들과는 매우 다른 쇼핑활동들도 분석해왔다는 것 역시 사실이다. 쇼핑연구는 '상류층'의 쇼핑 또는 기분전환용 쇼핑을 강조하는 경향이 있었다. 이와 대조적으로 이 장은 가장 일상적인 쇼핑활동 영역인 식품공급을 상세하게 논의해왔다. 우리는 식품 쇼핑의 공간과 관행이 경제적·기술적으로 결정되기보다는 탈착과 재착근이라는 성찰적 과정을 겪는다고 주장해왔다. 이것이 앞 장에서 다룬 식품 소매상들의 엄청나고 점점 증가하는 권력을 부정하는 것은 아니다. 오히려 우리가 주장하는 것은 국가적 또는 지구적 수준에서 대규모화하고 있는 자본주의적 산업이 행사하는 권력에 대한 이해가 중요한 점을 간과하고 있다는 것이다. 즉 그것은 일어나는 공간, 장소, 시간에 대한 인식이 우리가 쇼핑하는 매 순간에 미리 결정된 대로라기보다는 협상을 통해 지역적으로 이루어진다는 것을 놓치고 있다. 다음 장에서 우리는 우리가 구매하는 식품들이 가정이라는 맥락에서 소비되는 방식을 탐구할 것이다.

제8장

| 집에서의 식사 |

우리가 무엇을 먹는가, 우리가 그것을 어디에서 얻는가, 그것을 어떻게 준비하는가, 우리가 언제 누구와 먹는가, 그것이 우리에게 무엇을 의미하는가, 이것들 모두가 사회[문화] 제도에 달려 있다.

(DeVault, 1991: 35)

집에서 식사하는 것은 우리가 자주 당연시하는 일상적 활동이다. 이 장은 집에서의 식사를 준비하고 이끌어가는 활동을 분석함으로써 그와 관련된 복잡한 문화적 과정을 보여주는 것을 목적으로 한다. 이것은 공적 담론들이 가정 영역에서의 먹기가 갖는 의미에 관한 관념들을 생산하는 방식을 고찰하는 것을 포함한다. 이 장은 또한 음식을 준비하고 먹는 사적 영역에서 발생하는 복잡한 협상을 고찰하고, 그러한 활동 속에서 발생하는 권력관계를 규명한다. 집에서의 먹기를 둘러싼 논쟁들은 음식문화의 이해에서 중심을 이루는 일련의 의문을 제기한다. 그것은 음식관행이 가정생활, 가족, 젠더화된 정체성 그리고 공적 영역과 사적 영역의 관계를 생산·재생산하는 데서 수행하는 역할과 관련한 의문을 제기한다. 더 나아가 여기서 논의한 소비관행들은 문화순환의 다른 측면들과 밀접하게 연관되어 있다. 그러한 측면들은 먹거리 생산, 먹거리 정책과 규제, 음식의 표현과 정체성에서 일어나는 변화에 대해 여러 의문들을 제기한다.

먹기에 관한 연구의 많은 것이 페미니즘에 의해 자극받아왔다는 것은 놀랄 일이 아니다. "개인적인 것이 정치적인 것이다"라는 관념은 1960년대 후반과 1970년대의 제2의 물결 페미니즘에서 중심을 이루는 것이었다. 좌파정치가 자주 정치라는 '공적' 영역과 집과 가족이라는 '사적' 영역을 구분했던 반면, 페미니스트들은 집과 가족을 여성억압의 핵심적 원천으로, 그러므로 정치적인 것으로 인식했다. 엘리자베스 폭스 제노비스(Elizabeth Fox Genovese, 1991: 11)가 주장했듯이, "페미니즘은 개인적 관계들이 철저하게 정치적이라고 설득력 있게 주장함으로써 개인적 관계를 탈신비화하는 데 앞장서왔다."

가정이 자주 공적 영역의 피난처로 제시되고 "프라이버시, 안전, 가족, 친밀성, 안락, [그리고] 통제"와 같은 '긍정적' 속성과 연관지어짐에도 불구하고(Putnam, 1990: 8), 페미니스트 비판가들은 이러한 긍정적 속성을 빈번하게 경험하는 것은 여성보다는 남성이라고 지적해왔다. 더 나아가 그들은 가정을 보살필 뿐만 아니라 다른 사람들에게 가정에 대해 긍정적으로 경험하게 하는 것도 여성의 부불노동이라고 주장해왔다. 집에서의 식사에 대한 논의가 여성의 가사(육체 또는 감정)노동이 식사제공을 통해 가족을 어떻게 생산하고 유지하는지에 열중해온 것도 바로 이러한 이유들 때문이다. 공적 영역과 사적 영역 간의 구분은 자주 공적 영역은 생산의 영역이고 사적 영역은 소비의 영역이라는 가정에 의거한다. 이것은 생산과 소비 간의 관계라는 문제 있는 관념을 재생산할 뿐만 아니라 여성의 가사노동 또한 노동이라는 사실을 무시한다. 즉 "일반적으로 여성은 남편으로서의 남성이 **소비자** 또는 최종 이용자가 되는 재화와 서비스의 생산자이다." 그러므로 여성이 다른 사람들을 위해 구입한 상품을 가지고 식사를 준비한다(Warde, 1997).

음식관행은 그것이 공적 영역과 사적 영역 간의 관계의 성격을 생산하고 협상하고 재생산하는 방식과 관련하여 이해될 필요가 있다. 실제로 앤 머콧 Anne Murcott은 젠더와 요리에 관한 연구에서 그녀의 응답자들에게 집에서의 먹기가 중요한 행위라는 점을 발견했다. 왜냐하면 "집에서 요리한 저녁식사가 작업장 또는 학교라는 공적 영역과 닫힌 현관문 뒤에 있는 사적 영역 간의 경계를 정하기 때문이다"(Murcott, 1995: 92). "집에서 요리한" 식사는 온정, 친밀성, 개인적 접촉이 스며들어 있는 것으로 인식된다. 이러한 것들은 사적 영역의 표지로, 그리고 공적이고 산업화된 익명적인 식품생산체계에서 생산된 음식과는 반대되는 것으로 인식된다. 상업적으로 생산된 음식이 자주 그것과 '집'을 연관시킴으로써 자신들의 음식의 가치를 높이려고 하는 것도 바로 이러한 이유 때문이다. 이것은 술집이나 간이식당에서 "집에서 요리한" 음식임을 내세우고 슈퍼마켓에서 일련의 '가정식' 즉석식품을 판매하는 데서 입증된다(Warde, 1997; 1999).

마지막으로, 가족 개념은 이 장에서 중심적이다. 이 개념은 사회학 내에서 광범한 논쟁의 대상이다. 여기에는 그러한 논쟁경로를 따라갈 공간이 거의 없다. 그리고 실제로 이 장은 다양한 담론을 가로지르는, 그리고 일상적 관행을 통해 구성되어 가족에 부착되는 의미에 더 많은 관심이 있다(DeVault, 1991). 하지만 가정home과 가족family이 집에서의 식사에 대한 논의에서 어째서 빈번히 동의어가 되는지에 대해서는 처음에 지적해둘 필요가 있다. 게다가 다음 절에서 분명해지듯이, '가족식사'는 국민문화의 재생산에 중심적인 '적절한' 먹기 양식을 대변한다.

'적절한 식사'와 '가족식사'

'적절한 식사'라는 관념은 자주 영양과 결합되어 있다. 이러한 정의는 자주 어떤 식사의 '우수성'은 그것이 우리에게 '적절한' 영양소를 제공하는가의 여부와 등치된다는 일련의 과학적 담론들에 의존한다. 하지만 제4장에서 지적했듯이, 영양에 대한 관념은 결코 객관적이지 않다. 즉 10년간 영양식이었던 것이 다음 10년에도 반드시 동일하게 영양식이지는 않을 것이다. 왜냐하면 영양에 대한 관념은 자주 심히 문화적이기 때문이다(Levenstein, 1993; Lupton, 1996; Crotty, 1999를 보라). 이 절은 적절한 식사에 대한 관념이 광범위한 상징적·문화적 의미와 특정한 사회관계 모델들과 결합되면서, 그것이 어떻게 영양에 대한 문제 훨씬 너머로까지 확장되는지를 탐구한다.

건강에 대한 관념이 과학적 담론의 산물인 것만은 아니다. 영국 요리책의 여왕 델리아 스미스Delia Smith는 자신의 베스트셀러 저작들 중 하나의 서론에서 다음과 같이 기술한다.

> 내 직감대로라면(그 이상은 아니다), 아마도 현재 우리의 건강한 먹기에 대한 집착이 내가 전통적인 요리가 가져다주는, 건강에 매우 좋은 즐거움이라고 생각하는 것, 즉 테이블에 함께 둘러앉아 대화를 즐기면서 좋은 음식과 좋은 와인을 먹는 것이 가져다주는 즐거움을 집어삼켜 버린 것으로 보인다. (Smith, 1995: 7)

스미스가 볼 때, '적절한' 식사는 영양에 대한 관념뿐만 아니라 우리의 감정적·정신적 건강과도 결합되어 있다. 게다가 그것은 단지 우리가 무엇을 먹는가에 관한 것만이 아니라 우리가 어떻게 먹는가에 관한 것이기도 하다. 즉 적절한 식사는 식탁에 앉아서 함께 나누어 먹는 것이자 사회성과 대화를 중

진시키는 것이기도 하다. 적절한 식사는 집에서 요리된다. 그녀는 계속해서 다음과 같이 쓰고 있다. "우리의 유산을 완전히 잊지는 말자. 스토브에서 즐겁게 김을 내뿜는 푸딩, 집 안의 빵 굽는 냄새, 그리고 매우 추운 날 오랫동안 산책을 한 후 머릿속에 떠오르는 오븐 속에서 고기 지글거리는 소리와 좋은 향기 말이다"(ibid.). 여기에서 적절한 식사는 전통적인 영국 가족의 집에서 요리한 선데이 런치와 정확히 일치한다. 적절한 식사에 대한 이러한 관념은 델리아 스미스에게서만 독특한 것이 아니다. 그러한 관념은 다양한 텍스트들에서 그리고 사람들의 일상관행들 속에서 제도적으로 재생산된다.

영국에서 가정요리에 관한 연구들은 사람들이 어떻게 적절한 식사를 특정 식재료와 관련하여 개념화하는지를 증명해왔다. 1980년대에 앤 머콧(Anne Murcott, 1995: 91)이 사우스 웨일즈에서 수행한 음식에 관한 연구에서, 적절한 식사는 고기, 감자, 야채 그리고 고기국물과 등치되었다. 또한 1980년대의 가족과 음식에 관한 찰스와 커(Charles and Kerr, 1988: 18~19)의 연구의 응답자들도 유사한 결론을 내렸고, 선데이 런치가 "전형적인 적절한 식사"라는 생각을 델리아 스미스와 공유했다. 적절한 식사에 대한 영국인들의 인식을 조사한 보다 최근의 연구들은 '메뉴 다원주의menu pluralism'를 향해 나아가고 있기는 하지만 고기/감자/야채 모델(하지만 지금은 그 범주가 확장되어 파스타를 포함하기도 한다1)이 적절한 식사에 대한 영국 사람들의 인식에서 중심적이라는 점을 되풀이하여 보여준다(Mitchell, 1999). 만약 영국에서 적절한 식사가 제5장에서 입증한 국민이라는 관념과 강력하게 결부되어 있다면, 드볼트가 미국에서 수행한 음식과 가족에 관한 연구 또한 비록 적절한 식사라는 관념이 인종적으로 보다 다양하기는 하지만 사람들이 적절한 식사를 구성하는 것에 대해 그들 나름의 상당히 엄격한 인식을 가지고 있다는 점을 발견했다. 그녀의 응답자들은 "그들이 만들 수 있는 다양한 음식물 조합을 지배하는 규칙에 대해 이야기했다." 그리고 이들 연구 모두는 그러한 규칙이 깨지고 있을 때조차 그것이 핵심적 준거점과 '문화적 기준'을 제공한다는 점을 입증한다(DeVault, 1991: 45). 드볼트는 이러한 주장을 하면서, 식사를 준비하기 위해 그 구성요소들을 조합하는 방식을 지배하는 부호에 대한 메리 더글라스의 구조주의적 분석에 의거한다. 더글라스는 식사들 간의 결합관계syntagmatic relations가 식사를 제한적으로 유형화한다고 파악한다. 그러한 유형화를 통해 식사가 하나의 식사로 인정되고, 그 식사가 주요한 행사또는 사소한 행사로 등급 매겨지고, 그런 다음에 그것이 좋은 종류의 표본인지 또는 나쁜 종류의 표본인지로 평가된다(Douglas, 1997: 42). 앞서 논의한 모든 연구에서 응답자들은 적절한 식사에 포함될 수 있는 것 또는 없는 것을 규정하는 특정한 문화적 부호에 높은 수준의 지지를 보내고 있었다.

하지만 이들 연구 모두에서 적절한 식사의 구성요소는 그것을 만들기 위해 결합되는 식재료들 훨씬 너머로까지 확대된다. 머콧의 응답자들에게서 적절한 식사는 집에서 요리된 것이었다. 즉 그것은 **집에서** 만들어진 것이어야만 했고, 또 그것은 요리된 저녁식사여야만 했다(Murcott, 1983; 1995). 따라서 이들 여성 응답자가 볼 때, 적절한 식사는 또한 요리행위를 통해 먹거리에 대해 수행한 여성노동의 산물이다. 이러한 이유에서 편의식품 − 그것이 빈번히 집에서 일정 형태의 식사 준비를 요구한다는 사실에도 불구하고 − 은 적절한 식사의 범주 내에 포함되지 않았다(Charles and Kerr, 1988; Murcott, 1983). 마지막으로 이들 연구는 사람들이 적절한 식사를 모든 가족이 함께 앉아서 대화를 하는 하나의 '사회적 행사'로 인식한다고 제시한다. 그러므로 적절한 식사는 "식사를 준비하고 요리하고 먹는 사회적 관계에 의해 규정된다" (Charles and Kerr, 1988: 23). 이들 연구가 인터뷰한 여성들 중 많은 사람이 스스로가 이러한 이상을 항상 실제로 실현하지 못한다는 것에 좌절하고 의기소침해 했다는 것은 적절한 식사가 동반하는 기대를 감안할 때 아마도 놀랄 일은 아닐 것이다.

드볼트의 연구 – 이에 대해서는 아래에서 더욱 깊이 논의된다 – 는 식사가 "가정과 가족을 생산하는" 수단이라고 주장한다(DeVault, 1991: 79). 실제로 영국에서 사회정책은 특정 식사방식이 가족생활의 한 가지 지표라는 가정에 근거한다. 한 남자와 한 여자의 식사공유는 여성을 국가급부금의 부적격자로 만든다. 즉 식사는 동거의 표시이고, 그렇기 때문에 한 여성은 경제적으로 국가보다는 한 남성에게 의존할 수 있다.

> 음식의 공유는 긴밀한 관계를 나타내는 것으로 인식된다. …… 역으로 이혼 신청을 할 때, 결혼한 배우자들은 자신들이 더 이상 식사를 공유하지 않는다는 것을 별거의 지표들 중의 하나로 제시한다. 그러므로 음식의 공유는 가족 내에서 일어나는 어떤 것이고, 따라서 가족생활의 한 지표이다.(Charles, 1995: 101)

이러한 인식은 또한 이혼 또는 별거 후의 가족관행 속에서도 재생산된다. 즉 식사시간의 의례는 별거하는 배우자들이 아이들에게 여전히 '정상적인' 가족생활을 영위하고 있음을 전하는 방식이 된다(Burgoyne and Clarke, 1983).

무엇이 적절한 식사를 구성하는가에 대한 관념은 또한 보다 공적인 논평들을 통해서도 구성된다. 주목할만한 한 가지 두드러진 영국 사례가 옥소 Oxo 가족 – 즉 오랫동안 시리즈로 이어졌던 옥소 고형 스프 광고 속의 스타들이 연기한 가족 – 이 해산될 것이라는 뉴스가 유발한 상당한 미디어 논쟁이었다. 이것은 가족식사의 중요성에 대한 광범위한 일련의 쟁점을 논의하는 하나의 수단으로 기여할 수도 있었다. 옥소 가족의 초기 모습을 대체하기 위해 1983년에 태어난 이 문제의 가족은 "일부 말다툼을 포함하여 식탁을 둘러싼 삶을 보다 현실주의적으로 통찰하고자 한" 것이었다(Barwick, 1999). 하지만 1999년경 옥소 가족은 더 이상 '현실주의적'이 아니라고 주장되었다.

즉 그 제품의 한 대변인은 "옥소 가족이 영국의 대단한 명물이기는 했지만 시대가 변했고 따라서 새로운 캠페인이 오늘날 영국의 삶을 여실히 보여준다"고 주장했다(Gregoriadis, 1999).

옥소 가족의 사망은 가족식사, 심지어는 '말다툼하는' 가족식사가 죽었다는 신호로 받아들여졌고, 그것의 사망에 대한 논쟁을 자극했다. 일부 비평가들이 오늘날의 가족식사 개념은 실제로는 전후의 산물이었다고 지적하면서 가족식사 관념이 산출한 스트레스와 긴장을 지적한 반면(Coward, 1999; Jennings, 1999; Rowe, 1999), 다른 사람들은 보다 근본적인 문화적 가치가 상실되고 있는 것은 아닌지에 대해 숙고했다. 많은 사람이 공동체적 먹기가 위협받고 있다는 점을 강조했다. TV 셰프 닉 네언Nick Nairn이 "옥소 광고는 함께 먹기의 중요성을 강화했다"고 주장했다면, 칼럼니스트 벨 무니Bel Mooney는 "좋은 음식과 좋은 대화가 중요하다. 혼자 하는 그레이징grazing²은 우울하다"고 주장했다(Rowe, 1999에서 인용함). 공동체적 먹기의 쇠퇴는 단지 우리의 정신건강에 나쁠 뿐만 아니라 심지어 우리의 신체적 건강에도 나쁘다고 주장되었다. 이를테면 건강 칼럼니스트 요안나 블라이스먼Joanna Blythman은 다음과 같이 주장한다. "사람들이 함께 식탁에 둘러앉을 때 아이들은 그 밖의 모든 사람들이 먹는 것을 받아들인다. 우리는 아이들의 음식이 다르다고 생각해서는 안 된다. 우리는 미래의 뚱뚱하고 건강하지 못한 아이들을 만들어내고 있는 중이다"(Jennings, 1999에서 인용함). 요리법 저술가 니겔라 로슨Nigella Lawson은 옥소 이야기에 대해 응답하며 한 걸음 더 나아가 이렇게 언급했다. 가족들이 함께 먹기를 중단할 때, "공동체는 작아지고 …… 공동체가 없는 가족은 …… 모든 세상에서 최악의 것이다." 그녀는 계속해서 이렇게 말했다. "나는 젖병을 빠는 유아, 포장음식을 먹는 아이, 소외된 세대가 하나의 연속체라고 본다. …… 우리는 접촉, 즉 우리가 인간이 되고 인간을 존중하는 것을 배우게 하는 것을 잃어버리고 있다"(Lawson, 1999).

데버러 럽톤(Deborah Lupton, 1996: 39)은 "'가족식사'와 '식탁'은 가족 그
자체의 강력한 상징, 심지어는 환유어換喩語"라고 주장해왔다. 일부 논평자
들은 옥소 가족의 '위기'에 대응하여, 적절한 식사는 가족식사이고, 식사시
간은 가족의 생산에 근본적이며, 이런 점에서 적절한 식사는 국민의 신체
적·정신적·사회적·문화적 건강에 결정적이라는 점을 분명히 했다. 그러한
논평자들이 보기에 가족식사는 우리가 인간문화를 생산·재생산하는 하나의
관행이며, 우리는 그것을 통해 우리가 하나의 문화에 속하는 것으로 인식한
다. 하지만 이러한 보고들은 가족식사의 '황금시대' – 그러나 그러한 시대가
언젠가 존재했다는 증거는 거의 없다 – 를 동경하는, 문화적 쇠퇴의 서사에
의존한다(Murcott, 1997). 그러나 가족식사에 대한 이러한 이미지는 "중간계
급과 (상당수의) 노동계급 가족에게 여전히 하나의 이상형적 모델"로 강력하
게 남아 있다(Murcott, 1997: 44). 가족식사를 하는 것은 사람들이 자신들을 가
족으로 인식할 뿐만 아니라 하나의 특수한 '부류'의 가족으로 인식하는 수
단이 된다. 가족식사는 그 실행을 통해 훌륭함을 드러내는 하나의 수단이다.
즉 훌륭함이 하나의 '도덕적 권위'를 의미하는 상황에서 "훌륭하지 않다는 것
은 거의 어떠한 사회적 가치 또는 정당성도 가지지 못한다는 것이다"(Skeggs,
1997: 3).[3] 가족식사에 대한 이러한 이미지는 '적절한 식사'가 재정적으로 그
들의 범위를 벗어나 있기 때문에 그것에 부응할만한 기회를 가지지 못한 가
정에게는 특히 강제적인 것으로 느껴질 것이다(DeVault, 1991). 그것은 또한
'전통적인' 가족구조 밖에서 사는 사람들에게는 '정상적' 관행의 준거점으
로 작용할 것이다(Bell and Valentine, 1997).[4]

여성과 가족식사

앞서의 논의는 적절한 식사의 생산 - 결국에는 가족을 생산하는 - 이 특정한 성별분업에 뿌리를 두고 있다고 암시해왔다. 현재 집 밖에서 이루어지는 지불노동에 종사하는 기혼여성이 증가하고 있음에도 불구하고, 연구들은 그것이 성별 가사업무의 배분에 유의미한 영향을 미치지 않았다고 제시한다. 이 절에서 우리는 여성들이 여전히 '가족급식'을 책임지고 있는 정도를 고찰한 연구들을 검토함으로써 이러한 관념을 좀 더 깊이 탐구한다. 나아가 지적해야만 하는 것은 이러한 가족급식의 맥락에서 많은 여성이 다른 사람들에게 음식을 제공하는 사람으로 위치지워지지만 여성들은 먹기 자체와 힘겨운 관계를 유지하고 있다는 점이다. 여성들은 빈번히 음식을 이용하여 가족성원들에게 즐거움을 제공하지만 자신들이 음식을 (특히 가정의 맥락에서) 즐거운 것으로 경험하기란 쉽지 않다(Martens, 1997; Charles and Kerr, 1988).

여성을 아이들의 건강에 책임이 있는 어머니로 구성하는 것은 심지어 아이가 태어나기 이전부터 시작된다. 럽톤은 임신기간 동안에 임산부는 자신의 음식습관을 의학과 영양의 측면에서 바라보도록 고무된다고 주장한다. 임신한 여성들은 그들이 "둘을 위해 먹는다"는 말을 듣는다. 그리고 그것은 그녀들이 자신들의 음식섭취를 태아의 건강과 관련하여 평가하고 "자신들의 음식선택의 도덕성"을 고려하게끔 한다(Lupton, 1996: 41). 한 조언 서적은 이렇게 표현하고 있다. "음식 한 조각을 입에 넣기 전에 스스로에게 물어라. 이것이 내가 나의 아이에게 줄 수 있는 최고의 음식인가? 만약 그게 아니라면 더 나은 것을 찾아라"(ibid.: 42). 이와 같은 아이의 신체적 건강에 대한 어머니 책임의 강조는 여성들에게 아이를 위해 젖을 먹이도록 압력을 가하는 등 출산 이후에도 계속된다. "모유수유를 할 때의 유아 - 어머니 관계는 신비스러운 결합으로 문화적으로 구성된다. 즉 수유를 통해 영양과 애정 어린 사랑의 감정 모두가 어머니에서 아이로 전달된다"(ibid.). 출산 전후에 여성을 어머니로 구성하는 것은 그 자신보다 아이의 선호와 건강을 우선시하는 것을 수반한다. 아이에게 급식하기는 영양을 공급하는 것뿐만 아니라 아이에 대한 어머니의 적절한 성향인 돌봄과 사랑을 입증하는 것으로 인식된다. 게다가 아이의 건강은 좋은 양육 또는 나쁜 양육의 산물로 해석된다. 즉 "유아의 몸은 아이를 잘 먹이고 돌보는 어머니의 능력을 상징한다"(ibid.). 이러한 이유에서 아이가 먹는다는 것, 그것도 건강하게 먹는다는 것은 정명定命이 된다. 따라서 여성 잡지와 낮 시간 텔레비전이 아이들의 먹기와 '음식 투정하는 아이'를 규율하는 것과 관련한 걱정거리를 다루는 데 그렇게 많은 시간을 소비하는 것은 놀랄 일이 아니다. 게다가 조사연구는 어머니들이 유아급식에 대한 자신들의 결정을 "어머니로서뿐만 아니라 보다 일반적으로는 여성으로서의 자신들의 도덕적 가치를 입증하는 도덕성과 책임을 표현"하는 것으로 이해한다는 점을 보여준다(Murphy et al., 1999: 242).

먹기를 규율하는 문제는 가족식사라는 관념, 그리고 아이들을 사회화하는 동안에 아이들은 먹기에 적절한 것뿐만 아니라 먹는 방식 역시 학습해야만 한다는 관념과 다시 연결된다. 조사연구는 이러한 관념들이 어머니들이 적절한 식사에 부여하는 의미들로 재생산된다는 것을 보여준다. 찰스와 커의 연구대상 여성들에게서 가족식사는 "그들[그들의 아이들]이 건강뿐만 아니라 사회적 수용성의 측면에서 '적절하게' 먹는 것을 보장하는 유일한 방식"이었다(Charles and Kerr, 1988: 93). 호주에서 실시된 보다 최근의 연구는 아이들에게 자율성을 부여하는 것을 점점 더 강조함에도 불구하고 부모들은 여전히 자신들의 아이들에게 '좋은' 음식과 '나쁜' 음식의 차이를 가르쳐야 한다는 압박을 느끼고 있음을 보여준다(Coveney, 1999).

요리에 대한 책임이 젠더 불평등을 재생산하는 보다 광범위한 성별분업의 일부로 여성에게 배속되는 방식을 검증하는 연구들이 많이 있다. 하지만 마조리 드볼트Marjorie DeVault의 연구는 가족을 생산하는 데에 여성이 수행하는 역할과 가족을 유지해나가는 여성노동 모두를 강조한다. 일련의 사회변동 – 편의식품의 등장, 더 많은 식재료의 공급, 여성의 (지불) 노동시장 참여증대를 포함하여 – 은 "가족식사가 덜 필수적이고 더 의지를 필요로 하는 사회적 형태가 되었다"는 것을 의미한다(DeVault, 1991: 37). 하지만 시장에서 제공되는 재화와 서비스의 증가가 그간 여성노동을 축소시키지는 않았다. 드볼트의 주장에 따르면, 오히려 가족을 유지하는 일은 핵심적인 노동형태가 된다. 가족을 위해 음식을 준비하는 것은 요리 그 이상의 것을 포함한다. 즉 그것은 비가시적인 돌봄노동 형태들을 포함하고 있다. 드볼트에서 돌봄노동은 "여성의 정체성에 중심적인, 그렇지만 규정되지 않고 인정되지 않는 활동이다"(ibid.: 4).

다양한 계급, 민족, '인종' 배경을 가진 시카고 가족 – 그중 일부는 전업주부이고, 다른 이들은 지불노동에 종사한다 – 에 대한 드볼트의 연구는 음식제공에는 숙련된 식사계획 짜기와 조정이 필요하다는 것을 증명한다. 그것들에는 가족을 즐겁게 하고 적절한 식사를 준비하고 식사를 재미있는 것으로 만들고 식사를 가족생활을 창조하는 하나의 행사로 만드는 것이 포함되어 있다. 식사계획 짜기에서 여성들은 다양한 많은 암묵적 지식들을 이용한다. 쇼핑은 단지 구매하는 활동만이 아니라 제품을 "심사하고 분류하고" 가족과 시장 모두를 모니터하고 개선하는 것을 포함한다(또한 Miller, 1998a과 그의 저작에 대한 앞 장에서의 논의를 보라). 여성들이 가족에게 음식을 제공하는 경험을 표현하고 그럼으로써 그것을 가시화하고자 하는 드볼트의 노력은 '요리하기'라는 활동의 뉘앙스를 포착하고자 하는 루스 지아드Luce Giard의 연구에서 그대로 되풀이된다.

요리라는 활동은 육제적인 만큼이나 정신적이다. 따라서 기억과 지식 모두가 동원된다. 누군가는 조직하고 결정하고 예상해야만 한다. 누군가는 고모 제르맹이 싫어하는 것과 좋아하는 것 그리고 어린 프랑스와가 싫어하는 것을 기억하고 수정하고 조절하고 조작하고 조합하고 고려해야만 하고, 캐서린이 일시적으로 다이어트 하는 것을 만족시켜야 하고, 다른 사람의 노동의 결실로부터 이득을 얻는 사람들을 편안하게 하기 위해 모든 가족이 화가 나서 소리를 지를 위험을 무릅쓰고 메뉴를 바꾸어야만 한다.(Giard, 1998: 200)

드볼트가 볼 때, 여성들은 또한 가족생활을 경험하는 데 필요한 '귀중한' 시간을 만드는 일을 책임지고 있다.

급식노동은 …… 집단행사에 함께할 수 있는 시간을 만들어내기 위해 개인들의 다양한 일정과 계획을 조정한다. 이러한 종류의 스케줄 조정이 일어나는 집단 내에서 개인들의 욕구와 선호에 대한 배려가 개인화된 사회적 공간으로서의 가족을 확립한다.(DeVault, 1991: 90)

여성이 집에서의 먹기 경험을 외식의 경험과 구분되는 독특한 것으로 만드는 것은 이러한 개인화된 주의를 기울이는 것을 통해서이다. 가족생활을 생산하는 데 들어가는 노동은 결코 완결되지 않는다. 여성들이 그들 자신의 기준을 설정하고 그들 자신의 노동을 규제할 일정한 기회를 가지기는 하지만, 그들은 "불안과 죄책감"을 경험한다. 왜냐하면 여성들은 자신들이 가족생활에 대한 이상화된 이미지 ─ 자신들이 어떻게 가족생활을 이끌고 여성으로서 어떻게 처신해야 하는지에 대한 준거점 역할을 하는 ─ 에 부응하여 살지 못하고 있다고 평가받을지도 모른다고 생각하기 때문이다(ibid.: 133).

하지만 드볼트는 여성들이 음식제공 관행을 통해 생산하는 가족은 여성들이 자신들의 노동을 수행하는 서로 다른 물질적 조건에 따라 다를 것이라고 주장한다. 이를테면 중간계급 여성에게 가족식사는 사랑과 관심을 상징할 수도 있지만, 가난한 여성들에게 식탁에 식사를 올리는 일은 생존의 확인일 가능성이 더 크다. 게다가 가족은 사회집단들 사이에서 다른 방식으로 생산된다.

> 더 많은 자원을 가지고 있는 가족에게 음식은 성취에 대한 하나의 보상으로 가족을 경험할 수 있는 기회를 제공하는 자기표현의 장이 된다. 반면 가난한 가족에게 급식과 먹기는 그 자체로 성취이다. 가족성원들을 부양하는 능력이 당연한 것으로 간주될 수 없기 때문에, 모든 가족성원들은 불가피하게 상호의존하게 된다.(ibid.: 201)

성별분업에서 급식노동이 차지하는 위치에 대한 연구들은 자주 의구심과 마주친다. 왜냐하면 오늘날 일반적으로 남성들이 요리에 더 많은 관심을 가지고 있고 또 더 많은 책임을 지는 것으로 가정되고 있기 때문이다. 그러나 1980년대 이후의 연구들은 가족식사에서 이루어지는 남성 참여가 대체로 그들이 음식을 먹고 이따금 아내를 '도와준다'는 사실에 한정된다는 것을 보여준다(이를테면 Murcott, 1983 and 1995; Charles and Kerr, 1988). 요리가 여성활동으로 귀속되어온 방식은 또한 적절한 식사제공의 실패가 가정폭력의 이유들로 되풀이하여 거론되는 테마 중의 하나라는 것에 의해 잘 예증된다(Ellis, 1983). 게다가 그린햄 코먼Greenham Common 저항자들에 대한 언론보도도 그 여성들이 '제대로 된' 여성이 아니라는 것을 알리는 방법으로 '변질되고' '불에 탄' 음식과 '더러운' 냄비와 프라이팬에 초점을 맞추었다(Cresswell; Morley, 2000: 70에서 인용함). 그간 연구들은 남성들이 자신들의 요리하기에 부여하는 의미에 대해서는 상대적으로 별 관심을 기울이지 않아왔다(Kemmer, 1999; Roos et al., 2001). 하지만 가장 최근의 연구는 남성들이 가족 생애과정의 특정 단계에서 요리에 더 많은 책임을 지지만 여전히 유의미한 변화는 일어나지 않았다고 지적한다(Warde, 1997; Warde and Hetherington, 1994). 남성 요리사를 겨냥한 출판물들이 1980년대에 그랬던 것처럼 요리하는 남자를 비정상적인 인물로 취급할 가능성은 거의 없으며(Coxon, 1983), ≪GQ≫와 ≪FHM≫ 같은 남성 잡지들이 레시피 칼럼을 실을지도 모른다. 하지만 남성 요리사가 더 이상 남성이 여성화되었다고 여겨지지 않는다는 사실이 그가 가정화되었다고 여겨진다는 것을 의미하지는 않는다.[5]

드볼트의 연구는 남성들이 음식제공에 기여하는 문제를 다루고 있다. 그녀가 연구한 가정의 일부 남성들에게서 요리는 기본적으로 일상적 식사라기보다는 '특별한' 식사를 만드는 하나의 여가활동으로 인식된다. 이는 남성들에게 집은 일의 장소라기보다는 여가의 장소로 경험된다는 관념을 재생산한다(또한 Kemmer, 1999; Roos et al., 2001도 보라). 하지만 남성이 요리에 상당한 기여를 하는 세 가정에서 남성들은 여성들이 가족급식과 연관짓는 불안과 죄책감을 거의 느끼지 않았다. 드볼트의 주장에 따르면, 이는 남성들이 분명 '가족급식'에 기여하기 위해 애쓰기는 하지만 그들은 "그렇게도 많은 여성들의 보고에서 나타나는, 존중을 담은 시중이라는 도덕적으로 부여된 이상理想의 힘을 느끼지" 않기 때문이다(DeVault, 1991: 149). 이처럼 요리를 레저 또는 노동으로 젠더화하는 것 또한 여러 요리 표현들에 스며들어 있다.[6]

일부 비평가들이 여성들이 가족급식에서 행하는 돌봄노동을 여성에게 '외부로부터' 부과된 '젠더 이데올로기'의 측면에서 설명해왔다면(Warde, 1997: 130), 드볼트는 여성이 바로 그 가족급식 관행을 통해 젠더화된 정체성을 재생산한다고 본다.

"여성이 급식노동을 더 많이 할 뿐만 아니라, 급식노동은 또한 여성이 젠더 '활동을 하는' 주요한 방식들 중의 하나가 되어왔다. …… 여성은 가족급식을 통해 자신이 여성으로 인지되도록 처신한다"(DeVault, 1991: 118). 여성은 가족에게 음식을 제공하고 돌보는 일을 행하는 것을 통해 젠더화된 정체성과 불평등을 재생산한다. 가족급식이 돌봄관행이자 여성의 관행이라는 점이 요리를 둘러싼 성별분업에서 왜 그간 단지 부분적인 변화만이 있었는지를 설명해준다. 남성이 식사 준비를 할 수 있지만, 그리고 요리가 더 이상 '본질적으로' 여성의 활동으로 인식되지 않지만[그리고 실제로 전문적 지식과 숙련이라는 남성적 속성을 취할 수도 있지만(Levenstein, 1993)], 돌봄은 여전히 여성화된 능력과 성향으로 남아 있다. 스케그스(Skeggs, 1997: 67)가 주장하듯이, "여성성, 돌봄, 모성 간에 만들어진 연계는 돌봄의 사회적 관계를 자연화하고 정상화하는 데 기여한다"(Skeggs. 1997: 67). 드볼트의 결론과 유사한 결론이 밀러(Miller, 1998a)가 영국에서 쇼핑과 관련하여 수행한 연구에서도 도출된다. 우리가 살펴보았듯이, 밀러는 거기에서 양육관행, 자기희생, 타자의 돌봄 간에 존재하는 강력한 관계를 지적한다.

드볼트가 볼 때, 여성들은 돌봄, 즉 다른 사람들의 욕구에 주목하고 귀를 기울이는 것을 자신들의 어머니로부터 그리고 가족생활과 여성적 관행의 보다 광범위한 이미지들로부터 배운다. 드볼트는 여성이 '본질적으로' 남성보다 더 잘 돌본다거나 '천부적으로' 더 덕이 있다고 주장하는 페미니즘적 입장과 스스로 거리를 두고자 애쓴다.7 대신에 그녀는 여성의 관행으로서의 급식은 어린 시절에 되풀이해서 가르쳐지고 양육담론을 통해 생산되고 아내와 어머니가 되는 경험과 관행을 통해 강화된다고 주장한다. 이러한 점에서 부르디외의 표현에 의거하면, 돌봄은 여성의 관행을 뒷받침하는 하나의 논리이다. 달리 표현하면, 음식을 제공하는 것은 "실천 속에서 구성되는 …… 구조화된 그리고 구조화되고 있는 성향들의 체계"로서의 여성적 아비투스를 재생산한다(Bourdieu, 1990: 52).8

정성과 편의성

적절한 식사를 만드는 데서 여성노동 – 특히 돌봄 – 에 부여된 중요성은 자주 편의식품이 가족식사 그리하여 가족 자체에 하나의 위협이 되는 것으로 해석된다는 것을 의미한다. 이것은 그간 요리의 탈숙련화가 일어나서 사람들이 '날' 먹거리를 식사로 변형시키는 방법에 자주 자신 없어 한다는 보도들에 의해 부추겨져왔다(Caraher et al., 1999). 그 대신 가정이 요리의 책임을 면제받아왔고, 전자레인지에서 잠깐 돌리기만 하면 되는 편의식품의 형태로 시장이 그 책임을 맡아왔다고 주장되어왔다(Coward, 1999). 영국에서 1994년에서 1999년 사이에 냉동 즉석식품의 판매가 두 배 증가했고, 판매량의 80%가 1인분 포장이었다(Pook, 1999; 또한 Wrigley, 1998도 보라). 따라서 영국은 혼자 먹는 사람들의 나라가 되고 있으며, 가정은 '시리얼 먹기'에 열중하고 있다고 주장되었다. 사람들이 함께 먹을 때조차 점점 더 집 요리보다 시장에 의존하고 있다고 보도되었다. ≪데일리 텔레그라프≫의 한 헤드라인이 표현하듯이, "디너파티도 선의의 거짓말들로 차려졌다." 편의식품에 의지하는 것은 또한 피쉴러가 '스낵의 제국'이라고 부른 것(Wood, 1995: 64에서 인용함) – 이것은 적절한 식사를 위협하는 또 다른 것이다 – 의 등장과도 연관 지어져왔다. 놀랄 것도 없이 영국에서 이것은 일부 사람들에게 영국의 생활방식을 위협하는 음험한 미국화의 표시로 인식되었다. 이를테면 셰프 샐리 클라크Sally Clarke는 다음과 같이 논평했다. "미국식의 그레이징이 여기에서도 서서히 진행되고 있다는 것은 몹시도 슬픈 일이다"(Jennings, 1999). 간식 먹기snacking가 가족의 토대를 침식하고 있는지 아니면 단지 가족이 하나가 되는 조건을 변화시키고 있는지는 논쟁의 여지가 있다. 이를테면 사람들의 음식일지에 대한 데어Dare의 연구는 대부분의 간식이 개인적으로보다는 오히려 가족 단위로 소비된다는 것을 발견했다(Wood, 1995: 66). 또 다른 연구는 외식 또한 동일 가구의 사람들과 함께 이루어지는 경향이 있다고 주장한다(Warde and Martens, 1998b).

워드는 편의식품과 관련해서는 여전히 '양가감정'이 존재한다고 지적한다. 즉 편의식품을 이용하는 사람들은 자주 "부도덕한 사람, 즉 …… 자신의 의무를 게을리하는 사람"으로 인식된다. "편의식품이라는 관념은 도덕적 비난의 색채를 띠고 있다"(Warde, 1999: 518). 이러한 이미지는 또한 음식관행에도 영향을 미친다. 찰스와 커의 연구에서 '좋은' 음식은 '날' 재료를 사용하여 집에서 요리한 음식이었다. 그것의 '도덕적 우수성'을 산출하는 것은 여성의 노동이었다(Charles and Kerr, 1988: 129~131). 실제로 그들의 연구대상 여성들에게서 편의식품은 "그것을 만드는 노동이 집 밖에서 이루어진 어떤 음식"으로 규정되는 것처럼 보였다(ibid.: 130). 이러한 관점에서 볼 때, 편의성은 팟 누들Pot Noodles과 같은 '인스턴트' 식품뿐만 아니라 소시지와도 등치된다. 이들 여성이 죄책감 없이 편의성을 획득할 수 있는 유일한 방식은 집에서 식사를 위한 요리를 해서 냉동장치에 보관하는 것이다. 이것은 편의성의 개념에 문제가 있다는 것을 암시한다. 왜냐하면 다양한 서로 다른 의미들이 그것에 부착되어왔기 때문이다(Warde 1999).

편의식품은 적절하지 않은 식품으로 인식되는 경향이 있다. 왜냐하면 그것은 '적절한' 음식을 생산하는 정성을 결여하고 있는 것으로 간주되기 때문이다. 워드(Warde, 1997)가 주장하듯이, 사람들은 그 음식이 편의식품이라는 이유에서 그 음식을 구매해야 할지에 대해 좀처럼 확신하지 못한다. 왜냐하면 이 장이 보여주었듯이, 음식의 의미는 시간에 대한 합리적 계산으로 축소될 수 없기 때문이다. 정성과 편의성 간의 대립의 중심에는 사적 영역과 공적 영역의 관계에 대한 관념이 자리하고 있다. 이러한 대립이 다음의 것들을 포함하는 또 다른 일련의 이율배반의 토대를 형성한다.

개인적으로 만든 식품 대 상품화된 제품, 아낌없는 정성 대 시간 절약, 표출적 노동 대 도구적 노동, 특정인을 위한 정성 대 대량공급 등등. 각각의 경우에서 대조를 이루는 것들 중 전자의 요소가 친밀하고 따뜻한 사랑을 떠올리게 한다면, 후자는 자본주의적 합리화의 차가운 비인격적 세계를 떠올리게 한다.(ibid.: 133)

광고와 여성 잡지가 이러한 긴장을 어떻게 처리하는지에 대한 워드의 연구는 이 점을 재확인한다. 편의식품의 판매를 원하는 광고업자들은 그것에 정성이 들어가지 않는다는 것이 떠오르지 않게 광고해야만 한다. 이러한 긴장을 해소하고자 하는 방법 중의 하나가 공장생산이 아니라 가내생산의 모습을 보여줌으로써 그 제품이 또 다른 가족에 의해 "집에서 만들어진" 것이라는 점을 암시하는 것이다. 이를테면 사크라Sacla의 파스타 구스토 레드 페스토Pasta Gusto Red Pesto의 광고는 "만약 당신이 집에서 만든 진정한 맛 — 그것의 향의 실제 강도와 깊이와 함께 — 을 찾는다면, 우리의 집에서 만든 제품을 꼭 선택하세요"라고 주장한다.[9] 이것만으로는 납득시키지 못할 수도 있기 때문에, 그 광고는 또한 그 소스가 "집에서 만든" 식사에서 어떻게 이용될 수 있는지를 보여주기 위해 "크리미 카라멜라이즈드 어니언Creamy Caramelized Onion과 레드 파스타를 위한 간단한 레시피" 또한 싣고 있다.

워드는 1968년의 여성 잡지 레시피 샘플 속에서 편의식품이 레시피에 편입되어 있다는 점을 발견했다. 그 당시의 잡지들이 집에서 만든 요리라는 점을 이용하여 정성을 증명하고자 했다면, 그 당시 편의식품은 "현대적이고 자극적이고 좋은 것"을 상징했다(Warde, 1997: 134). 1990년대 초반 경에 편의성은 미리 준비된 제품이 아니라 간편함, 시간 절약, 시간의 합리화와 등치되었다. 이것은 ≪BBC 굿 푸드 매거진BBC Good Food Magazine≫에서 분명하게 드러난다. 거기서는 특별한 때나 대접을 위한 보다 노동집약적인 레시피가 "빠르고 손쉬운"이라는 로고를 달고 있는 몇몇 레시피들과 나란히 소개되고 있음을 발견할 수 있다. 그 잡지의 매 호의 앞쪽에 자리잡고 있어 손쉽게 접근할 수 있는 것이 '주중에' 간편하게 할 수 있는 가족식사를 소개하는 섹션인 "밤에 만들자"이다. 간편함은 또한 매달 실리는 "다섯 가지 재료로"에서도 강조된다. 워드는 1990년대 경에 레시피들이 이전만큼 명시적으로 정성을 드러내 보이지는 않지만("집에서 만든 음식이라는 말에서 가족이라는 의미가 분명하게 사라졌다"), 그러한 상황이 실제로 하나의 관행으로 정착되었다고 볼만한 증거는 거의 없다고 주장한다(Warde, 1997: 138). 실제로 잡지의 칼럼들은 시간을 절약하고 재조정하는 방식을 강조함에도 불구하고, 그것들은 "불충분한 정성을 함의함으로써 사람들의 기분을 상하지 않게 하게 하기 위해" '편리한'이라는 단어를 여전히 피했다(ibid.: 153)

　　앞 장에서 우리가 주장했듯이, 워드(Warde, 1999)는 점점 더 편의성이 자신이 '초근대적 편의장치'라고 부르는 것을 통해 타임 시프팅time-shifting의 측면에서 이해된다는 관념을 발전시킨다. 우리가 편한 시간에 TV 쇼를 보기 위해 비디오로 녹화하여 봄으로써 시간을 변경하는 것과 마찬가지로, 우리는 시간이 있을 때 음식을 준비하여 냉동장치에 보관했다가 후일 데워서 먹는다. 이것은 또한 가정용 기술의 변화가 음식준비 관행에 영향을 미치는 방식에 대해서도 주목하게 한다. 가정용 기술은 자주 '노동절약적'·'시간절약적'이라고 인식되지만,[10] 워드가 볼 때 그러한 기술은 그것이 우리가 시간을 재조직화하고 재정렬할 수 있게 해주는 방식과 관련하여 더 잘 이해된다. 냉동장치와 같은 기술이 사람들이 그것을 이용하는 방식을 결정하는 것으로 보는 것은 잘못일 수 있지만, 그것이 이용자의 필요에 단순하게 반응하기만 하는 것도 아니다. "비록 냉동장치가 그것의 이용자들에게 쇼핑, 요리, 먹기 관행을 재정렬할 수 있게 해주기는 하지만, 냉동과 해동 과정은 그것 나름의 과정을 필요로 한다"(Shove and Southerton, 2000).

초근대적 장치들과 결합된 시간의 합리화에 대한 이러한 관심은 1인분씩 낱개로 냉동장치에 보관하는 "집에서 만든 멋진 즉석식품"과 같은 잡지 특집기사에 발견할 수 있다.[11] 워드는 이것은 가족식사의 **관념**이 "여전히 …… 그 가치를 유지하지만 …… 일상생활의 탈관례화 때문에 그것을 조직화하기가 점점 더 어렵다"는 사실에 대한 하나의 반응이라고 주장한다(Warde, 1999: 520). 이러한 맥락에서 볼 때, 서로 상충하는 스케줄 때문에 모든 사람이 함께 먹는 문제를 해결하기 위해 시간을 재조직화할 필요가 생겨났다. 실제로 드볼트는 시간의 재조직화는 여성이 가족식사를 준비하기 위해 협의해야만 하는 과업 중의 하나가 되었다고 지적했다. 워드는 초근대적 장치와 편의식품의 사용은 가족식사 관념의 거부라기보다는 공동체적 먹기를 가능하게 하고자 하는 하나의 시도라고 결론짓는다. 그는 이렇게 기술한다. "너무나도 많은 사람들이 너무나도 자주 함께 식사할 수 없는 장소에 있는 경향이 있다. 식사가 동료를 전제로 하는 한, 식탁에 둘러앉는 모임이 이루어지기 위해서는 점점 더 복잡한 일단의 협상이 요구된다"(Warde, 1999: 525.6).

페미니즘과 요리

요리는 페미니즘 이론과 실천에서 불편한, 그리고 그다지 빈번히 탐구되지 않는 위치에 있다. 제2의 물결 페미니즘 내에서 요리(그리고 특히 빵 굽기)는 '페미니스트'라는 정체성과 상충되는 '전통적인' 가정적 여성성의 표시로 병리화될 수 있었다. 자넷 리Janet Ree는 자신이 영국 여성운동에 참여한 것을 회상하며, 자신이 여성단체 모임에서 '여주인'의 역할을 하곤 했던 방식에 대해 이렇게 성찰한다. "나는 항상 케이크를 만들었다. 그리고 차와 커피를 만들었다. 나는 항상 집에서처럼 하는 것을 좋아했다. 요리와 바느질 같은 모든 주변적인 일들을 했다. …… 나는 여성연구소의 안주인 노릇을 하고 있는 셈이었다"(Brunsdon, 2000: 23에서 인용함). '페미니즘적' 여성성과 '전통적' 여성성 – 그리고 페미니즘과 여성 – 간의 유사한 대립이 영국에서 니겔라 로슨(Nigella Lawson, 2000)의 요리책『가정의 여신이 되는 법How to be a Domestic Goddess』에 대한 일부 언론보도들을 구조화했다. 이를테면 샬럿 레이븐Charlotte Raven은 "가정의 노예상태가 안고 있는 유일한 문제는 그것이 완성되는 데 걸리는 시간뿐이었다는 니겔라의 분명한 확신"에 좌절했다. "여성억압의 부수효과 – 주방의 분위기 있는 후끈한 공기 – 에 대한 그녀의 향수는 그것이 비록 그렇게 별난 것은 아니더라도 비위에 거슬리는 것일 수 있다"(Raven, 2000: 5). 수잔 무어(Suzanne Moore, 2000: 31)는 그 책을 "불법 낙태를 하고 평균적인 여성들이 생애의 14년을 임신 또는 수유로 보내고 하루 중 14시간을 노예처럼 일하고 청소하고 빨래하던" 페미니즘 이전의 암흑시대로 돌아가라는 요청과 어떻게든 연관시키고자 했다. 만약 샬롯 브룬스든(Charlotte Brunsdon, 2000: 216)이 주장했듯이 "페미니스트/주부의 대립이 제2의 물결 페미니즘에서 논쟁적·역사적으로 형성되어졌다"고 하더라도, 이러한 언론보도 속에서 요리가 차지하는 장소는 아주 분명했다(Hollows, 2003a을 보라).

강단 페미니즘 내에서 요리는 이 장의 내용이 시사하듯이 성별분업에 대한 사회학적 분석과 관련하여 가장 빈번히 논의되어왔다. 드볼트와 같은 비판가들의 연구가 유익한 까닭은 그것이 여성들이 음식제공에 부여하는 의미와 가족급식과 관련한 노동이 여성적인 문화적 정체성을 생산하는 방식을 입증하기 때문이다. 즉 돌봄 주체의 생산은 여성성을 구성하고 유지하는 메커니즘이다. 게다가 드볼트는 돌봄 주체가 어째서 하나의 단일한 여성적 정체성을 구현하지 않는지를 입증한다. 왜냐하면 가족급식의 표현과 관행이 국가, 세대, 성적 지향뿐만 아니라 계급, 민족성, '인종'에 따라 다르기 때문이다. 드볼트의 연구가 여성성과 돌봄 간의 관계의 강도가 현재도 좀처럼 바뀌지 않는 젠더 불평등을 만들어낸다고 주장하지만, 이것이 젠더 불평등이 초역사적이라거나 그것이 변화될 수 없다고 주장하는 것은 아니다.[12]

드볼트가 수행한 연구의 핵심적 특징 중의 하나는 그녀가 여성의 노동을 경제적·사회적·문화적 관행으로 부각시키고 그것이 어떻게 창의성과 숙련을 요구하는지를 입증하는 방식이다. 이것은 프랑스 사회학자 루스 지아드Luce Giard의 '요리하기'에 대한 연구의 한 가지 특징이기도 하다. 게다가 지아드는 요리를 대중문화의 한 형태로 바라보는 분석을 발전시키기 시작한다. 이것은 문화연구 내에서 먹기에 대한 연구를 발전시키는 데 있어 하나의 잠재적으로 유익한 토대이다. 그리고 그 과정에서 지아드는 가정 내 요리사를 단순한 고된 일을 열심히 하는 피지배자라는 이미지로부터 구해냄으로써 요리를 페미니즘에 맞게 교정하고자 한다.

하지만 그렇게 하면서 지아드는 대중문화 이론의 일부 수사들을 활용하는, 문화적 쇠퇴의 서사를 이용한다. 즉 그녀는 일상생활의 많은 것들이 산업논리, 새로운 물건(믹서, 커피머신, 전자레인지)의 급증, (영양정보, 유통기한 등을 적은) 딱지를 붙인 미리 포장된 음식에 점령되어감에 따라 여성이 탈숙련화되고 있다고 주장한다. 지아드가 볼 때, 창의적이고 숙련된 여성 요리사가 "그녀의 자리에서 기계의 기능을 지켜보는 **미숙련 관찰자**"로 변형될 위험에 처해 있다(Giard, 1998: 212). 지아드가 "옛 것에 대한 향수"에 비판적이기는 하지만, 그리고 "작은 발명품들이 …… 귀엽게 고집부리며 혼란의 전염에 저항"할 수 있는 여지가 여전히 어느 정도 존재한다고 지적하지만(ibid.: 213), 결국 그녀는 살아 있는 여성문화의 전통 속에서 재생산된 '진정한' 대중문화와 ("사람들을 위해" 생산되었지만 그들에 의해 생산되지는 않는) 대량생산되고 산업화된 "진정하지 않은" 문화의 구분에 의지하는 문화주의적 형태의 분석이 안고 있는 몇몇 문제들을 재생산하는 데 그치고 만다(Hall, 1981;

Bennett, 1986).

유사한 입장이 미국 여성의 주방문화의 역사에 관한 메리 드레이크 맥필리(Mary Drake McFeeley, 2001)의 연구에서 채택되었다. 부르디외(Bourdieu, 1984: 58)가 '민중주의적 향수'라고 불렀던 것에 의해 자극받은 그 책은 "우리가 잃어버린 세계"를 묘사하기 위해 1920년대 미주리의 한 농업공동체를 이용한다. 드레이크 맥필리가 볼 때, 1950년대는 여성의 요리역사에서 최악의 순간, 즉 살아 있는 주방문화 속의 창조적이고 생산적인 주부가 "증조모가 아니라 제너널푸드General Foods사로부터 물려받은" 주방에서 빈둥거리는 탈숙련화된 주부-소비자로 대체된 시대였다(Drake McFeeley, 2001: 99). 드레이크 맥필리는 "우리의 자유를 지키기 위해 우리의 주방을 잃을 필요는 없다"고 주장한다(ibid.: 169). 그녀의 이 같은 주장은 그녀의 자유주의적 페미니즘이 지아드보다 다소 낙관적인 지적으로 마무리될 것이라는 것을 예기한다. 하지만 이 두 비평가는 자본주의적 합리화와 상업이 여성의 요리문화의 살아 있는 전통을 파괴하기 이전 시대에 대한 향수를 공유한다. 이러한 점에서 두 비평가의 주장은 레이첼 로던(Rachel Laudan, 1999)이 '요리의 러다이트운동 culinary Luddism'이라고 부른 것에 의해 뒷받침된다. 엘리자베스 실바Elizabeth Silva는 이렇게 표현한다. "나는 가정의 기술혁신이라는 관념에 여전히 비판적이다. 그것은 본질적으로 여성다운 활동을 평가절하 하는 일에 공모하고 있다"(Silva, 2000: 626).

지아드와 드레이크 맥필리와 같은 비평가들에게서 근대적인 것은 "권한을 박탈당한 사람들의 유기적 공동체를 압박하는 생경한 외부의 힘"으로 제시된다. 그렇지만 그 과정에서 그들은 "근대적인 것이 가장 친밀하고 세속적인 수준의 경험과 상호작용에서 실제적인 것이 되는"(Felski, 2000: 66) 다양한 방식들을 무시하는 경향이 있다. 요리는 단순히 가부장제 이데올로기의 결과로서 여성들에게 강요된 어떤 것으로 이해될 수 있는 것도, 그리고 '진정한' 여성문화의 토대로 이해될 수 있는 것도 아니다. 오히려 무엇이 요리가 그러한 **의미를 가지게 만들어**왔는지를 검토하고, 그러한 표상들이 어떻게 살아남아 있는지를 탐구하고, 젠더와 요리 간의 관계가 어떻게 특정한 역사적 장소와 권력관계 속에서 투쟁과 변혁의 장소가 되었는지를 분석하는 것에서 시작할 필요가 있다.

다양한 분과학문 영역(학제적 영역)을 넘나드는 페미니즘 비평가들은 최근에 젠더와 요리에 연관된 복잡하고 모순적인 의미들을 재고찰하고 시간의 경과에 따른 요리, 젠더, 계급, 민족성의 접합에서 나타나는 연속성과 단절을 추적하기 시작했다. 그러한 연구의 많은 것이 요리의 표현과 젠더화된 관행들 간의 관계 ― 우리는 이 주제들을 제10장과 제11장에서 발전시킬 것이다 ― 에 초점을 맞추어왔다(이를테면 Inness, 2000, 2001a, 2001b; Theophano, 2002를 보라). 하지만 역사가들의 연구 역시 가족급식에 대한 여성의 관여가 어떻게 여성을 사적 영역에 가두어놓는 방식으로 작동했는지뿐만 아니라 그것이 어떻게 공적 영역에서 저항과 항의의 토대를 형성할 수 있는지를 추적하기 시작했다. 그것들은 특정 제품의 소비를 거부하는 형태를 취하기도(제12장을 보라), 또는 "일상생활의 네트워크를 …… 정치화하는" 음식폭동과 저항의 형태를 취하기도 한다(Kaplan, cited in Bentley, 1999: 42; 또한 Bentley, 1998; Davis, 2000도 보라).

이 장은 먹기 관행이 어째서 가정 영역에서 형성된 보다 광범위한 권력관계와 관련하여 이해될 필요가 있는지를 검토해왔다. 사사화된 가정 영역 자체는 먹기가 서로 다른 온갖 다양한 의미들을 획득하는 공적 영역과 관련되어 있다. 우리가 이제부터 다루려는 것이 바로 이 문제이다.

제9장

외식

누군가가 멀티플렉스 영화관에 들어가서 그것의 기본 기능을 오해한다고 해도 무리는 아닐 것이다. 티켓 판매 구역에 붙어 있는 상영 영화 리스트는 상대적으로 눈에 잘 띄지 않는다. 그곳의 주요 기능이 분명해지는 것은 사람들이 객석의 어둠 속으로 들어갔을 때뿐이다. 그렇게 하기 이전에는 사람들은 매우 넓고 밝은 조명이 설치되어 있는 휴게실에 머무른다. 그곳에는 자주 영화와 관련된 설비가 전혀 없다. 거기서 사람들이 가장 많이 보게 되는 것은 음식이다. 아이스크림, 픽 앤 믹스 사탕과 청량음료, 핫도그와 나초, 그리고 물론 팝콘, 많은 팝콘 등등. 정말로 많은 것들이 있다. 그리고 모든 음식이 엄청나게 큰 용기에 담겨 서비스되는 것으로 보인다. 심지어는 '레귤러 펩시'조차도 그렇다. 오늘날의 풍경 중에서 눈에 띄는 한 가지 특징은 즐비하게 들어서 있는 음식점들이 무수한 상업시설의 주요 활동과 목적을 보충하고 있다는 것이다. 이를테면 스포츠 경기장과 레저-헬스클럽, 공항, 버스 또는 기차역, 박물관과 미술관, 서점, 슈퍼마켓과 쇼핑몰, 이 모든 것이 일터

옆에 나란히 위치해 있을 수도 있다. 그런데도 우리가 서두를 그 많은 것 중에서도 극장에서 시작하는 것은 현재 우리가 집 밖에서 먹을 때 선택지가 광범하다는 것에 대한 인식을 강하게 심어주기 위한 것이었다.

오늘날 모든 규모의 모든 상업시설들은 일정한 형태의 먹거리를 제공할 필요가 있어 보인다. 그것이 스낵을 제공하지 않고 단기간 이상을 생존하기란 분명 불가능해 보인다. 실제로 피쉴러(Fischler, 1980)는 우리는 지금 '스낵의 제국'에 살고 있다고 주장해왔다. 비록 이것이 전적으로 최근에 발전한 것은 아니지만, 집 밖에서 소비되는 음식의 양이 증가해온 것은 분명하다. 1989년 핑켈스타인(Finkelstein, 1989: 1)은 20세기 말경에는 미국에서 세 번의 식사 중 두 번의 식사가 집 밖에서 구매되어 소비될 것이라고 예언했다. 몇 년 후에 크리스티나 하디먼트(Christina Hardyment, 1995: 193)는 영국의 음식소비 조사에 근거하여 "집 밖에서 소비되는 식사"가 "평균적인 가구의 식사 횟수의 거의 절반"에 달할 것으로 추정했다.

이 장의 목적은 외식의 의미와 관행을 탐구하는 것이다. 그중에서도 특히 레스토랑 문화에 초점을 맞추어, 워드와 마튼스(Warde and Martens, 2000)의 주요 연구 프로젝트에서 보고된 '외식'이라는 용어에 대한 대중의 인식을 성찰한다. 그 연구에서 영국 응답자들은 집 밖에서 음식을 소비하는 어떤 다른 장소보다도 레스토랑과 바에서의 식사를 분명하게 선호했다. 그럼에도 불구하고 여기서 우리는 소비자들이 이용할 수 있는 매우 상이한 먹기 장소들 ― 미슐랭 별점을 받은 컨트리 하우스 레스토랑에서부터 패스트푸드점 그리고 구내식당에 이르기까지 ― 을 다룰 것이다.

집 밖에서 저녁식사를 할 수 있는 여유가 있는 대부분의 사람들에게 그 경험은 일반적으로 쾌락의 한 원천으로, 즉 우리가 살펴보았듯이 규칙적인 가사책임에 수반되는 지겨운 일과 대조되는 것으로 자주 표현된다. 외식은 쾌락의 한 원천이자 점점 더 많은 수의 사람들이 좋아하는 하나의 여가추구라는 것이 이 장의 초기 전제이다. 그리고 아래에서는 대체로 쾌락과 그것에 부여되는 복잡한 의미들 중 일부에 관심을 집중할 것이다. 하지만 그 다음의 전제는 쾌락이 외식경험과 보편적으로 그리고 균일하게 연관되어 있지 않다는 것이다. 그러므로 우리는 외식이 쾌락의 순전한 원천이 아닐 때 경험하는 몇몇 긴장과 불안을 검토하는 것으로 나아갈 것이다. 이 장은 또한 우리에게 집에서의 먹기와 관련한 논쟁을 다시 성찰하고 외식의 증대가 가족가치를 훼손할 우려가 있다는 주장을 평가하는 기회를 제공한다. 그 과정에서 우리는 연회가 단지 가정 내에서 이루어지는 음식소비의 산물이기만 한 것이 아니라 상품화된 먹기 상황에서 산출되었을 수도 있다는 워드와 마튼스의 제안을 탐구한다(Warde and Martens, 2000: 217).

외식의 유형

대부분의 영국 사람들은 적어도 때때로 외식을 한다. 민텔Mintel의 보고서 「외식Eating Out」(1999)은 영국 주민의 95%가 외식을 하고/하거나 테이크아웃 음식을 구매한 경험이 있다고 결론지었다. '단지 가끔' 외식한다는 사람들도 18%라는 상당한 비율을 차지하고 있었지만, 외식을 한 적이 없다고 응답한 사람들은 단 5%뿐이었다. 그 보고서는 1999년 말경에 전체 외식시장의 가치가 약 206억 파운드에 달할 것으로 예상했다. 이 중 레스토랑의 몫이 45억 파운드로 추정되었다. 보고서는 최근 외식의 인기가 크게 증가하여, 레스토랑의 시장가치가 1994년 총 36억 파운드에 대비할 때 23%가 증가했다고 지적한다. 또 다른 방식으로 이 증가를 표현하면, 1999년의 연평균 외식지출비용은 1인당 361파운드였고, 주당 외식지출비용은 1인당 6.94파운드였다(이에 비해 1994년의 주당 외식지출비용은 1인당 5.83파운드였다). 스타인가르텐(Stein- garten, 1997: 29)은 영국의 가구당 평균 외식지출비용은 연간 약 1,650달러라고 보고한다. (미국의 외식 역사에 대해서는 Levenstein, 1993을 보라.) 민텔의 조사는 응답자들을 인구학적 하위집단들로 나누어 체계적으로 분석하고, 젠더, 연령, 생애단계, 지역 및 사회경제적 범주들과 관련한 매우 독특한 변이들을 보여준다. 그리고 이 충분히 연구되지 않은 영역에서 출간된 학술적 저술들은 외식행동에서 나타나는 유사한 변이의 토대에 주목하고 있다(Warde and Hetherington, 1994; Warde, 1997; Warde and Martens, 2000). 워드와 마튼스의 연구가 제시하듯이, "자주 외식하게 하는 가장 강력한 요인을 중요한 순서대로 나열하면 젊음, 충분한 가구소득, 학력, 아내 없음, 16세 이하의 아이 없음"이었다(Warde and Martens, 2000: 71).

30년 전에 유사한 조사가 실시되었다면, 매우 다른 결과가 나왔을 수도 있다. 영국에서 널리 행해지는 여가활동인 외식은 1950년대 이후에 크게 부상한 현상으로, 1960년대와 1970년대에 그 빈도가 점차 증가하다가 1980년대 들어 급격히 증가했다. 1980년대 중반과 1990년대 중반 사이에 런던의 카페와 레스토랑의 수는 약 3,000개에서 6,000개로 두 배 증가한 것으로 추정된다. 1990년대 후반에는 매주 약 50개의 점포가 새로 문을 열었고, 1995년에 이들 점포가 제공한 식사는 1985년에 비해 약 33%가 늘어났다(Author Unknown, 1988).

레스토랑은 단지 사람들에게 음식을 제공하기 위해서만 존재하는 것이 아니다. 벨과 발렌타인(Bell and Valentine, 1997: 125)은 레스토랑 저녁식사를 토탈 소비패키지 – 단지 음식과 음료만이 아니라 총체적인 '경험'을 제공하는 – 라고 지칭한다. 분위기는 분명 음식 자체만큼이나 레스토랑을 홍보하는데 중요하다. 이것은 레스토랑의 소비자 의견 카드에 반영되어 있다. 그 카드는 소비자들에게 단지 음식항목 이상의 매우 광범위한 항목들에 응답해 줄 것을 요구한다. 동시에 식사공간은 설계 면에서 점점 더 멋있어지고 있으며, 면밀하게 선발된 사람들이 그곳에서 근무한다. 직원들은 마치 주인처럼 보이고 흠 잡을 데가 없다. 주인들은 좀 더 세련된 방식으로 서로 앞서가려고 경쟁하고, 그 과정에서 레스토랑은 저녁시간을 보내는 새로운 방식이 된다. 설계와 스타일 그리고 소비자 경험이 더욱 강조되는 것은 포스트포드주의로의 전환(제1장을 보라)과 관련한 소비의 변화라는 측면에서 이해될 수 있다. 특히 테마 레스토랑의 등장은 틈새시장, 음식쾌락과 다른 소비활동의 혼합, 물질적 상품보다 '경험적' 상품에 대한 강조가 증가한 것을 겨냥한 것이었다. 이러한 레스토랑 문화의 변화는 생산과 소비에서 발생한 보다 광범위한 변화와 결부되어 있다(Lee, 1993). 하나의 흥미로운 혁신적 사례가 1997년 솔리헐Solihull에 문을 연 데이브 앤 버스터스Dave and Buster's라고 불린 시설이다. 이는 미국에서 성공한 한 체인이 영국 시장에 진출하기 위한 시도의 일부로, 메인 음식은 버거와 감자튀김이며, 식사는 큰 홀의 중앙부에서 이루어진다. 테이블 가장자리 주변으로 게임장, '오락용' 카지노, 골프 시뮬레이터, 가상현실 시스템, 챔피언십 스타일의 셔플보드가 설치되어 있다. 요컨대 데이브 앤 버스터스는 단순히 레스토랑이 아니라 그것이 마케팅하는 그대로 "음식과 오락을 동시에 경험하는 장소", 즉 "궁극적인 레스토랑 엔터테인먼트 콤플렉스"이다.

퍼포먼스는 오랫동안 레스토랑 경험의 한 가지 특징이었다. 초기에 이것은 접대직원들의 활동에 속했다. 이를테면 전통적인 고급 레스토랑에서 고객 접시의 덮개는 웨이터가 과장된 몸짓으로 열어 멀리에 놓았고, 병의 코르크 마개는 와인 웨이터가 연기하듯이 향을 음미하는 것이 매너였다. 보다 최근에는 적어도 영국에서 그것은 점점 더 셰프의 일이 되었다. 셰프가 공개된 주방에서 식사손님에게 조리과정을 지켜볼 수 있게 하는 옵션을 제공하는 것이 점점 더 인기를 끌었다. 이것은 음식의 시각적 미학이 점점 더 중요해지고 셰프가 점점 더 하나의 예술가로 생각되어온 과정의 일부로 이해될 수 있다(Ferguson and Zukin, 1998). 이를테면 런던의 커넛호텔The Connaught에는 현재 "주방 내 셰프 테이블"이 있다. 요행히도 이 인기 있는 테이블을 확보한 사람들은 슈퍼 셰프 고든 램지Gordon Ramsay가 관장하는 조리과정 한 가운데서 많은 것을 느낄 수 있다. 이러한 퍼포먼스적 측면들은 또한 담론화된다. 즉 연극적 은유는 오랫동안 레스토랑 리뷰를 특징지어왔다. 이를테면 레이크 디스트릭트Lake District에 있는 샤로우 베이Sharrow Bay 호텔의 레스토랑은 1995년에 "기름을 잘 칠한 기계처럼 유기적 협력이 이루어지고 있고, 자극적이고 연극적이며, …… 무대가 세련되고 우아하게 연출되어 있다"는 평가를 받았다(Ainsworth, 1995: 506). 물론 샤로우 베이의 '전체적인 경험'은 데이브 앤 버스터스의 그것과 매우 다르다. 전통적인 영국 컨트리 하우스 스타일이 정성 들인 음식을 더욱 돋보이게 만들어준다. 식당은 풀을 먹인 테이블보와 고급 식기로 격식을 갖추고 있다. 서비스는 정중하지만 도가 지나치지는 않다. 거기에는 친츠chinz로 장식한 가구들로 이루어진 안락한 라운지가 있고, 그곳에서 저녁식사 후 커피를 마실 수 있다. 가격은 비싸다. 앨런 워드는 1992년에 샤로우 베이에서의 1인당 평균 저녁식사비를 42파운드로 산정했는데, 이는 평균 가구의 일주일간의 음식지출과 거의 맞먹는다. 그것은 평균적인 부에 미치지 못하는 가구의 일주일 음식지출 비용을 크게 넘어서는 것이었다. 그는 자료를 역사적으로 흥미롭게 상호 연관시키면서, 1992년의 가격을 1968년의 가격과 비교했다. 1968년에 같은 음식점에서 저녁식사를 하는 데 1인당 약 3파운드가 들었다. 그해에 평균적인 가구는 음식에 주당 6.59파운드를 지출했고, 이는 1960년대에 전체 음식지출 대비 그 음식점의 식사비용이 훨씬 싼 것처럼 보이게 했다(Warde, 1997: 107). 실제 가격이 두 배 이상 증가한 것에 대한 이러한 지적은 외식의 인기 증대에 대한 또 다른 관점을 제공한다.

로이 C. 우드Roy C. Wood는 분위기, 설계, 퍼포먼스를 더욱 더 강조해온 것이 레스토랑 음식이 점점 더 표준화되어왔다는 사실을 가리고 있다고 주장해왔다. "새로움과 혁신 또는 '실제적' 차이가 갖는 의미는 비음식 요소들, 즉 음식이 제공되는 환경과 그러한 환경이 소비자에게 갖는 가치로부터 나온다(Wood, 1994: 12). 그는 계속해서 다음과 같이 지적한다. "외식은 점점 더 표준화되고 관례화된다. …… '선택'은 이 단어가 갖는 유의미한 의미에서 보더라도 하나의 환상이다. 그리고 …… 외식행위 자체는 유행과 관례가 요구하는 것을 수동적으로 수용하는 것 그 이상의 어떤 의미를 지니지 못한다"(ibid.: 13). 하지만 우리가 다음 절에서 살펴보듯이, 사람들이 외식에 부여하는 의미는 이것이 제시하는 것보다 더 복잡하다. 그리고 표준화는 아마도 우드가 가정하는 것보다 덜할 것이다.

외식의 즐거움

우드의 접근방식이 지닌 문제들 중의 하나는 그것이 레스토랑 산업을 지배하는 사람들에게 궁극적 권력을 부여하고 나서 그 권력이 사람들이 레스토랑 경험을 소비하는 방식을 결정한다고 가정한다는 것이다. 우리는 1970년대와 1980년대에 문화연구 내에서 있었던 이론적 논쟁 속에서 이와 유사한 긴장을 확인할 수 있다. 우리는 당시까지만 해도 문화연구가 권력의 지배적 형태들과 그것이 대중문화 형태 속에서 표현되는 방식을 분석하는 데 관심을 집중하는 경향이 있었다고 주장할 수도 있다. 하지만 그 후 문화연구 내에서 사람들은 문화형식의 선택에서 일정 정도의 자율성을 지니며 그들이 그러한 관행에서 얻는 즐거움을 전적으로 지배적 관념의 전파와 관련하여 설명할 수는 없다는 인식이 증가해왔다. 페미니스트 학자들은 이러한 재평가에서 많은 일을 수행했다. 특히 그들은 인기 있는 연애소설과 드라마를 즐기는 여성 소비자들이 추구하는 쾌락과 관련하여 그러한 작업을 했다(Ang, 1985; Radway, 1987). 외식의 즐거움을 음식과 관련하여 명시적으로 다루고 있는 연구들은 많이 있다 (Finkelstein, 1989; Hardyment, 1995; Lupton, 1996; Martens and Warde, 1997; Warde, 1997; Warde and Martens, 2000). 하지만 이러한 연구들은 문화연구보다는 다른 분과학문에서 나왔다. 그렇지만 이들 연구는 쾌락의 문제를 의미 있는 것으로 다루는 문화연구 전통과 친화성을 가지고 있으며, 또한 우리로 하여금 우드의 분석에 의문을 던질 수 있게 해준다. 여기에서는 영국의 세 도시에서 외식에 관한 일련의 질적·양적인 경험적 연구를 수행해온 리디아 마튼스Lydia Martens와 앨런 워드의 저작을 검토하는 것이 유용할 것 같다.

그들의 기본적인 주장은 외식관행이 '사회적 분할'과 '문화적 복잡성'에 의해, 그리고 사치품으로서의 음식과 필수품으로서의 음식을 둘러싼 의미들의 역동적인 상호작용에 의해 특징지어진다는 것이다(Warde and Martens, 2000). 노스웨스트 잉글랜드 프레스턴의 외식습관에 대한 그들의 초기 분석(Warde and Martens, 1997)은 그들이 수많은 쾌락의 원천을 분리할 수 있게 해주었다. 많은 것들이 단순한 쾌락주의 – 외관상 다른 것과 전혀 얽혀 있지 않은 즉각적 만족이라는 즐거움 – 와 관련되어 있었다. 이러한 쾌락이 먹기가 대부분의 문화에서 쾌락의 가장 기본적인 원천들 중에서도 두드러져 보이는 다른 활동들, 이를테면 놀이, 섹스, 노래하기, 춤추기와 나란히 위치하게 만든다. 또 다른 쾌락들은 음식의 인지된 질質과 매우 밀접하게 연계되어 있었다. 그중에서 특히 두드러지는 것이 '식도락가foodie'의 쾌락, 즉 '지식을 갖춘' '감식력 있는' 미각의 반응이다.

많은 응답자에게서 외식의 사회적 차원은 거의 항상 중요하고, 가장 즉각적으로 표현되는 쾌락의 원천인 것으로 나타났다. 어쩔 수 없이 집을 떠나 있을 수밖에 없을 때를 제외하고는, 매우 적은 수의 영국 사람들만이 레스토랑에서 혼자 식사를 했다. 그리고 사회적 접촉과 대화의 질이 음식의 질만큼이나 쾌락의 원천으로 중요하다는 것은 분명하다. 이와 연관된 것으로, 일반적으로 "특별하다는 느낌"이 중요한 것으로 보고되었다. 많은 사람들에게 외식은 지극히 평범한 일상적 경험으로부터 벗어나서 즐기는 특별한 대접, 즉 특별 행사이다. 빈번히 외식은 낭비를 요구하는 하나의 행사이고, 이러한 맥락에서 고급 식사의 비용은 특별하다는 느낌, 그리고 그리하여 즐거움에 기여할 수도 있다. 많은 레스토랑이 이러한 특별하다는 느낌을 강화하기 위해 공모한다.

젠더 차원에서 볼 때, 많은 여성 응답자는 통상적인 가사책임으로부터의 해방감을 거론했다. 장을 보고 음식을 준비하고 나중에 설거지를 하지 않는다는 것과 다른 사람의 시중을 받는다는 것 모두가 그러한 형태의 즐거움에 중요한 기여를 한다. 마지막으로, 선택지가 다양하고 색다른 것을 선택할 수 있다는 것이 하나의 핵심적 요소였다. 여기서 다시 준거점은 집에서 만든 음식이고, 제한적이고 예측 가능한 범위의 선택지로부터 벗어나 있다는 것은 많은 응답자들에게 쾌락의 한 원천이었다.

마튼스와 워드의 연구의 장점들 중 하나는 그들이 손님들이 경험한 즐거움의 정확한 형태들에 대한 상세한 경험적 증거를 제시한다는 것이다. 응답자들이 하나의 행사로서 외식이 갖는 중요성을 강조한다는 것은 그들에게 "식사는 사회적으로 중요하고 시간상으로 특수한 하나의 행사를 상징한다"는 것을 시사한다(Warde and Martens, 2000: 217). 게다가 그들의 조사는 레스토랑에서 즐기는 연회는 가족식사가 산출하는 함께 먹기라는 공동체적 경험을 거의 위협하지 않는다고 암시한다. 그들은 "상품화된 음식제공과 연회 간에는 어떤 필연적인 갈등도 존재하지 않는다"고 결론짓는다(ibid.). 이러한 발견은 우드의 저작을 문제 있는 것으로 만들 뿐만 아니라 이제 우리가 논의할 조안 핑켈스타인Joanne Finkelstein의 저작에 대해서도 의문을 제기한다.

무례의 장소로서의 레스토랑

핑켈스타인에서 중심을 이루고 있는 반反직관적인 주장은 "외식관행이" 쾌락의 한 원천이기보다는 "많은 무례의 원천"이라는 것이다(Finkelstein, 1989: 5). 그것의 밑에 깔려 있는 전제는 '예의바름'이 사람들이 서로 공개적으로 자발적으로 그리고 '의미 있게' 관계를 맺고 서로의 퍼스낼리티와 욕구에 진정으로 정중하게 응하는 것을 조건으로 한다는 것이다. 핑켈스타인은 외식의 예법화된 속성은 이러한 유형의 관여를 미리 배제한다고 주장한다. 그녀는 "레스토랑이 고무하는 상호작용 스타일은 미개한 사회성을 낳는다"고 주장한다. "레스토랑의 책략이 외식을 (우리를 예상된 행위의 틀 내에 위치시키는) 관습에 의해 규율된 격식을 따르는 활동으로 만든다"(ibid.). 우리가 외식의 규칙을 따를 때, 우리는 실제로 역할을 연기한다. 그리고 그러한 역할은 이미 고정화된 채로 우리에게 주입되어왔다. 고도로 세련된 서구 문화에서 외식은 복잡한 의례 또는 퍼포먼스가 되어왔다. 따라서 우리가 외식을 하는 것은 그러한 의례 또는 퍼포먼스에 참여하는 것이다. 외식을 한다는 것은 퍼포먼스가 요구하는 정중한 행동을 한다는 것이며, 따라서 그 속에서 우리가 동료들과 적절한 관계를 맺는 것은 불가능하다. 그리고 그것의 최종 결과가 핑켈스타인이 진단한 무례이다.

따라서 분명 핑켈스타인의 주장은 우리가 외식과 직관적으로 연관시키는 주요한 즐거움들 중의 하나를 크게 훼손한다. 즉 마튼스와 워드의 연구에서 식사손님들이 거론한 사회적 상호작용이 매우 근본적으로 심문받는다. 하지만 레스토랑 행동의 예법화된 속성에도 불구하고 그리고 어쩌면 그것 때문에 의미 있는 상호작용이 존재할 수 있다는 것 또한 분명한 사실이다. 테이블의 빵 부스러기를 치우고 있는 웨이터의 존재가 대화를 방해할 수는 있지만, 일단 그들이 떠나면 그들의 활동이 새로운 대화주제를 만들어내는 데 도움을 주고, 또 그것이 의미 있는 형태의 의사소통으로 이어질 수도 있다. 이러한 점에서 외식경험을 즐거운 상호작용과 연결시키는 사람들이 반드시 핑켈스타인의 분석이 주장하는 방식으로 스스로 착각에 빠지는 것은 아니다. 핑켈스타인의 연구에 대한 비판들은 그녀가 주로 레스토랑 문화보다는 정체성과 자아 이론의 형성에 초점을 맞추고 있다고 주장해왔다(Mennell et al., 1992; Wood, 1994; Beardsworth and Keil, 1997; Martens and Warde, 1997). 그리고 분명 우리는 그녀의 프로젝트와 제3장에서 논의한 엘리아스의 문명화 과정에 대한 광범한 설명 간의 연관성을 포착할 수 있다. 이를테면 핑켈스타인의 저작이 외식에 대한 사례연구에서부터 '근대성의 매너'에 대한 보다 일반적인 설명으로 나아가면서 점점 더 분명해지는 것은 그 분석이 선진 서구사회의 인간 상호작용의 조건에 대한 대체로 부정적인 독해에 의해 인도되고 있다는 것이다. 게다가 워드와 마튼스가 주장하듯이, 그녀의 "테제는 그것의 불충분한 경험적 근거, 손님을 수동적이고 미혹된 사람으로 해석하는 것, 그리고 선진사회의 하위문화적 차이들에 대한 무관심"으로 인해 비판받을 수도 있다(Warde and Martens, 2000: 6).

워드와 마튼스가 일반적으로 레스토랑이 무례보다는 "연회와 협력"의 장소라고 주장하지만(ibid.: 277), 그럼에도 불구하고 그들의 연구는 외식의 몇몇 고충들을 인정한다. 이를테면 그들은 "다른 테이블의 사람들은 서로서로의 대화에 좀처럼 신경 쓰지 않는다"고 논평한다(Warde and Martens, 1997: 147). 인접 테이블의 행동은 즐거운 상호작용을 방해하는 것으로 인식된다. 이를테면 '그들'의 거슬리는 시끄러운 대화나 그들의 시가 연기가 '우리'의 즐거움을 방해할 때 더욱 자주 그러하다. 누군가는 실제로 이러한 유형의 방해가 핑켈스타인의 무례에 가깝고, 우리가 열망하는 완전한 상호작용적 사회성을 훼손할 우려가 있다고 주장할 수도 있다. 예절바름 또는 무례에 대한 관점들은 그러한 관점들을 만들어낸 입장의 문제일 수도 있다. 외식이라고 하는 무대에서 다른 사람들이 우리의 퍼포먼스를 얼마든지 지켜볼 수도 있다. 그러나 그들의 퍼포먼스를 지켜보는 것에서 우리가 어떤 즐거움을 얻을 가능성은 전혀 없다.

외식과 '구별짓기'

앞서 논의한 즐거움 중 많은 것은 외식과 집에서의 식사 간의 차이에 대한 인식, 즉 일상의 친숙하고 잠재적으로 싫증나는 행동유형으로부터의 이따금씩의 해방으로부터 나온다. 이러한 의미에서 외식은 집에서의 먹기의 '이국적 타자'이다. 그러한 인지된 대비가 결정적으로 의존하고 있는 또 다른 일단의 의미들은 손님의 자아의식과 사회적 지위를 공고화하는 데서 외식이 수행하는 역할과 관련되어 있다. 이것은 어느 정도의 상류층이 애용하는 레스토랑을 드나든다는 사실에서부터 고급 음식점을 자신 있게 편안히 이용한다는 것이 암시하는 능력의 과시에 이르기까지 다양한 뉘앙스를 포괄한다. 우리는 음식문화가 구별짓기와 관련하여 수행하는 역할에 대해 부르디외가 제시한 통찰을 이미 제4장에서 논의한 바 있다. 워드와 마튼스는 외식은 "취향의 과시를 통해 지위의 경계를 정하는 구별짓기의 장으로 여전히 작동하고 있다"고 결론짓는다(Warde and Martens, 2000: 226). 실제로 다른 사람들은 현대의 외식유형(특히 신중간계급 내에서의)이 자주 문화적 잡식성 전략을 포함하고 있다고 주장해왔다. 이러한 전략은 "가능한 대안들을 가장 광범위하게 알고 경험하는 것을 문화적 세련됨과 등치시키고 다양성 자체를 위한 다양성"을 높이 평가한다(ibid.: 79).

미식의 즐거움을 특권적으로 즐기는 사람들과 관련한 미디어 담론들은 빈번히 '식도락가'라는 인물을 중심으로 이루어진다. 이를테면 『공식 식도락가 핸드북The Official Foodie Handbook』은 식도락가foodie와 미식가gourmet를 대비시킨다. 미식가는 "일반적으로 부유한 남성 아마추어로, 그에게 음식은 하나의 열정이었다. 식도락가들은 일반적으로 열렬한 전문가로, 그에게 음식은 하나의 유행이다. 하나의 유행이라고? 그렇다 **바로** 유행이다"(Barr and Levy, 1984: 7). 다이애나 시몬즈(Diana Simmonds, 1990: 130~131)는 식도락주의가 변덕스러운 유행의 경향을 띤다는 데에 동의하지만, "식도락가가 된다는 것은 자기도취, 자기애, 자기기만, 자기확신 – 달리 말해 근대시기에 유례없이 부상한 이기심 – 을 요구한다"고 주장한다. 비록 그들의 결론이 다르기는 하지만, 그러한 논평자들은 그러므로 식도락가는 재미와 쾌락주의의 추구에서 계급경계를 재설정하는 새로운 중간계급의 인물이었다는 데 동의한다.

신문의 레스토랑 리뷰는 식도락가의 형성을 이해하는 데 하나의 유익한 장場이다. 영국 언론계에서 가장 양식화된 글쓰기를 하는 레스토랑 평론가 중의 한 사람이 마이클 위너Michael Winner이다. 그는 ≪선데이 타임스≫에 「위너의 디너Winner's Dinners」라는 칼럼을 쓰고 있다. 1998년 4월 19일자에서 다룬 레스토랑은 런던의 메르디앙 호텔Meridien Hotel에 있는 오크룸 마르코 피에르 화이트Oak Room Marco Pierre White였다. 그리고 그 리뷰는 '식도락가'의 전문지식이 문화자본을 과시하는 데 기여할 수 있는 방식 중 일부를 잘 보여준다. 사람들은 우선 슈퍼스타 셰프가 요리한 음식의 종류에 주목한다. 위너가 선택한 두 코스 중 첫 번째 코스, 즉 설탕에 졸인 오징어와 콘웰산 블루 랍스터를 곁들인 해물찜은 특히 점심시간에는 그 식사손님을 대부분의 다른 손님들과 구분하게 하는 것을 넘어, 이국취미의 한 수준을 상징한다. 메인 코스, 즉 흐물흐물해진 돼지머리와 다양한 부위의 돼지고기는 강건한 농민들의 음식으로, 최근에 일어난 취향변화 중 하나를 상징한다. 그리고 그로 인해 고기의 값싼 부위로 만든 시골음식이 한창 유행하게 되었다. 가격역시 하나의 요소이다. 세트메뉴를 퇴짜 놓고 와인 목록에서 1986년산 무통

로쉴드Mouton Rothschild 반병을 선택한 위너는 아무렇지도 않다는 듯이 두 명의 점심 값으로 496파운드를 지불한다. 이것이 경제적 자본을 과시적으로 드러내는 것으로 해석될 수도 있지만, 이 리뷰는 위너의 음식취향의 순수성을 뒷받침하고, 그리하여 그의 문화적 자본의 보유량을 증명한다. 하지만 그 리뷰의 대부분은 음식에 관심을 두지 않고, 대신에 자신과 셰프 그리고 유명인들과의 친밀한 관계를 논의함으로써 위너의 사회적 자본을 광고한다. 따라서 그 기사가 주로 식도락가 이너서클에 가입하고 싶어 하는 독자들을 대상으로 하고 있는 것처럼 보일 수도 있다(하지만 많은 독자들은 위너의 잘난 체하는 것을 싫어할 수도 있다). 감식력 있는 미각을 과시함으로써 문화 자본을 축적하는 과정에서 음식문화가 점점 더 중요해지고 있는 세계에서, 이러한 리뷰는 거기에서 작동하는 몇몇 메커니즘을 생생하게 보여준다.

이러한 메커니즘들은 사람들의 외식 매너 속에서도 작동한다. 우리가 제3장에서 살펴보았듯이, 테이블 매너와 사회적 에티켓은 구별짓기를 수행하는 중요한 수단일 수 있다. 그리고 그러한 예법들은 디너파티에서와 마찬가지로 레스토랑에서도 작동한다. 외식할 때, 우리는 서로 다른 종류의 음식을 먹는 순서, 음식을 먹는 속도, 다른 손님과 레스토랑 점원에 대해 행동하는 방식을 지배하는 관례를 지키는 경향이 있다. 벨과 발렌타인(Bell and Valentine, 1997: 131)이 지적하듯이, "당신이 하는 모든 동작은 외식을 강력하게 구조화된 하나의 용무로 만드는 모종의 레스토랑 규범에 의해 지배되고 있다." 워드와 마튼스의 응답자들 중 일부는 이러한 구조화되어 있음 – 메뉴를 제시받고 자리를 잡고 앉아 식사하고 집에서보다 늦게 먹는 것 – 을 즐거움의 한 원천으로 생각했다(Warde and Martens, 2000: 46).

앞서 언급한 오크룸 리뷰에서 위너가 외식예법이 창출하는 즐거움을 이해하고 있음은 분명하다. 그러나 위너의 즐거움은 또한 그러한 규칙을 전복하는 데서도 나온다. 그는 다음과 같이 자세히 이야기한다. "나는 그때 검은 재킷을 입고 낡은 실크 키퍼타이를 매고 있었다. 맥크로[주인]는 편안히 앉아서 나를 위아래로 훑어보았다. 그는 '우리가 복장규정이 없어 다행이다. 그렇지 않으면 당신은 들어오지 못했을 것이다'라고 말했다"(Winner, 1998) 위너는 캐주얼하게 옷을 입을 수 있다. 왜냐하면 그는 고급 레스토랑에서 저녁식사를 하는 것에 따르는 예법들과 관련하여 그가 지닌 특권적인 지위에 대해 너무나도 자신만만하기 때문이다.

이러한 종류의 예법 이탈과 무지에 근거한 이탈 간에는 엄청난 차이가 있다. 모든 사람들이 외식할 때 위너 씨처럼 자신만만하지는 않다. 많은 사람의 경우 레스토랑 예법에 무지해 보이지는 않을까 하여 불안해한다. 이것이 친숙한 구조가 지닌 안심기능의 이면이다. 몇몇 상황에서 어떤 사람들에게 그러한 구조가 잠재적 당혹감의 지뢰밭으로 변형될 때, 그것은 가혹한 것이 된다. 워드와 마튼스의 연구(Warde and Martens, 2000)는 비백인 소수집단들이 특히 그러한 불안을 느끼고 있음을 확인한다. 비록 외식이 일반적으로 비격식적이 되고 점점 더 느슨하게 통제되는 경향이 있기는 하지만, 모든 경우에 모든 사람들에게 저녁 외식이 반드시 완전히 편안하고 즐거운 것은 아니다. 외식을 둘러싼 많은 형태의 불안들이 존재한다. 그리고 그중 많은 것이 시간이 지남에 따라 변할 것이다. 그러한 것들 중 일부는 저녁식사의 격식적이고 명백히 시대착오적인 측면과 관련되어 있을 수도 있다. 이를테면 레스토랑에 도착하기 전에, 사람들은 무엇을 입을지를 결정해야만 한다. "그곳에 복장규정 있어?" 일단 레스토랑에 가서는 "세 코스 먹어야 해?", "어떤 잔이 레드와인 잔이고 어떤 잔이 화이트와인 잔이야?", "어떤 게 미들코스용 포크야?", 그리고 식사 마지막에는 "팁은 얼마나 줘야 해?" 또는 "봉사료가 포함된 거냐고 물어봐야 해?", 어쩌면 무엇보다도 "식사 잘 하셨나요라고 물으면 어떻게 대답해야 해? 불평해도 돼 아니면 불평하면 안 돼?"

하지만 매너와 식사예법의 비격식화도 똑같이 그것 나름으로 불안을 초래할 수 있다. 우리는 옷과 타이가 너무 화려하지 않을까, 만약 벤치 의자가 있다면 낯선 사람 옆에 앉아야 할까, 그리고 와인을 따를 것인가 아니면 웨이터가 따르도록 놔둘 것인가를 판단해야 할 수도 있다. 비격식화는 자주 새로운 요리들과 연관되어 있다. 그리고 그것이 이를테면 젓가락의 사용, 코스의 올바른 순서 또는 마실 것을 둘러싸고 새로운 종류의 불안을 야기할 수도 있다. 이것이 워드와 마튼스의 연구(Warde and Martens, 2000)가 중간계급 손님들이 노동계급 손님들보다 이국의 민속 레스토랑을 훨씬 더 편안해한다고 암시하는 이유이기도 하다. 이러한 식으로 외식경험의 많은 측면들 속에서 구별짓기 또는 구별 없애기가 일어난다. 이국 민속 레스토랑의 예가 보여주듯이, 그것은 또한 고유성의 문제에도 기초한다.

고유성과 표준화

우리는 제5장, 제6장, 제7장에서 고유성과 표준화의 문제가 현대 음식문화에서 주요한 위치를 차지하고 있다는 점을 이미 살펴보았다. 이것은 레스토랑 문화에도 적용된다. 레스토랑 문화에서는 어찌되었든 스페인 농촌, 프로방스 또는 토스카나의 한 부분을 옮겨놓은, '단 하나뿐'인 '작은 명소'라는 관념이 계속해서 우수성의 표지가 되고 있다. 단 하나뿐인 트라토리아(이탈리아식 작은 음식점)나 비스트로의 질은 맥도날드나 피자헛의 표준화된 제품과의 거리에 의해 정해진다. 그리고 그러한 질을 확실하게 알아보는 손님은 자신의 훌륭한 취향에 대한 의미 있는 진술을 하고 있는 중이다. 이러한 준거 틀 내에서 고유성의 의미를 지속적으로 생산하고자 하는 탐색은 계속된다. 하지만 새로운 사업기회의 추구는 빈번히 '고유성'의 요구와 상충된다. 여기서 거론할만한 가치가 있는 두 가지 영국 사례가 홍합-감자튀김moulesfrites과 벨기에 맥주를 파는 음식점인 [벨기에풍 레스토랑] 벨고Belgo와 타파스 바tapas bar 체인인 [스페인풍 레스토랑] 라 타스카La Tasca이다. 이 두 레스토랑이 고유성을 내세움에도 불구하고(벨고에서 직원들은 트라피스트회 수도사의 복장을 하고 있고, 라 타스카에서는 공을 들여서 인테리어와 음악을 재현해놓았다), 그것들은 매우 심하게 표준화되어 있다(아마도 그들의 손님 중 많은 이들이 그러한 표준화를 경멸하는 척할 것이다). 벨고는 1992년에 런던 북부에서 단 하나뿐인 레스토랑으로 시작했지만 급속한 성공과 확장을 거듭하여, 벨고 지점 체인은 지금은 런던에 보다 고급스런 레스토랑을 여러 개 소유하고 있는, 급속히 성장하고 있는 그룹의 일부이다. 그 회사의 회장 루크 존슨Luke Johnson은 피자익스프레스 체인 출신이었다. 라 카스카 역시 영국 전역에 소재하는 거대 레스토랑 체인으로 성장했다. 이것들은 영국 레스토랑 문화에서 증가하고 있는 하나의 추세의 두 사례일 뿐이다. 프랑스 '고유의' 맥주집 스타일 음식점 체인 쉐 제라드Chez Gerard의 회장인 로렌스 아이작슨Laurence Isaacson은 "오너 셰프의 시대는 오래전에 끝났다"고 주장했다. 하지만 우리가 제10장에서 논의하듯이, 이것은 스타 셰프가 점점 더 그들 자신의 레스토랑의 소유자가 되면서 반대경향과 마주쳐왔다. 점점 더 표준화된 노선을 따르는 음식점이 그들이 정의한 '고유성'을 전달하는 데 좋은 위치에 있다는 것은 아마도 사실일 것이다. 하지만 그러한 패키지가 필연적으로 레스토랑의 매력을 정의하는 데 커다란 영향을 미치는, 단 하나뿐이라는 것의 의미와 고유성을 분리시킨다는 것도 똑같이 분명하다.

레스토랑 비평가 휴 핀리-휘팅스톨(Hugh Fearnley-Whittingstall, 1999)은 고유성에 대해 다소 다른 견해를 추구하면서, "외식에서 파생되는 즐거움은 레스토랑 음식의 표준화가 증대하는 것에 정비례하여 일반적으로 감소한다"고 도발적으로 주장한다. 그의 주장은 레스토랑 업계의 최상층에 있는 소수의 실력 있는 셰프들이 영향력을 행사하고 있다는 것에 의거한다. 실제로 이들이 1980년대에 음식에 대한 표준과 태도 모두를 바꾸는 데 크게 기여했다. 그 후 그들의 제자와 후속 세대의 셰프들이 그들의 스타일을 취하여 다듬어왔고, 그리하여 지금은 소수의 셰프들로부터 "직·간접적으로 지도를 받은 200명에 가까운 셰프들이 영국 레스토랑 주방을 움직이고 있다"(ibid.). 핀리-휘팅스톨이 볼 때, 그 결과가 바로 표준화이다. 그에 따르면, 비록 그러한 표준화가 높은 수준의 성과를 거두었지만, 그러한 일종의 균질화된 우수성은 색다르고 이목을 끄는 무언가를 찾는 손님들을 실망시킬 것이 분명하다. 하지만 그러한 견해는 신중하게 접근될 필요가 있다. 실제로 워드와 마튼스의 연구(Warde and Martens, 2000)는 손님들이 실망하는 경우는 드물다고 제시한다. 그리고 리처는 즐거움과 동질화된 우수성 간의 관계를 방어한다(Ritzer, 1998: 178). 이 책에서 논의한 많은 것들이 시사하듯이, 고유성은 단지 복잡하고 문제 있는 용어일 뿐만 아니라 그러한 현상을 완전하게 설명하기 위해서는 소비자들이 고유성을 어떻게 받아들이는지도 설명에 포함시킬 필요가 있다.

이 장을 시작하면서 우리는 먹기의 상품화가 전통적으로 가족식사와 연관된 저녁식사의 사회성을 위협하는가라는 문제를 제기했다. 일부 비판가들은 이러한 상품화를 개인주의적인 간식 먹기, 혼자 먹는 저녁식사, 그리고 가족의 쇠퇴와 연관짓는다. 하지만 이 장은 외식관행이 이러한 비관주의적 견해가 허용할 수 있는 것보다 훨씬 더 복잡하다고 주장해왔다. 우리는 대신에 외식이 매우 다양한 의미를 제공하지만 그중에서 무엇보다도 중요한 것은 워드와 마튼스가 핑켈스타인의 무례 관념에 반대하여 제시한 연회와 사회성이라고 주장해왔다.

제10장

음식 관련 저술

표상은 문화연구 내에서 중심적인 쟁점을 이루는 것 중의 하나이다. 존 피스크(John Fiske, 1989: 191)가 시사하듯이, "모든 표상은 정치를 포함할 수밖에 없으며", 따라서 그러한 정치의 성격을 밝히는 것이 문화연구의 과제이다. 우리가 제4장에서 주장했듯이, 문화연구는 문화적 형태와 문화적 관행에 관한 어떠한 분석도 거쳐 지나갈 수밖에 없는 '문화회로'를 규명해왔다. 우리는 소비과정과 정체성이 이 회로에 대해 갖는 중요성을 이미 입증했다. 여기에서 우리가 관심을 가지는 것은 의미화의 관행이다. 앞으로 두 장에 걸쳐 우리는 음식이 두 가지 텍스트 형태로 표현되는 방식에 관심을 기울일 것이다. 이 장에서는 활자매체 속에서 음식이 표현되는 방식을 다루고, 다음 장에서는 텔레비전이 요리를 표현하는 방식을 다룬다.

음식 관련 저술에 대한 가장 포괄적인 분석은 스티븐 메넬의 연구에서 나타난다. 메넬은 음식 관련 저술형태를 두 가지로, 즉 미식문학과 요리책으로 구분한다(Mennell, 1996). 그는 후자의 범주를 주로 가사활동 그리하여 여성적인 것과 연관시키는 한편, 전자의 범주를 음식과 관련하여 발전 중에 있는 공적 영역을 표현하는 것으로 그리하여 남성적인 것으로 인식한다. 아래에서 우리는 우리의 논의를 이들 두 범주를 축으로 하여 조직하고, 이들 범주가 산출하는 표상정치representational politics를 제기한다. 메넬을 따라 우리는 젠더 문제가 음식 관련 저술의 텍스트 정치에서 중심적이라고 보지만, 우리는 계급정치와 국민성정치 역시 중요하다는 점을 입증한다.

요리책

최초로 활자화된 요리책은 뉘른베르크에서 1485년에 첫 출판된 책인 『쿠첸마이스터리Kuchenmeisterey』라고 추정된다. 혁신은 빠르게 모방되었다. 이를테면 14세기 필사본에 대략적으로 기초하여 프랑스에서 출판된 첫 번째 요리책 『르 비앙디에Le Viandier』가 1486년에서 1615년 사이에 "파리, 리용 그리고 툴루즈에서 13개의 서로 다른 출판사에 의해 23번 재간행되었다"(Hyman and Hyman, 1999: 394). 메넬이 설명하듯이, "16세기 중반쯤에는 요리책들이 대부분의 서유럽 주요 언어들로 간행되고 있었다"(Mennell, 1996: 65). 17세기 말경의 요리책들이 식단 삽화들을 싣고 있었던 반면, 『신新 과자·술·과일 교본La Nouvelle Instruction pour les confitures, les liquers et les fruits』(1692)에는 완전하게 차려진 식탁의 그림이 포함되어 있었다. 18세기 중반에는 요리 자체에 대한 삽화들이 포함되기 시작했다(Hyman and Hyman, 1999: 397~399). 오늘날의 출판산업에서 요리책은 중요한 위치를 차지하고 있으며, 자주 세련된 디자인과 사진기법들을 이용한다. 음식 관련 출판업자 앤 도라모어Anne Dolamore가 설명하듯이, "대부분의 대형 출판사들은 …… 시즌 블록버스터를 만들어내기 위해 10만 파운드에 달할 수도 있는 선급금을 충당하고도 남을 만큼 엄청나게 책을 판매할 수 있는 셰프나 TV 유명인사들을 찾고 있다"
(Kapoor, 2001: 17). 델리아 스미스Delia Smith의 『요리법 2How to Cook: Book Two』
가 1999년 12월에 출간되었을 때, 그것은 영국에서 첫 3일 동안 11만 부 이
상이 팔렸다(Ezard, 2000). 그것의 전작인 스미스의 『요리법How to Cook』은 이
미 1998년의 크리스마스 베스트셀러 목록에서 수위를 차지했었다. 이 두 책
모두는 그와 동시에 방영된 텔레비전 시리즈를 등에 업고 발행되었다. 이 사
실은 요리책이 단순히 출판업에서뿐만 아니라 오늘날의 보다 광범위한 미
디어산업 구조 내에서도 중요한 위치를 차지하고 있음을 시사한다(제11장을
보라).

   아르준 아파두라이(Arjun Appadurai, 1988: 3)는 요리책이 "우리가 요리라는
용어를 가지고 영예를 부여하는 종류의 기술적·문화적 정교화를 반영하는
한 그것은 아마도 …… 생산·분배구조와 사회적·우주론적 도식을 표현하는
것일 뿐만 아니라 계급과 위계질서를 표현하는 것이기도 할 것"이라고 주장
했다(Appadurai, 1988: 3). 요리책, 계급, 위계질서 간의 이러한 관계의 역사적
기원을 이해하기 위해서는 『쿠첸마이스터리』의 출판 이전에 이루어진 요리
책의 발전으로 돌아갈 필요가 있다. 중세시대의 필사본 요리책들이 여전히
많이 존재한다. 상층계급의 식생활에 초점이 맞추어져 있는 현존 텍스트들
은 많은 공통점을 가지고 있다. 메넬이 지적하듯이, 거기에는 "같은 요리방
법이 그림으로 그려져 있고, 여러 텍스트에 등장하는 많은 레시피들은 거의
어떠한 차이도 없다"(Mennell, 1996: 50). 이를테면 영국의 필사본인 『요리법
The Forme of Cury』(1390)은 (1392년과 1394년 사이에 편찬된) 『파리의 조리사
Ménagier de Paris』와 (1373년과 1380년 사이에 편찬된) 『타이유방의 비앙디에
Le Viandier de Taillevent』라는 두 프랑스 텍스트들에서도 역시 발견되는 레시
피들을 포함하고 있다. 메넬은 다음과 같이 결론짓고 있다. "요컨대 이탈리
아, 프랑스, 영국의 상층계급 식탁은 같은 방식에 따라 차려졌고 음식 또한

유럽 대륙 전역에 걸쳐서 같은 방법들과 레시피들에 따라 준비되었다는 중 거들이 많이 있다"(Mennell, 1996: 50~51).

인쇄기술의 출현은 그러한 공통의 요리전통을 강화하는 데 일조했다. 이 제 레시피들은 일단의 관행적 요리규칙으로 보다 널리 보급될 수 있게 되었 다. 하지만 그와 동시에 메넬이 지적하듯이, 인쇄된 요리책들은 또한 전통적 인 레시피의 개량형태 또는 임시변통 형태들이 보다 빠르게 전파되는 것을 가능하게 함으로써 변화의 과정을 선도하는 데에도 일조했다. 그리고 이러 한 책들의 초기 발전과 "상층계급 성원들에게 봉사하는 전문적인 엘리트 요 리사들"의 출현이 동시에 일어났기 때문에, 개량과 임시변통의 압력은 그 자체로 증가하고 있었다(ibid.: 67). 메넬의 주장에 따르면, 그 시기 이후부터 우리는 프랑스 요리책과 영국 요리책의 발전 사이에서 분명한 차이를 확인 할 수 있다. 그는 "요리는 프랑스에서보다는 영국에서 훨씬 덜 현저하게 사 회적으로 층화되어온 것으로 보인다"고 지적한다(ibid.: 100). 그 결과 영국 요 리책들은 가정의 여성 독자를 표적으로 하는 경향이 있었다(ibid.: 200). 프랑 스 요리책들이 주로 전문적인 남성 셰프, 귀족 그리고 중상계급을 겨냥하는 경향이 있었다면, 영국 요리책들은 프랑스 요리책들에 비해 여성 주부들 그 리고 보다 자주 더 낮은 사회층을 겨냥하고 있었다.

메넬의 설명은 영국 요리의 역사 속에서 요리책과 여성의 가사활동 간의 관계를 규명한다. 다른 비평가들은 이 관계가 미국 문화 속에서 취하고 있는 형태를 고찰해왔다. 이를테면 제사민 나우하우스(Jessamyn Neuhaus, 2001: 96~ 97)는 1920년에서 1963년 사이의 부부 섹스 매뉴얼에서 발견되는 요리 섹 션에 관해 분석하면서, "그러한 요리 섹션들이" 어떠한 방식으로 "매일의 식사를 조리하고 차리는 것이 기혼여성 되기의 중요한 일부라고 반복적으 로 주장했는지"를 지적한다. 셰리 이네스Sherrie Innes는 유사한 주장들이 어 린이를 겨냥한 요리책들 속으로 얼마나 흘러들었는지를 검토해왔다. 이를테면 1953년에 출판된 『베티 베츠 틴에이지 요리책The Betty Betz Teenage Cookbook』은 독자들에게 "예쁜 소녀이자 '음식도 잘하는 소녀'가 오렌지 꽃1 향기를 맡을 가능성이 더 많다!"는 점을 상기시킨다(Innes, 2001: 37). 미국에서 1950년에 출판되어 역대 두 번째로 잘 팔린 요리책으로 남아 있는 『베티 크로커의 그림 요리책Betty Crocker's Picture Cookbook』에 관한 제니퍼 호너 Jennifer Horner의 연구 또한 여성의 가정 내 역할이 전통적으로 어떻게 구성되었는지를 규명한다. 호너는 이 특별한 요리책을 전후 젠더 역할의 재편과 관련하여 이해할 필요가 있다고 주장한다.2 제2차 세계대전의 종전과 함께 남성들은 전쟁터에서 집으로 돌아왔고, 전쟁에 총력을 기울이기 위한 노력의 일환으로 처음으로 작업장에 나갔던 많은 여성들이 가사의무로 돌아왔다. 호너는 이에 비추어볼 때 『베티 크로커』라는 책은 격변의 뒤끝에서 여성이 주방에서 하는 가사역할을 재확인함으로써 젠더 역할을 재규정하려던 하나의 시도로 읽힐 수 있다고 주장한다. 하지만 호너는 여기서 더 나아가 그 책이 "미국 고유의 음식과 그 관행들을 칭송"하면서(Horner, 2000: 338), "근대 여성의 요리라는 가사관행을 미국의 탄생에, 그리고 그 다음에는 전후 국가의 재생에 상징적으로 연결시키고 있다"(ibid.: 332)고 주장한다. 이처럼 요리가 지닌 국민정체성의 의미를 갱신시키는 과정에서 호너가 언급하는 레시피들은 조지 워싱턴과 독립기념일을 반복해서 거론한다. 이 책은 또한 스칸디나비아 요리와 독일 요리와 같은 일정 형태의 이민자 음식을 그러한 구성물 속으로 통합하고자 한다. 아프리카계 미국인들의 레시피가 이 구성물에 들어 있지 않다는 것은 그것이 편파적이고 문제가 있다는 것을 보여준다. 호너는 이러한 사실을 노예제도의 '문제'를 부정하고자 하는 욕망에 기인하는 것으로 파악한다.

호너가 주장하듯이, 요리책은 그것이 여성의 가사활동의 특정 형태를 조율할 수 있는 것과 마찬가지로 국가 이미지를 구성하기 위한 수단으로 작동할 수도 있다. 1970년대에서 1980년대 동안에 영어로 출간된 인도 요리책들에 관한 아파두라이의 연구는 '인도 요리'의 이미지가 구성되어온 방식을 상세하게 분석하고 있다. 이들 책 중 많은 것이 지역 요리의 전통들을 찬양한다. 하지만 그것들은 자주 "민족전통에 대한 묘사"에 의지하여 그렇게 한다. 이를테면『맛있는 벵골 음식Delicious Bengali Dishes』(1975)의 저자는 우리에게 "진정한 벵골인이라면 매일 적어도 한 번은 생선을 먹을 것이며 소량의 생선요리라도 차려지지 않는다면 어떠한 축하연도 완벽하다는 말을 듣지 못할 것"이라고 말한다(Appadurai, 1988: 16). 다른 한편 요리책은 "오직 코스모폴리탄적 관점에서만 의미가 있는, 새롭고 포괄적인 범주들을 고안하고 부호화한다" (ibid.). 거기서 아파두라이는 '남부 인도'의 요리에 관한 책들이 '북부의 관점'에서 기술됨으로써 "타밀, 텔루구, 카르나타카, 말라얄람의 요리들 간의 차별성"을 없애버리고 "그것들을 남부 인도 요리로 한데' 뭉뚱그려버리는 방식을 거론한다(ibid.). 동시에 인도 요리가 단일하다는 인식을 심어주기 위한 기법들이 그간 많이 등장해왔다. 이를테면 몇몇 저자들은 특수한 요리전통을 부풀려서는 "그것을 환유적으로 전체를 위해 복무하게 만든다"(ibid.: 18~19). 아파두라이는 인도 요리에 관한 책들 또한 점점 더 그것들이 제공하는 레시피에 메뉴와 유사한 구조를 부여하고자 시도하고 있다고 주장한다. 이는 인도 음식을 체계적으로 부호화하고 조직화하는 데 도움이 된다. 그러나 "거기에는 통상적으로 인도 식사에 중요한 순서 차원이 없다는" 점에서, 그것은 '인도' 요리의 구성된 성격을 분명하게 보여주는 한 가지 사례이다(ibid.: 20). 이렇듯 아파두라이의 분석은 요리책들이 요리의 국민정체성을 수립하는 데서 중요한 지점들이라는 것을 폭로한다.

이 절에서 우리는 요리책이 여성의 가사활동과 국민정체성과 같은 쟁점들을 빈번하게 조율하고 있음을 살펴보았다. 이제 우리는 엘리자 액튼Eliza Acton과 델리아 스미스라는 두 명의 구체적인 요리저술가들로 돌아가 그들의 작업이 유사한 쟁점들을 제기하는 방식을 고찰하고자 한다.

엘리자 액튼에서 델리아 스미스까지

엘리자 액튼(Eliza Acton, 1799-1859)은 1845년 『민간 가정용 현대 요리법Modern Cookery for Private Families』을 출간했다. 엘리자베스 데이비드(Elizabeth David, 1968: xxx)가 영어로 쓰인 가장 위대한 요리책이라고 주장한 이 책은 1918년 까지 간행되었다. 1861년에 출간된 비튼Beeton 여사의 『가정관리Household Management』와 더불어, 그것은 빅토리아 시대 영국의 중요한 요리책들 가운 데 하나이다. 하지만 비튼 여사의 책이 온갖 가정 내 일거리들을 망라하는 것과는 달리, 액튼은 오직 요리에만 집중한다. 이 책의 레시피들은 상이한 식재료 범주들(이를테면 케이크, 빵, 돼지고기, 구운 푸딩 등등)에 따라 분류된 장들로 편성되어 있지만, 마지막 장은 외국 요리와 유대인 요리에 할애되어 있다. 칠면조 뼈 발라내기, 야채 씻기, 보존식품 만들기 같은 기술적 기법에 관한 조언이 책 전체에서 제공된다. 그리고 그 책은 각 레시피에 대한 정확 한 양과 상세한 설명을 제시함으로써 새로운 경지를 개척한다(David, 1986: 303). 액튼은 또한 특정 레시피에 일련의 추천사들 - '최고의 레시피', '매우 훌륭 한', '맛있는', '싸고 좋은', '감탄할만한 레시피' - 을 덧붙이고 있다.

메넬은 18세기 영국에서는 요리책들이 일반적으로 그들의 레퍼토리로 "'농가'의 부엌"과 같은 관념에 의지하고 있었으며, 여성에 의해 쓰어졌고, "신사계급와 중간계급을 대상으로" 했다고 주장해왔다(Mennell, 1996: 202). 데이비드가 지적하듯이, 액튼의 『현대 요리법』이 출간되었을 즈음에는 "영 국에서 그러한 시골풍이 빠르게 사라지고 있었다"(David, 1968: xxix). 액튼의 책 제목이 현대적인 것을 내세웠다면, 1840년 버드Bird가 세상에 내놓은 커스터드 파우더는 액튼이 차려놓은 레시피들보다 훨씬 더 현대적인 요리를 상징하게 될 발전을 예고하는 것이었다(ibid.).

메넬은 빅토리아 시대 영국의 중간계급과 중상계급에서 나타나는 두 가지 음식문화 특징을 밝혀낸다. 첫째, 사회적 구별을 표현하는 수단으로 프랑스식 음식취향이 증가하고 있었다. 액튼의 책은 분명히 일련의 프랑스 음식 전통에 폭넓게 의거하고 있으며, 그녀는 어린 시절의 일정 기간을 프랑스에서 보냈다. 하지만 그 책은 또한 영국 전통을 쇄신하는 데에도 관심을 가지고 있다. 이를테면 액튼은 감자와 관련하여 특히 감자의 영양학적 특성과 다양한 용도를 감안할 때, "우리는 전체 국민이 왜 감자류를 좋아하는지를 쉽게 이해할 수 있다"고 주장한다(Acton, 1968: 135). 그럼에도 불구하고 그녀는 다음과 같은 점에 절망한다.

> 감자는 많은 영국의 가정에서 마구잡이식으로 손질된다. 그러한 방식은 감자를 상대적으로 하찮은 것으로 만들며, 얼마간 낭비하게 만드는 원인이 된다. 그리하여 감자는 겨울에, 즉 심지어 그것이 가장 비싼 계절에조차 내버려진다.(ibid.)

그녀는 "영국 사람들은 스스로를 위해 [영양가 있는 음식을] …… 준비하는 문제만큼 단순한 문제에 대해서도 왜 대륙의 이웃들보다 여전히 더 무지한가?"라고 묻는다(ibid.: xxii).

메넬이 규명한 사회엘리트들의 음식문화의 두 번째 측면은 "사회적으로 허세를 부리는 귀부인들이 주방일에 실제로 관여하지 않으려는" 경향이 있었다는 것이다(Mennell, 1996: 211). 하지만 이것은 분명 상층계급 성원에게나 가능한 일이었다. 패트리카 브란카(Patricia Branca, 1975: 55)가 추정한 바에 따르면, 1871년 무렵 중간계급 가족의 1/3만이 요리사를 고용했고, 따라서 중간계급 여성의 대부분은 여전히 스스로 요리를 해야만 했다. 액튼 자신은 턴브리지와 햄스테드의 세련된 환경 속에서 미혼의 야심 있는 시인으로 살았다(Ray, 1968: xxi). 엘리자베스 레이Elizabeth Ray의 주장에 따르면(ibid.), 시집 대신에 요리책을 출판하는 데 동의함으로써 액튼은 빅토리아 시대 영국에서 존경할만한 여성성 관념의 중심을 차지하고 있던 가정적임이라는 영예를 자신에게 부여했다(Nead, 1988). 『현대 요리법』은 '영국의 젊은 주부들'에게 헌정된다(Acton, 1968: xxii). 그리고 존 버넷(John Burnett, 1989: 206)이 지적하듯이, 그 책은 "중류가정의 사람들에게 인정된 레시피 책"으로 떠오르면서 광범위한 중간계급 독자들을 확보할 수 있었다. 이 점에 비추어볼 때, 아마도 그것의 가장 강력한 테마는 절약에 대한 강조일 것이다. 한 예를 들면, '품위 있는 절약가의 푸딩'은 먹다 남은 크리스마스 푸딩을 다 활용하는 레시피이다(Acton, 1968: 244). 그 책은 다른 곳에서는 "그다지 비싸지 않은 산토끼 수프"(ibid.: 14)와 일련의 저렴한 스튜들과 나란히 "최고급 산토끼수프"(ibid.: 13)를 위한 레시피를 제시한다. 그럼에도 불구하고 버넷이 주장하듯이, 그 책은 또한 훨씬 더 호사스러운 다수의 레시피들을 포함하고 있는데, "아주 소수의 사람들만이" 손에 넣을 수 있었던, "샴페인 반병으로 끓인 송로버섯"과 같은 것이 그것의 한 예이다(Burnett, 1989: 207).

액튼의 『현대 요리법』이 빅토리아 시대 영국의 베스트셀러였다면, 델리아 스미스의 책들은 유사하게 1980년대 이후에 영국에서 시장을 지배해왔다. 실제로 그녀가 1973년 그녀의 첫 번째 책인 『가정요리Family Fare』를 출간한 이후 그녀의 유명세는 엄청나게 상승해서, 2002년 무렵 『콜린스 영어사전Collins English Dictionary』 신판은 "실용적이고 어쩌면 수수한 영국 요리 스타일"을 지칭하는 용어로 'Delia'라는 단어를 포함시켰다(Mullan, 2001). 스미스의 책들 중에서도 가장 분명하게 액튼과 비튼의 전통에 속하는 것들로는 『완벽 요리강의Complete Cookery Course』(1982) ― 이 책은 처음에는 1978년에서 1981년 사이에 3부작으로 출판되었다 - 와 광범위한 주방기술과 광범위한 레시피들을 망라하고자 시도한 세 권짜리 책『요리법』(1998년, 1999년 그리고 2001년)이 있다. 절약을 강조한 액튼처럼, 스미스도 절제의 중요성을 강조하는 것이 자주 발견되며, 『델리아 스미스의 크리스마스Delia Smith's Christmas』(1990)와 나란히『완벽 요리강의』또한 남은 음식에 관한 장을 포함하고 있다. 하지만 이를 강조하는 이유는 금전적 이유만큼이나 건강과 식생활문제 때문이기도 하다(Smith, 1982: 8). 그와 동시에 스미스는 특별한 경우에는 크림, 와인, 버터와 같은 재료들을 사용하는 것을 옹호한다(ibid). 우리가 이미 제8장에서 살펴본 것처럼, 우리는 그녀가 1995년경에 "현재 우리의 건강한 먹기에 대한 집착이 …… 전통적인 요리가 가져다주는, 건강에 매우 좋은 즐거움이라고 생각하는 것, 즉 테이블에 함께 둘러앉아 대화를 즐기면서 좋은 음식과 좋은 와인을 먹는 것이 가져다주는 즐거움을 집어삼켜 버린 것으로 보인다"고 지적하는 것을 발견한다(Smith, 1995: 7).

스미스는 다양한 방식으로 변화하는 가사활동의 성격을 조율하고자 시도한다. 이를테면 그녀는 주방에 들어가는 남성이 증가하고 있음을 솔직하게 인정하는 한편(Smith, 1982: 7),『혼자가 즐겁다!One is Fun!』(1980)에서는 독신생활의 증가에 주의를 기울인다. 동시에 스미스의 크리스마스 관련 책은 현대적 삶의 압박을 전제로 하여 크리스마스를 준비하는 것의 고달픔을 지적한다(Smith, 1990: 6). 그녀의 레퍼토리는 또한 전통과 새로운 것을 종합하고자 시도한다. 이것이 특히 두드러지는 책이 그녀의『섬머 컬렉션Summer Collection』이다. 이 책에서 그녀는 "우리의 식단을 아름답게 변화시켜주는" 자연이 지닌 계절적 중요성을 강조하면서, 또한 "우리는 특히 영국적인 레시피에 갇혀 있는 것이 아니라 새로운 생각과 영감을 얻기 위해 세계 이곳저곳에서 여름을 쫓고 있는 중이다"라고 말한다(Smith, 1993: 7).

액튼과 스미스 간에 많은 연속성이 존재하지만, 아마도 가장 중요한 이탈

지점은 스미스의 책이 그녀의 다른 요리 관련 사업에서 차지하는 위치일 것이다. 그녀의 텍스트 대부분은 BBC 텔레비전 시리즈와 함께 간행되었고, 스미스는 또한 ≪세인스버리 매거진Sainsbury's Magazine≫에 정기적으로 기고하고 있다. 주방용품, 레시피, 식단 짜기, 온라인쇼핑과 링크된 그녀의 웹사이트와 함께, 스미스의 책은 하나의 통합된 미디어 패키지의 일부를 이루고 있다. 데이비드 벨David Bell과 길 발렌타인Gill Valentine은 ≪세인스버리 매거진≫에서 스미스가 수행하는 역할에 관해 이야기하면서 다음과 같은 그녀의 말을 인용한다. "이제 당신은 슈퍼마켓에 가서 지구적으로 쇼핑할 수 있습니다. …… 이제 이 모든 것을 우리가 이용할 수 있다는 것을 알기에, 우리는 그것을 한 단계 더 끌어올릴 수도 있고 그러한 재료들을 가지고 무엇을 할 것인지를 찾아볼 수도 있습니다"(Bell and Valentine, 1997: 203). 벨과 발렌타인이 주장하듯이, 여러 미디어 형태에 걸쳐서 작업을 하는 스미스와 같은 인물들이 지닌 뛰어남을 놓고 볼 때, '음식 미디어의 역할'은 취향형성, 그리고 특정 식재료와 주방용품의 마케팅에서 "절대적으로 중요하다"(ibid)(제11장을 보라).

우리가 지금까지 살펴보았듯이, 액튼과 스미스의 저작 모두는 가사활동, 절약, 전통과 관련한 쟁점들을 끄집어낸다. 하지만 스미스의 미디어 수용자 프로파일을 감안할 때, 우리가 엘리자 액튼의 보다 소박한 위업보다는 일정 정도 더 진전을 이루었다는 것은 분명하다. 그리고 우리는 다음 장에서 그러한 동학에 대해 더 깊이 생각해볼 것이다. 이제 우리는 메넬 범주의 두 번째 것으로 돌아갈 것이다.

미식문학

메넬이 볼 때, 미식문학은 19세기 초에 출현한, 대체로 프랑스적인 텍스트 형식이다. 그는 그것이 본질적으로 네 가지 요소의 혼합물이라는 점을 밝힌다. 첫째는 올바른 식사관행, 메뉴의 구성, 코스요리의 순서에 관한 논의이다. 둘째는 특정 식재료와 조리방식의 건강상 이점과 불이익을 설명하는 영양학적 담론이다. 셋째는 '잊지 못할 식사'에 대한 향수 어린 '환기'이고, 넷째가 "역사, 신화 그리고 신화의 역할을 하는 역사의 조합"으로서의 음식 관련 저술이다(Mennell, 1996: 271).

우리는 메넬의 다소 임의적인 도식에 대해 그가 왜 그러한 형식의 저술을 미식**문학**이라고 묘사하기로 선택했는지에 대해 의문을 품을 수도 있다. 올바른 식사관행이라는 테마는 중세시대로까지 멀리 거슬러 올라가는 요리책과 고기 썰기 매뉴얼에서도 발견될 수 있으며, 게다가 영양학적 요소는 가사 매뉴얼과 의학 교과서에도 공통적으로 나타난다. 따라서 이들 텍스트를 어떻게 요리책과 유용하게 구분할 수 있을지는 불분명하다. 하지만 세 번째와 네 번째 범주는 보다 가치평가적인 판단을 포함한다. 즉 미식문학은 상상적 저술이자, 18세기 후반과 19세기 초반 동안에 창조성의 특권적 장으로 출현하고 있던 보다 광범위한 문학 분야 내의 한 장르이다(Eagleton, 1983). 따라서 우리는 이 절에서 혁명 후 프랑스의 상상적인 음식 관련 저술의 특징을 검토한다. 독특한 미학적 전략의 이용, 자신의 음식선택을 차별적인 음식 관련 저술을 통해 정당화할 수 있었던 요리공중의 증가, 그리고 남성적 유형으로서의 미식가의 출현이 그것들이다. 이들 쟁점의 토대를 마련하기 위해 우리는 초기 미식문학에 관한 가장 유명한 저작, 즉 1825년에 첫 출간된 브리야사바랭Brillat-Savarin의 『미각의 생리학Physiologie du Goût』을 분석한다. 메넬의 도식이 우리에게 발생시기의 미식문학을 이해하는 방식을 제공하기는 하지만, 그것은 우리에게 그 장르의 후속 발전에 관해서는 거의 어떠한 이야기도 해주지 않는다. 따라서 이 절의 후반부에서 우리는 『요리사의 관광여행A Cook's Tour』(Bourdain, 2001)이 예증한 요리여행담에 초점을 맞추어서 그 형식의 현대적 형태를 고찰한다.

우리는 미식문학의 출현을 프랑스혁명에 뒤이은 요리의 변화들을 통해 맥락화할 수 있다. 우리는 특히 다음의 세 가지 과정이 가속화된 것에 주목한다. 첫째, 귀족의 주방이 폐쇄되었고, 음식소매의 길드체계가 해체되었다. 이는 많은 요리사가 레스토랑이라는 새로운 공간에서 일을 찾게 했고, 그곳에서 그들은 식사손님이라는 고객을 두고 경쟁할 수 있었다. 둘째, 파리는 요리와 문화의 중심지라는 자신의 지위를 강화했다. 지방의원들의 국민의회로의 유입과 도시 인구규모의 극적인 증가가 결합하여 식사장소의 수를 크게 증가시켰다. 끝으로, 식사공중의 유형이 주로 부르주아로 재편되었다. 혁명 전 부르주아의 취향이 대체로 귀족을 모방하는 과정에서 형성된 것이었다면, 1789년 이후 중간계급이 취향형성 관행 속에서 누린 더 큰 자율성은 그들의 증가된 정치적 권위를 보완해주었다. 새로운 음식취향은 레스토랑을 통해 선전되고 확산되었다. 그리고 레스토랑은 "그곳의 모든 식사손님을 엘리트의 성원으로 특징짓는 동시에 그곳 식사손님이 아닌 사람을 비엘리트로 규정하는" 장場이었다(Ferguson, 2001: 13).[3]

무엇이 이러한 발전을 매개했는가? 프리스실라 파크허스트 퍼거슨Priscilla Parkhurst Ferguson은 외식이라는 평범한 활동을 더 높은 수준의 도덕적·지적 질서를 보여주는 하나의 현상으로 재정의하는 것은 '간접적인 요리 텍스트들'에 본질적인 것이었다고 주장한다. 이를테면 그리모Grimod의 『미식가 연감Almanach des Gourmands』(1803)과 『손님접대 매뉴얼Manuel des Amphitryons』(1808) 그리고 카렘Carême의 『요리예술L'Art de la Cuisine』(1833~1835)과 같은 텍스트들은 그것들 자체를 요리 만들기의 직접적 맥락을 사상한, 요리에 관한 권위 있고 보편적인 설명이라고 내세웠다. 그럼 영향력 있는 간접적인 요리 텍스트인『미각의 생리학』– 이 저작은 노골적으로 '탁월한 미식법에 대한 성찰méditations de gastronomie transcendante'이라는 부제를 달고 있다 – 에 작동하고 있는 문화적 가치들을 검토해보도록 하자.

장 앙텔름 브리야사바랭Jean-Anthelme Brillat-Savarin의 삶은 위에서 기술한 사건들과 시간적으로 중첩되었다. 그는 1789년에 국민의회의 의원으로 선출되었다. 강제 추방된 이후 그는 스위스와 미국에서 살다가 1796년에야 프랑스로 돌아왔다. 그는 여생을 파리에서 보내면서 매년 프랑스 알프스 산맥에 있는 자신의 시골집을 방문했다. 그는 이 시기의 대부분을『미각의 생리학』을 집필하며 보냈고, 이 저작은 1826년 그가 죽기 겨우 몇 주 전에야 출판되었다.『미각의 생리학』은 메넬의 도식과 잘 맞아 떨어지는 것으로 보인다. 그것은 20개의 자극적인 경구를 프롤로그로 하는 일련의 미식 성찰들로 이루어져 있는데, 그중에서도 "당신이 무엇을 먹는지 내게 말해주오, 그럼 내가 당신이 어떤 사람인지를 말해주겠소"라는 권고가 가장 유명하다(Brillat-Savarin, 1976: 13). 그 저작의 여담, 암시, 변화하는 어조들은 미식주의에 대한 일관된 태도를 통해 하나로 통합된다. 그리고 거기서 미식주의는 폭식이라는 천한 함의를 벗어던지고 차별의 문제로 격상한다. 브리야사바랭은 이렇게 쓰고 있다. "동물도 먹고 인간도 먹지만, 오직 지능을 가진 인간만이 먹는 법을 안다"(ibid.). 우리가 앞으로 간략하게 논의하겠지만, 미식가의 젠더는 정해져 있다. 하지만 여기서 보다 주목되는 것은 차별과 계급의 상관관계이다. 중간계급의 사회적 지위처럼 요리가 미식가에게 갖는 가치는 노동계급의 폭음과 귀족의 낭비 모두와 대비되어 정의된다. 성찰 19「독주의 위험한 결과」에서 브리야사바랭은 노동자가 브랜디를 마시는 것에 대해 불평하는 한 상인과 나눈 대화를 기록하고 있다. 노동자들은 스스로를 규율할 수 없기 때문에, 매일 아침 작은 잔에서 시작하여 그 두 배를 마시다가 언젠가는 "하루 종일 마시게 된다. 그리고 그가 가진 것이라고는 정향 차 맛이 나는 브랜디 한 병뿐이게 될 것이다"(ibid.: 351). 곧 죽음이 찾아온다. 이와 대조적으로 진정한 감식가는 자제력을 익힌다. 왜냐하면 "그는 자신의 와인을 **홀짝이기**" 때문이다. "그는 한 모금 마시고 잠시 멈출 때마다, 그가 자신의 잔을 단숨에 비웠을 때 경험했던 모든 쾌락을 얻는다"(ibid.: 43).

자제력이 미식가를 노동계급의 방탕함과 구분하는 것과 마찬가지로, 수수함이 그를 귀족의 허식과 구분한다. 브리야사바랭은 요리의 정교함이 점점 더 중요해짐에 따라 "이제는 그것이 도를 넘어서 완전히 꼴불견이 될 지경에 처하고 말았다"고 한탄한다(ibid.: 263). 그러한 낭비는 브리야사바랭과 동시대 사람인 앙토낭 카렘Antonin Carême과 밀접히 연관되어 있었다. 메넬은 카렘이 프랑스 요리를 간소화했다는 주장을 편다. 하지만 그는 고급 요리, 즉 가장 비싸고 화려한 조리법과 차림방식들을 필요로 했던 귀족 식사방식의 집대성자로 더 잘 알려져 있다. 반면에 브리야사바랭은 요리의 장식 측면에 관해서는 거의 이야기하지 않고, 대신에 프랑스 요리의 기본 요소들(포토프, 부용, 포타주, 퐁뒤)과 정제되지 않은 재료들(그것이 송로버섯처럼 호사스러울 때조차도)에 집중한다. 이러한 수수함에 대한 강조를 전형적으로 보여주는 것이 미국에서 칠면조 사냥 여행을 했던 것에 대한 브리야사바랭의 회고이다. 그는 독자들에게 수수함, 가사활동 그리고 자연과의 접촉에 만족해하는 도덕적인 농촌 시민으로서의 부르주아라는 목가적 이미지를 제공한다. 그는 여행 동안 자신이 했던 식사를 묘사하면서, 식탁의 시각적 매력에 대한 언급을 식탁보가 크다는 것과 그 재료가 수수하다는 것에 한정한다. 그는 이렇게 쓰고 있다. "소금에 절인 최상의 소고기 한 조각, 스튜 요리로 만든 거위고기, 근사한 양고기 다리, 골고루 선택할 수 있는 다양한 야채들 그리고 …… 두 개의 엄청 큰 사과술 주전자가 너무나 훌륭해서, 내가 영원토록 계속 마실 수도 있을 것 같았다"(ibid.: 77~78).[4]

하지만 『미각의 생리학』이 여타의 취향들을 단순히 거부하기만 하는 것은 아니다. 브리야사바랭은 미식가가 감각적 속성의 소유자라고 주장한다. 미식가는 대부분의 사람들은 생각할 수도 없거나 못마땅해 하는 방법으로, 단순한 음식에 지적이고 감각적인 주의를 기울일 수도 있다. 그는 작은 새를 먹는 올바른 방법을 기술하면서, 이렇게 지시한다. "그것을 과감하게 입속에 밀어 넣고, 그것을 쥔 손가락 가까이까지 물어뜯은 다음 세게 씹어라. 그것은 모든 기관을 적실만큼의 충분한 즙을 만들어낼 것이고, 그러면 당신은 보통 사람들은 모르는 기쁨을 맛보게 될 것이다"(ibid.: 83). 이 점에서 브리야사바랭과 신중간계급의 취향에 대한 부르디외의 연구 간에는 유사한 점이 존재한다. 거기서 부르디외는 부르주아 취향의 선도자들은 식용 가능성의 문화적 경계를 넘어서고자 시도한다고 주장한다. 이러한 유사성은 육욕예찬과 음식의 완전한 심미화 사이에 끼어 있는 감각주의자의 과도기적 지위로까지 확장된다. 그러나 『미각의 생리학』의 대부분에서 이 담론의 계급적 성격은 그것을 특징짓고 있는 남성성과 구분할 수 없게 결합되어 있다. 비록 브리야사바랭이 때때로 여성 미식가를 언급하기는 하지만, 그는 보다 일반적으로는 남성의 요리욕망과 성적 욕망을 무시한다. 즉 남성에게 여성은 음식만큼이나 육욕성의 대상이다. 메넬은 세계에 대한 이러한 감각적 접근방식이 댄디dandy의 접근방식과 비슷하다고 주장한다. 댄디는 19세기 초에 출현한 공적 남성성의 유형으로, 자신의 소비선택에 비도구적으로 접근할 수 있는 사람들이다. 메넬에 따르면, 그러한 인물은 잔존하는 사회적 규약들이 여전히 작동하지만 새로 출현하고 있는 규약은 정설로 확립되지 못한 사회적 유동의 시기에만 출현할 수 있었다. 우리가 보여주었듯이, 브리야사바랭은 혁명 후 프랑스의 그러한 순간을 뚫고 나가면서, 부르주아 남성의 미각적 판단과 문화적 권위를 정당화하고 재생산했던 텍스트 형식의 하나로서의 미식문학을 확립했다. 우리의 관심을 그 장르의 현대적 형태들로 돌리면서,

우리는 이러한 형태의 사회적 층화는 그것이 상이한 방식으로 타협을 이루고 있을 때조차 계속해서 중요한 의미를 지닌다고 주장한다.

오늘날의 미식문학

19세기 초반에는 미식문학이 매우 희귀했지만, 최근 몇 년간 이 장르는 확장되고 다채로워지고 있다. 메넬의 도식은 상상적 가치가 일련의 음식 관련 저술방식들을 하나로 묶고 있는 텍스트 형식들(이를테면 영국의 ≪옵저버 푸드 먼슬리Observer Food Monthly≫, 미국의 ≪미식가, 맛 그리고 식도락Gourmet, Saveur and Gastronomica≫ 같은 잡지들)에서 여전히 유의미하지만, 미식문학과 여타의 문학형식들의 혼종화가 보다 중요해져왔다. 조안 해리스(Joanne Harris, 2000, 2001, 2002)[5]의 작품은 연애소설과 음식 관련 저술의 혼합을 가장 잘 보여준다. 이러한 유형은 주로 여성 독자들을 그 대상으로 해왔다. 그러나 여기에서 우리가 집중하는 것은 『요리사의 관광여행』이 정형화시킨 요리모험에 관한 저술이다(Bourdain, 2000; 또한 Steingarten, 1999; Richardson, 2000; Stevens, 2001도 보라). 이 유형은 주로 남성 독자들을 찾아 나선다. 우리는 미식 저술의 즐거움과 보상이 여행이 주는 즐거움이나 보상과 밀접히 결합되어왔다고 주장한다. 실제로 이 두 문학형식은 신중간계급의 문화적 성향을 표현하는 데서 서로 협력해왔다. 이는 음식 관련 로맨스문학에도 또한 해당된다. 그러나 『요리사의 관광여행』이 구축한 고도로 양식화된 남성적 표현양식은 그것을 요리책이라는 여성적 전통에서 분리시켜 미식문학과 결합시키고 있다.

최근 몇 년간 많은 저자들은 여행이 신중간계급의 부상에 기초한 주요한 변화들을 조건으로 하는 것이었다고 주장하고 있다(특히 Urry, 1990a, 1990b; Munt, 1994; May, 1996를 보라). 신중간계급에게 여행 — 대중관광mass tourism과 대비되는 것으로서의 - 은 문화자본을 획득하는 한 가지 중요한 수단으로 작용한다. 하지만 이러한 획득이 언제나 보장되어 있는 것은 아니다. 왜냐하면 독특한 여행경험은 지속적으로 팽창하고 있는 관광산업의 침입으로 인해 항상 위협받고 있기 때문이다. 따라서 존 메이Jon May는 독자적인 여행이란 '진정한' 사람, 사물, 장소와의 '무대 뒤에서의 만남'을 추구하는 것에 기초한다고 지적한다. 유사하게 존 어리(John Urry, 1990b: 33)도 여행은 여행의 시각적·감각적인 측면들을 일상생활의 그것과 대비시키는 '여행자의 시선'을 계발하는 것에 달려 있다고 주장했다.

안소니 부르댕Anthony Bourdain은 『주방의 비밀Kitchen Confidential』(2000)로 대중적인 성공을 거두었다. 레스토랑 회고록이자 때때로 여행담이기도 한 그 책은 스스로를 '요리의 이면'과의 무대 뒤에서의 만남이라고 제시한다. 그 책은 독자에게 사업 관행과 레스토랑 은어를 폭로하면서, 그러한 진정한 만남을 레스토랑 식사와 텔레비전 셰프로 이루어진 '무대 전면'의 세계가 제공하는 비진정성과 대립시킨다(Bourdain, 2000: 5). 여기서 무대 뒤에서의 만남은 신중간계급이 전문화와 자격인증을 강조하는 것과 긴밀하게 연관되어 있다. 우리가 다음 장에서 살펴보듯이, 전문적 실무경험을 통한 정당화는 오늘날 요리문화의 한 가지 핵심적인 특징이다. 부르댕은 그 자신의 전문가 지위를 자신의 다듬어지지 않은 있는 그대로의 모습을 통해 정당화한다. 그뿐만 아니라 『주방의 비밀』은 독자에게 독자를 전문화시켜주겠다고 약속하는 장사의 비법('프로처럼 요리하는 법')도 알려준다.

부르댕의 후속작 『요리사의 관광여행』은 그러한 무대 뒤에서의 만남을 더욱 진전시킨다. 부르댕은 대체로 다양한 전근대적 장소들을 여행하면서, 미국 요리에 가정된 동질성에 저항하는 요리형태들과 무대 뒤에서 만난다. 부르댕 본래의 전문가적 모습이 타 지방의 진정성과 연결될 때, 진정성은 배가된다. 그는 자신의 부주방장에게 이야기하면서, "모든 사람의 가족들을 만나게 해달라”고 요청한다. “나는 당신의 엄마가 나를 위해 요리해주기를 바래. …… 나는 용설란주와 메스칼주酒를 마시고, 메누도와 뽀솔레 그리고 진짜 몰레 포블라노도 먹고 싶어”(Bourdain, 2001: 203). 비진정성의 위협은 부르댕과 동행한 푸드 네트워크Food Network 텔레비전의 동료가 맛에 대해 일련의 부적절한 평가를 할 때 극적으로 표현된다. 비록 어리(Urry, 1990a)가 미디어를 통해 장소에 대해 알게 된 사전 지식이 감각적 쾌락의식과 일상과의 차이감을 강화한다고 제시함에도 불구하고, 부르댕은 이를 거부하고 참여와 행위를 찬양한다. 시각적 표상만을 가지고는 전문적인 미식가로 정당하게 인정받는 데 필수적인 반응, 즉 요리에 대한 감각적 반응에까지 도달할 수 없다.

브리야사바랭과 마찬가지로, 이러한 감각성은 요리의 쾌락과 성적 쾌락을 생산적으로 혼동하게 하고[“이것은 분명 내가 먹어본 고환 중에서 최고의 것이야. 또한 내가 말하고 싶어 안달하는 것도 처음이야”(Bourdain, 2000: 126)], 계급범주와 젠더범주 간을 가로지르게 만든다. 우리가 다음 장에서 주장하듯이, 전문화는 그 자체로 계급화일 뿐만 아니라 남성화이다. 유사하게 『요리사의 관광여행』은 요리, 위험이 주는 즐거움, 행위담론 간의 남성적 연관성을 새로운 중간계급과 하나로 엮어 맨다. 그 책에 등장하는 외국 여행의 대부분은 지역 사람들, 환경, 농산물과의 잠재적으로 위험한 만남(잠재적으로 유독한 복어 회 먹기 또는 러시아 마피아 바에서 술 마시기)을 중심으로 짜여 있다. 이러한 위험의 극복은 부르댕의 분명한 남성성을 확인시켜준다. 이러한 남성적 부호화는 그 책의 스릴러물적인 전개와 여행규약들에 의해 더욱 부각되는데, 이 두 가지 모두는 가사활동을 거부하는 것에 기초하고 있다. 『주방의 비밀』이라는 제목이 미식문학과 느와르소설 간에 고리를 만들어냈던 것처럼, 『요리사의 관광여행』의 문화적 프레임은 “그레이엄 그린 Graham Greene, 조셉 콘라드Joseph Conrad, 프랜시스 코폴라Francis Coppola, 마이클 치미노Michael Cimino"에 의해 형태지어진다(ibid.: 5). 이러한 준거점의 남성화는 미식문학과 가정적이고 여성적인 전통들과의 결별을 공고히 한다.

　이 절에서 우리는 미식문학의 현저한 계급적 특징들이 자주 남성화된 감정구조와 구별되지 않는다는 것을 보여주었다. 하지만 여성적인 요리책과 남성적인 미식문학 간을 이원적으로 대립시키는 것은 일정 정도 과도한 단순화이다. 우리는 지금부터 이 점을 메넬이 논의한 음식 관련 저술의 세 번째 범주와 관련지어 다룰 것이다.

'불분명한 경계'

우리는 메넬이 음식 관련 저술의 두 가지 범주, 즉 미식문학과 요리책을 대비시켰다고 주장해왔다. 하지만 그는 계속해서 이들 범주의 범위가 지닐 수 있는 문제를 확인하는 일에 착수한다.

> 미식 에세이들이 점차 요리책으로 바뀌어감에 따라 그 경계가 불분명해지고 있다. 보다 학문적인 유형의 요리책, 이를테면 뒤마Dumas와 알리-바브 Ali-Bab의 요리책 또는 보다 최근의 엘리자베스 데이비드나 제인 그릭슨의 요리책은 요리책만큼이나 미식문학으로 간주될 수 있을 것이다. 어느 쪽이든 간에 그것들은 문학작품으로 읽히도록 의도된 것처럼 보인다.(Mennell, 1996: 271)

우리는 여기서 언급한 사례들 중 두 사람, 즉 엘리자베스 데이비드와 제인 그릭슨에 초점을 맞추어 이러한 견해를 좀 더 탐구해보고자 한다. 데이비드가 처음으로 대중의 주목을 받은 것은 1950년에 출간한 『지중해 음식』을 통해서였다. 전후 긴축시대 동안 집필된 그 책은 "다양한 맛과 색, 진정한 음식의 강렬하고 풍부하며 자극적인 냄새"(David, 1991: 3)를 지니고 있는 지중해 음식을 배급식량에 대한 하나의 해결책이라고 찬양한다. 그녀는 곧 영국의 최고 음식 관련 저술가의 한 명으로 인정받았고, 1951년에는 『프랑스의 시골 요리French Country Cooking』를, 1954년에는 『이탈리아 음식Italian Food』을, 1955년에는 『여름 요리Summer Cooking』를, 그리고 계속해서 1960년에는 『프랑스의 지방 요리French Provincial Cooking』를 출간했다. 그녀는 또한 1950년대에는 ≪보그Vogue≫, ≪하우스 앤 가든House and Garden≫과 ≪선데이 타임스≫에 정기적으로 글을 썼으며, 그 후 1960년대 초반에는 ≪스펙테이터Spectator≫에서 일했다. 그녀는 1968년 ≪옵저버≫에서 일해달라는 권유를 받았지만 정중히 사양하고, 대신에 전년도에 출간된 『샤르뀌트리와 프랑스 돼지고기 요리』로 깊은 인상을 준 제인 그릭슨을 추천했다. 제인 그릭슨은 1970년대에 비평가들의 찬사를 받은 일련의 책들, 이를테면 『진미Good Things』(1971), 『생선요리Fish Cookery』(1973), 『버섯 잔치The Mushroom Feast』(1975), 『야채 책Vegetable Book』(1978), 그리고 『영국 음식English Food』(1974)을 출간했다.

비록 데이비드와 그릭슨의 저술들이 요리책의 형태로 시장에 나왔지만, 그것들은 의심의 여지없이 상당한 정도의 박식함을 갖추고 있다. 실제로 그들 책의 다수는 요리 매뉴얼로서뿐만 아니라 요리역사문학의 한 가지 형태로도 읽힐 수 있다. 이들 텍스트는 메넬이 자신의 미식문학 정의에서 사용하는 기준들 중 적어도 두 가지, 즉 역사와 신화의 조합이라는 기준과 잊을 수 없는 식사에 대한 기억의 환기라는 기준을 충족시키는 것으로 보인다. 이를테면 엘리자베스 데이비드의 『이탈리아 음식』 속의 파스타에 관한 장은 파스타의 기원에 관한 설명뿐만 아니라 미래파 요리에 관한 마리네티Marinetti의 담론에 대한 긴 논의 또한 포함하고 있다(David, 1989: 65). 데이비드와 마찬가지로 그릭슨의 저작도 기억들, 이를테면 노섬브리아Northumbria, 윌트셔 Wiltshire, 투렌Touraine의 요리습성, 웬즐리데일치즈를 얹은 사과 타르트, 그리고 달팽이 사냥에 대한 기억들로 채워져 있다(Grigson, 1991: 87, 1992: 26). 그들의 책은 그 책 각각의 주제에 관해 주석을 달고 있는 방대한 도서목록을 포함하고 있을 뿐만 아니라 다방면의 문학적·역사적 참고문헌들로 가득 차 있다.

   이러한 박식한 저술 스타일을 어떻게 이해해야 하는가? 제일 먼저 지적할 것은 데이비드와 그릭슨의 사회적 배경이다. 두 사람의 배경은 그들 모두에게 높은 정도의 문화자본을 제공해주고 다양한 범위의 요리전통들에 접근할 수 있게 해주었다. 이 두 저자는 모두 대륙 요리를 자주 즐겼고, 문학적 작업을 아주 중시했던 사회적 환경 속에서 살았다. 하지만 아마도 보다 중요한 것은 여성 작가라는 그들의 지위였을 것이다. 메넬의 미식문학 분석이 무엇보다 인상적인 것은 그가 미식문학의 대표적 인물로 꼽은 사례들이 모두 남성이라는 것이다. 이 '불분명한 경계'에서 데이비드와 그릭슨이 차지하는 위치는 아마도 전문직업으로서의 요리의 역사적 발전과 관련하여 가장 잘 설명될 수 있을 것이다. 18세기가 시작될 무렵에 전문직업으로서의 요리가 본질적으로 남성의 영역이었던 반면 가정에서의 요리는 여성의 노동으로 간주되었다. 우리가 살펴본 것처럼, 한편에 미식문학 저술가를 그리고 다른 한편에 가정 내 요리책 저술가를 위치시키는 것은 이러한 젠더화된 분업을 반영하는 것이었다. 고급 요리의 미세한 점들에 대해 의견을 개진하는 사람이 남성이었다면, 여타의 가정 요리사들을 위한 요리 매뉴얼을 쓰는 사람은 여성이었다. 더 나아가 메넬은 "19세기 영국의 가정 내 요리법에 따른 음식을 다소 단조로운 것으로, 따라서 무엇보다도 음식의 **즐거움**에 대한 어떤 느낌을 가지지 못하는 것으로 묘사하는 것은 부당해 보이지 않는다"고 넌지시 말한다(Mennell, 1996: 214). 달리 말해 요리가 주는 **삶의 환희**를 표현하는 것은 미식가의 저술이었다.

데이비드와 그릭슨 모두가 그들의 작업과정에서 요리법 저술과 미식문학을 결합할 수 있었지만, 데이비드 자신이 신문·잡지에 음식 기사를 쓸 때 있었던 일들을 회상하는 것을 얼핏 보기만 해도 알 수 있듯이 그러한 변화가 그냥 이루어졌던 것은 아니었다. 데이비드는 1955년부터 1961년까지 ≪선데이 타임스≫와 ≪보그≫ 그리고 ≪하우스 앤 가든≫에 정기적으로 기사를 썼다. 그 기사들이 자주 그 기간 동안의 그녀의 주된 관심사 ─ 이를테면 프랑스 음식과 이탈리아 음식 ─ 를 중심으로 작성되었지만, 그럼에도 불구하고 그녀는 자신에게 기대되는 형식에 속박받고 있다고 느꼈다. 그녀는 자신이 선택한 주제의 도입부를 기고하면, "당신이 나머지 지면을 그것에 적합한 레시피로 채웠지만, 그게 그거였다"고 불평했다(David, 1986: 9). 달리 말해 그녀는 가정 요리사를 위한 레시피들을 제시해달라는 기대를 받고 있었다. 그릭슨도 유사하게 "미국인들처럼 영국인들도 항상 '레시피'를 요구한다"고 불평했다(Grigson, 1992: xiv). 이들 레시피의 이상적 수용자가 여성이었다는 것은 그 출판사들에 의해 증명되었다. ≪보그≫와 ≪하우스 앤 가든≫은 특히 여성 독자를 겨냥하고 있었다. 한편 ≪선데이 타임스≫에 격주로 실린 데이비드의 칼럼은 처음에는 대부분 여성패션 광고들로 둘러싸인 지면에 실렸다. 그리고 1958년에 그 잡지의 일요판이 발행되어 젠더화 장치가 보다 분명해지고 난 이후부터, 그녀의 칼럼은 「주로 여성을 위하여Mainly for Women」라는 표제를 달고 있는 서브섹션에 실렸다. 그릭슨의 글 역시 뉴스 섹션과는 거리가 먼, ≪옵저버≫의 컬러부록 섹션의 일부로 발표되었다.

데이비드가 그녀의 관심사를 충분히 만족시킬 수 있었던 것은 1961년에 ≪스펙테이터≫를 위해 일하기 시작하면서, 레시피의 제공이 반드시 필수사항은 아니었던, 음식문제와 음식의 역사에 관한 글들을 쓰면서부터였다. 그렇다면 주목할만한 사실은 주로 남성 독자를 대상으로 하는 출판물이 그녀가 "관습에 의해 정해진 전통적인 요리 기사의 구속으로부터 …… 해방"
되는 것을 가능하게 했다는 것이다(David, 1986: 9). 이것이 입증하는 것은 심
지어 1960년대 초반까지도 요리 관련 저술과 미식문학 간의 젠더 구분이 여
전히 제도화된 채로 남아 있었다는 것이다.

  우리는 이러한 상황을 양차 세계대전 사이에 중간계급 여성의 가사활동
성격에서 일어난 변화에 대한 앨리슨 라이트(Alison Light, 1991)의 설명과 관
련하여 유용하게 탐구할 수 있다고 주장할 것이다. 라이트의 주장에 따르면,
그 시기의 소설이 가정 영역이 사람들을 멍청하게 만드는 효과에 대해 섬뜩
한 불안감을 느끼게 했고, 그것이 사람들로 하여금 전통적이고 여성적이며
낭만화된 형태의 담론들을 거부하고 보다 절제된 남성적 자기통제 담론을
선호하게 만들었다(Light, 1991: 209~218). 하지만 음식에 대해 저술하는 사람
들이 보기에, 가정 영역을 전적으로 경멸적인 용어로 표현한다는 것은 선택
지가 아니었다. 왜냐하면 그곳은 종국적으로 요리에 대한 관심이 완전히 실
현될 수 있는 공간이었기 때문이다. 그 대신에 여성의 가사활동의 대안적 형
태들이 탐색되어야만 했다. 이것을 달성하기 위한 하나의 전략이 요리 관련
가사활동을 다른 부류의 가사활동과 분리시키는 것이었다. 이를테면 그릭
슨은 『진미』의 「서론」에서 이렇게 지적했다. "지적인 주부들은 그들이 해
야 하는 의무가 가사활동에 의해 지루해졌다고 느끼고 있다. 그러나 내가 생
각하기에, 그것은 요리가 아니라 아마도 청소와 침대 정돈에 대한 정당한 반
응일 것이다"(Grigson, 1991: 11).

  여기서 흥미로운 것은 비튼 여사가 『가정관리』에서 여성의 가사활동을
환기시키는 방식에 대해 데이비드와 그릭슨 모두가 적대적이라는 것이다.
그러한 가사활동 이미지가 갖는 문제는 그 이미지가 지나치게 고상하고 지
나치게 허약하고 그리고 지나치게 따분하다는 것이다. 그리고 이것은 음식
에 지나치게 깔끔을 떨고 식탁장식에 노심초사하는 것 속에 반영되어 있

다.["우리는 빳빳한 흰색의 휘갑장식을 한 천 위에 놓인 도금된 토스트 세우개, 크리스털 버터접시, 풀 먹인 냅킨 그리고 키 큰 칠보꽃병을 발견한다"(David, 1986: 306~307)]. 비튼 여사는 또한 그녀가 보여준 극도의 절약 때문에 비난받는다. 그릭슨은 생 송아지 고기 삶은 국물과 아몬드를 혼합한 수프인 '화이트 수프' 레시피에서, 비튼 여사가 "일반적인 송아지 고기 삶은 국물을 사용하고 쌀, 밀가루, 우유로 걸쭉하게 만드는 …… 보다 경제적인 방식"을 제안한다고 지적한다. 그릭슨이 불평하듯이, "그러한 논평 속에는 인색함이 만들어낸 영국 음식의 쇠퇴가 요약되어 있다"(Castell and Griffin, 1993: 71에서 인용함).

비튼 여사의 노심초사하는 가사활동과는 대조적으로, 데이비드는 '좋은 요리'를 "진실하고 성의 있고 소박한" 것이라고 정의한다(David, 1966: 8). 그릭슨은 자신의 입장에서 볼 때 "수수함과 높은 품질이 훌륭한 정찬의 기준"이라고 주장한다(Grigson, 1992: 3). 더 나아가 이 두 저자 모두는 주방을 공적인 동시에 사적인 공간이자 "집 안에서 가장 위로가 되고 편안한 방"이며(David, 1966: 23), "이야기하고 놀고 아이를 양육하고 바느질하고 식사하고 책을 읽고 앉아서 사색을 하는 공간"이라고 묘사한다(Grigson, 1991: 13). 이러한 식으로 요리는 19세기적 취향의 겉치레로부터 뿐만 아니라 가사노동의 따분한 강요로부터도 지켜진다. 음식을 진지하게 다루고자 하는 이러한 열망, 즉 가사활동의 경계를 넘어서서 음식문화를 탐구하고자 하는 욕구가 바로 데이비드와 그릭슨으로 하여금 미식문학과 요리책 간의 '불분명한 경계' 위에 너무나도 성공적으로 자리잡을 수 있게 해줌으로써, 그들이 집 바깥에 존재하는 신화, 역사 그리고 잊지 못할 식사를 향해 손짓하는 것을 가능하게 했다.

이 장을 통해 우리는 음식 관련 저술의 세 가지 전통을 검토해왔다. 우리는 중세의 요리 필사본들에서부터 요리여행 저술, 그리고 가장 최근의 블록

버스터 텔레비전 프로그램 파생상품에 이르기까지에는 젠더, 계급, 가사활동의 문제들이 여전히 철저한 설명을 필요로 하는 중요한 쟁점으로 남아 있다고 주장했다. 이제 우리는 보다 짧은 역사적 궤적을 갖는, 음식을 표현하는 또 다른 형태로 넘어갈 것이다.

제11장

| 텔레비전 셰프 |

음식 관련 저술에 관한 앞 장의 논의에 이어서, 이 장은 음식, 그리고 특히 요리의 의미가 TV에서 표현되는 방식을 고찰한다. 이 장은 베스트셀러 요리책과 텔레비전 요리 쇼 간에는 강력한 연관성이 존재하는 상황을 전제로 한다. 영국에서 많은 베스트셀러 요리책들은 텔레비전 셰프가 쓴 것들이다. 하지만 이 장의 탐구가 진행되면서, 텔레비전이 오늘날 우리가 음식을 이해하는 방식을 매개하는 데서 중요한 역할을 수행하는 동시에, 요리 역시 라이프스타일 프로그램 확대의 일부로서 현대 텔레비전 문화에 중요한 기여를 하고 있다는 것을 알게 될 것이다. 따라서 이 장의 첫 번째 부분은 텔레비전 요리 쇼, 텔레비전 산업 그리고 레스토랑 사업 간의 관계를 검토한다. 그 과정에서 우리는 유명 셰프들이 어떻게 하나의 '브랜드'가 되는지, 그리고 그들의 문화적 의미가 또한 어떻게 산업적 관심과 이어져 있는지를 탐구한다. 이 장의 두 번째 부분은 요리 쇼가 음식지식을 매개하는 몇몇 방식들, 그리고 이러한 매개가 일상적인 음식관행에 대해 가질 수 있는 함의들을 검토한다.

이러한 쟁점들로 나아가기에 앞서, 라이프스타일 프로그램의 광범위한 붐 와중에 발생한 1990년대 텔레비전 요리 붐의 맥락에서 우리가 이 장을 쓰고 있다는 점을 지적할 필요가 있다. 영국에서는 5개 지상파 TV 채널이 낮 시간과 황금시간대에 다수의 요리 쇼를 방영하고 있을 뿐만 아니라, UK Food와 같이 음식을 전문으로 하는 비지상파 채널들 또한 존재한다. 이러한 경향이 영국에서만 나타나고 있는 것은 아니다. 현재 미국의 Food Network, 프랑스의 Cuisine TV처럼 많은 나라에 음식 전문 케이블 채널들이 있다. 텔레비전 요리에 대한 이러한 명백한 폭발적 관심 속에서 신문의 다양한 보도를 통해 추켜세워진 많은 셰프들이 ≪헬로Hello≫와 ≪오케이OK≫ 같은 잡지에서 크게 다루어지는 '유명 인사의 지위'를 획득해왔다. 게다가 영국의 '고급' 신문인 ≪가디언≫에 실린 다음과 같은 기사가 보여주듯이, 록 스타들 간의 반목이 보도가치가 있다고 여겨지는 것만큼이나 유명 셰프들 간의 공개적인 불화도 그러한 것으로 간주된다.

> 유명 셰프들이 휩쓸린 말다툼 속에서 어제 그들은 다시 고기 써는 칼들을 뽑아들었다. 다시 한 번 전통요리의 일인자인 델리아 스미스가 표적이 되었다. 그녀를 비난하고 나선 사람은 앤서니 워렐 톰슨Anthony Worrall Thompson이었다. …… 한 법정소송사건의 전문가 증인으로 출두한 워렐 톰슨 씨는 스미스 여사가 그녀의 최근 텔레비전 쇼에서 만든 묽은 오믈렛이 역겨워 보였다고 말했다.(Wilson, 1999)

영국에서 언론은 공중이 유명 셰프들에게 매혹되도록 조장했을 뿐만 아니라 그러한 매혹이 갖는 의미를 설명하고자 했다. 많은 음식평론가들은 텔레비전 요리 쇼와 보다 광범위한 요리쇠퇴의 서사 ─ 산업적으로 생산된 즉석요리가 집에서 요리한 '적절한 식사'를 대체해왔다는 이야기(제8장을 보라) ─ 를 결합시킨다. ≪가디언≫의 음식비평가인 매튜 포트(Matthew Fort, 1999a)는 이렇게 표현했다. "우리는 TV 시리즈를 시청한다. 우리는 그 시리즈의 책을 산다. 그리고 우리가 그것을 보거나 읽는 동안, 우리는 우리의 삶을 유지하기 위해, 냉장고로 가서 냉동피자를 꺼내 그것을 전자레인지에 던져넣고 돌려서, 그것으로 한 끼를 때운다." 그리고 음식은 '살아 있는 문화'와의 연결고리를 상실하고 단순한 '오락거리'로 전락하게 되었다고 주장되었다. 나이젤라 로슨(Nigella Lawson, 1998b)이 설명했듯이, 요리는 "새로운 로큰롤이다. 하지만 그럼에도 불구하고 우리는 음식을 …… 만들지 못하며, 요리는 구경꺼리 스포츠가 되었다." (나이젤라는 2000년에 그녀 자신의 TV 시리즈를 시작할 수도 있었다). 음식평론가들은 대중문화 이론의 수사어구에 기대어 텔레비전 요리에 대한 전 국민적 집착을 비난했다. 즉 산업화된 '대중문화'의 두 가지 산물 – 텔레비전과 즉석요리 – 이 서로 결합하여 죄를 범했을 뿐만 아니라 그 결합 속에서 그것들이 영국의 문화적·요리적 전통을 위협하는 거짓문화를 전달하고 소비자들이 그것을 수동적으로 받아들이게 할 수도 있다는 것이었다. 이러한 서사는 또한 'TV 디너'에 대한 비판 속에서 확립되어온, 텔레비전과 음식 간의 보다 오래된 부정적 연상에 기대고 있었다. 그리고 TV 요리는 앞 장에서 논의한 음식 관련 저술유형이 지닌 문학적 특성과 대비되어 비난받았다.

이 장의 나머지 부분에서 오늘날의 텔레비전 요리 쇼가 지닌 경제적·사회적·문화적 의미를 이해하는 대안적인 방식들을 탐구하겠지만, 그러한 기사들이 다루고 있는 요리 쇼 붐은 확실히 실재하는 현상이다. 이러한 붐에서 드러나는 한 가지 결정적인 요소는 황금시간대의 요리 쇼 방영이 확대되고 있다는 것이다. 영국에는 황금시간대에 요리를 방송하는 오랜 전통이 있지만(그리고 이것이 영국과 미국의 다른 점이다), 그러한 쇼들은 주로 낮 시간용 포맷을 하고 있고, "전통적으로 '여성적인 것' – 개인적인 것, 사적인 것, 일상적인 것 - 으로 젠더화된 공간과 담론" 속에서 다루어지는 것으로 여겨져 왔다(Moseley, 2001: 32). TV 요리 붐은 (원예·패션·인테리어 쇼와 같은 여타의 프로그램 형태들과 함께) 모즐리Moseley가 황금시간대의 '낮시간화'라고 특징지우는 것을 대표한다. 요리 쇼 증가의 또 다른 특징은 장르혼종성의 증가이다. 즉 요리 쇼는 여행 쇼, 게임 쇼 그리고 사람들의 일상을 자연스럽게 찍은 다큐멘터리를 비롯한 다른 포맷들과 통합되어왔다. 나중에 이 장에서 논의하듯이, 이러한 특징들이 텔레비전에서 음식이 전달되는 방식에 영향을 미치고 있다.

요리 쇼와 텔레비전 산업

이 절과 다음 절에서 우리는 텔레비전 요리사와 유명 셰프들에 대해 일고 있는 최근의 붐을 뒷받침하고 있는 두 가지 핵심적 과정들을 탐구한다. 이 절에서 우리는 이러한 붐을 영국 텔레비전 산업의 변화라는 맥락 속에 위치지우고, '브랜드'로서의 TV 요리사가 지닌 의미를 고찰한다. 다음 절에서는 이러한 브랜드화가 고도로 경쟁적인 레스토랑 현장 내에서 어떻게 점차 중요한 요소가 되어왔는지를 고찰한다. 그러한 레스토랑들은 점점 더 마케팅과 홍보를 강조하면서 '독특한' 요리 스타일을 갖춘 '유명' 셰프를 만들어내기 위해 노력한다.

이 장의 주된 관심사가 오늘날의 TV 요리이기는 하지만, 이것이 유명 텔레비전 셰프가 새로운 현상임을 주장하려는 것은 아니다. 요리는 1930년대에 영국 TV에서 처음으로 소개되었다. 하지만 메넬(Mennell, 1996)이 시사하듯이, 필립 하벤Phillip Harben이 어엿한 첫 텔레비전 셰프가 된 것은 1950년대였다. ≪여성 자신Woman's Own≫을 위해서도 글을 썼던 하벤은 후일의 유명 셰프들과 많은 특징을 공유한다. 첫째, 그는 독특한 시각적 스타일을 하고 있었다. 즉 줄무늬가 있는 정육점 주인 앞치마가 그의 트레이드마크였다. 둘째, 그는 후일의 많은 셰프들처럼 TV 유명 인사로서 퀴즈 프로와 같은 여타 가벼운 오락물 포맷의 프로그램들에도 출연했다. 셋째, 그는 일련의 요리책들을 집필했을 뿐만 아니라, 하벤이라는 브랜드명을 이용하여 영국에서 판매된 최초의 눌어붙지 않는 프라이팬들 중 하나인 하벤웨어Harbenware를 시장에 선보였다. 끝으로, 메넬이 지적하듯이, 그는 국제화된 요리, 냉동 음식과 같은 기술적 발전, 그리고 참새우(당시에는 그리 구미가 당기지 않는 가시발새우의 아류로 알려졌던)와 같은 새로운 재료들을 소개함으로써 음식 지식을 확장하는 데 일익을 담당했다.1 이러한 방식으로 하벤은 후일의 유명 셰프들에게 하나의 모델을 제공했다.

영국에서 텔레비전과 요리의 관계는 부분적으로는 영국 방송의 역사적 발전을 구조화했던 공공서비스 에토스 – '정보, 교육, 오락의 제공' – 에 의해 틀 지어져왔다. 요리는 여러 가지 방식으로 그러한 에토스와 결부되어 있었다. 이를테면 스트레인지Strange는 요리 쇼가 공공서비스의 이상理想의 특정 측면들을 충족시키기 위해 어떻게 만들어져왔는지에 주목한다. 1980년대와 1990년대에 BBC 교육국은 <영국을 떠도는 로즈Rhodes Around Britain>를 제작했고, '교육·인종·문화를 소관 업무'로 하는 부서인 BBC의 다문화프로그램단은 마두르 재프리Madhur Jaffrey의 <인도의 맛Flavours of India>을 제작했다(Strange, 1998: 306). 상이한 방식으로 BBC는 델리아 스미스의 <요리법> 시리즈를 영국인들이 더 이상은 실제로 요리할 수 없다는 문제에 대한 하나의 해결책이라고 홍보했다. BBC는 그 쇼를 공적 책임을 다하는 행동으로 소개했다. 한 대변인은 이렇게 말했다. "저기에 있는 많은 사람들은 아귀 조각을 고열로 조리할 수는 있어도 빵 한 덩이를 구워본 적이 전혀 없다. 우리는 그 쇼가 가정학을 공부한 적이 없고 또 그들의 어머니로부터 배운 적도 없는 사람들에게 도움이 될 것이라고 생각한다"(Boshoff, 1998에서 인용함). 언론의 논평 또한 <요리법>이 지닌 공공서비스의 측면을 강화하는 데 일조했다. 이를테면 한 비평가는 델리아 스미스를 '영국의 공식 가정학 교사'라고 불렀으며(Lane, 1999), 또 다른 비평가는 델리아가 왜 '정보제공과 계발'을 추구하는 유일한 TV 셰프인지를 지적했다(Fort, 1999a).[2]

하지만 이 장의 도입부에서 제시했듯이, TV 요리의 폭증은 보다 일반적인 라이프스타일 프로그램과 '개조makeover'라는 프로그램 포맷의 팽창과 연관지어 이해할 필요가 있다. 모즐리(Moseley, 2001)가 설명했듯이, 바잘Bazal – 영국의 요리게임 쇼인 <레디 스테디 쿡Ready Steady Cook>과 같은 프로그램들을 제작한 – 과 같은 회사들은 자신들의 프로그램에 대해 다음과 같이 묘사한다.

> [이것들은] '교육오락물infotainment'로, 리스원칙Reithian principles[공공성]보다는 시청률을 목표로 하고 있다. 그럼에도 불구하고 '정보·교육·오락 제공'이라는 에토스와 관련하여 볼 때, 공공서비스 방송은 이제 자아, 가정 그리고 정원 돌보기에까지 손을 뻗치면서, 소비자 능력과 저예산 손수 만들기 DIY를 결합하는 방식으로 자신의 시청자에게 말을 걸고 있다.(ibid.)

이러한 변화의 문화적 의미에 대해서는 나중에 이 장에서 다룰 것이다. 하지만 그러한 변화가 텔레비전 산업 경제에 대해 갖는 함의 또한 고찰할만한 가치가 있다. 첫째, 높은 제작비용이 드는 황금시간대 라이프스타일 프로그램 조차도 대부분의 TV 드라마와 비교하면 제작비용이 상대적으로 저렴하다(Boshoff, 1997). 둘째, BBC는 황금시간대, 특히 미드랜즈 텔레비전 리서치 그룹Midlands Television Research Group이 '8시~9시 시간대'라고 칭한 시간대 내에 예측 가능한 편성을 하기 위해 라이프스타일 프로그램을 이용해왔다

(Moseley, 2001). 이러한 종류의 편성작업은 "고정 시청자의 습관을 자극"하는 데 일조함으로써 새로운 쇼를 현재의 인기 프로그램에 편승하여 시작할 수 있게 해준다(De Bens, 1998: 33). 보다 최근에 채널 4는 자신의 라이프스타일 프로그램을 판매하기 위해 유사한 전략에 의지해왔다. 셋째, 요리 쇼는 또한 지구시장을 염두에 두고 제작된다. 쇼의 전 지구적 판매가 귀중한 이윤의 원천일 수 있을 뿐만 아니라, 장르혼종성의 증가는 가벼운 오락물 포맷을 판매할 기회 또한 창출한다. 이를테면 두 명의 유명 셰프들이 상대 경쟁자가 제시한 재료를 사용하여 20분 안에 음식 만들기 경쟁을 하는 바잘의 <레디 스테디 쿡> 포맷은 다른 열 개 국가에 판매되었다.

하지만 요리 쇼는 또한 텔레비전 산업에 책, 비디오, 잡지, CD-ROM과 같은 일련의 미디어 형식의 파생상품들을 통해 이윤을 창출할 수 있는 기회도 제공한다. 그러한 환경에서 델리아 스미스, 게리 로즈Gary Rhodes, 릭 스타인 Rick Stein 같은 최고 TV 셰프들은 점점 더 하나의 '브랜드'로 여겨지게 된다. 최근에 BBC는 다른 회사들에 자신의 머천다이징merchandising을 의뢰하던 것에서 그 자신의 '브랜드들'을 BBC 월드와이드BBC Worldwide를 통해 보다 적극적으로 머천다이징하는 쪽으로 방향을 틀었다. 영국의 베스트셀러 TV 요리사인 델리아 스미스는 하나의 유용한 연구사례이다. BBC는 델리아의 TV 시리즈를 제작하는 것뿐만 아니라 그녀의 책과 비디오 또한 출시하고 있다. 이러한 방식으로 델리아는 BBC의 중요한 브랜드가 되었다. BBC 월드와이드의 사장 가빈 루퍼트Gavin Rupert가 논평한 바 있듯이, "그것이 성공할 수 있었던 것은 TV 프로그램이 방영되고, 모든 아울렛에서 책을 판매하고, ≪라디오 타임스Radio Times≫가 그녀를 매주 대서특필하고 그리고 잡지 ≪굿 푸드Good Food≫가 그녀를 크게 다루기 때문이다. 우리는 [BBC 소유의] 미디어를 통해 델리아를 시장에 내놓을 수 있었다"(Barrie, 1999). 이러한 방식으로 오늘날 영국 텔레비전 내에서 TV 셰프들이 수행하는 역할은 미디어 시너지 효과의 증가라는 측면에서 이해될 필요가 있다. 미디어 시너지 효과라는 용어는 다각화를 통해 미디어산업들이 유명 인사나 스타를 더욱 더 노출시키는 방법을 일컫는다. 그 결과 TV 셰프들은 미디어 형식들을 넘나드는 '엔터테인먼트 패키지'가 된다(Negus, 1992: 5).

일련의 미디어들을 가로지르며 TV 셰프들을 판매하는 이러한 능력은 그들이 동료들과 구별되는 고유의 브랜드 이미지를 가지고 있다는 것에 달려 있다. 몇몇 셰프들은 트레이드마크인 독특한 시각적 스타일과 등치되며(게리 로즈는 젤을 발라 뾰족하게 세운 머리칼을 하고 있으며, 제임스 마튼스James Martens는 반다나를 하고 있다), 다른 셰프들은 국가 또는 지역과 동일시된다(장-크리스토프 노벨리Jean-Christophe Novelli는 '매력적인' 프랑스 사람처럼, 그리고 브라이언 터너Bryan Turner는 '무뚝뚝한' 요크셔 사람처럼 행동한다). 하지만 지금까지 자신을 가장 성공적으로 브랜드화한 TV 셰프는 제이미 올리버이다. 그의 첫 번째 시리즈 <네이키드 셰프The Naked Chef>가 그가 23살일 때 제작되었음을 놓고 볼 때, 제이미를 다른 사람들과 구분시켜주는 첫 번째 특징은 젊음이다. 실제로 그러한 젊음이 그의 스타 이미지의 일련의 요소들 – 그의 브릿팝 의상, 그의 액세서리(핸드폰, 베스파 스쿠터, 친구들) 그리고 어쩌면 가장 중요한 것으로 음식을 '끝내주는pukka', '죽여주는wicked'으로 표현하는 그의 에식스 소년 특유의 은어 – 모두에서 나타난다. 제이미의 요리 스타일 – 대범하고 따라서 꾸밈없는 – 은 어린애 같은 끝없는 열중 및 흥분과 결합하여 이러한 이미지를 강화한다. 그의 표현을 빌면, "이것은 단지 음식이 아니라 사람들과 어울리는 것이고 즐기는 것이다"(Lane, 2000). 그 프로그램의 시각적 스타일 또한 젊은 사내다운 이미지를 공고하게 해준다. "그 프로그램의 주방에는 다큐멘터리적 사실주의라는 '강렬한' 미학적 전략이 외부의 팝 비디오 스타일과 결합되어 있다. 촬영기법은 거칠고 불안하고 초점을 흐리게 하고 계속해서 이벤트를 쫓아다니려고 노력한다"(Moseley, 2001:

38~39).

이러한 점에서 <네이키드 셰프>는 '하이컨셉트high concept' 프로그램의 하나로 묘사될 수도 있다. 저스틴 와이어트Justin Wyatt에 따르면, 오늘날 할리우드 하이 컨셉트 영화의 특징은 "스타일을 강조하고 그것이 마케팅과 통합되어 있다는 것이다. …… 마케팅과 하이 컨셉트의 결합은 시장성이 높은 발상에 집중하게 한다. …… 하나의 표현매체로서의 광고는 하이 컨셉트 영화의 제작 자체에서 중요한 요소이다"(Wyatt, 1994: 23). 실제로 제이미 올리버가 주방 바깥의 장면들에서 구현하는 젊은이의 라이프스타일 – 이를테면 그가 친구들과 파티를 벌이고 소호의 한 커피 바에서 카푸치노를 마시고 그의 베스파 스쿠터를 타고 그의 인더스트리얼 스타일의 아파트에 친구와 가족을 데려가는 것 – 은 오늘날의 라이프스타일 광고를 꼭 빼닮아 있다. 광고가 소비자들에게 "제품을 이용하여 라이프스타일을 표출적으로 과시하도록" 부추긴다면(Lury, 1996: 65), <네이키드 셰프>는 시청자에게 음식과 요리(그리고 아마도 그것의 파생상품인 요리책들)에 대해 유사한 성향을 가지도록 유도한다(Hollows, 2003b를 보라). 실제로 영국의 슈퍼마켓 체인 세인스버리는 지금껏 제이미를 주인공으로 한 일련의 광고들에서 그 프로그램의 시각적 스타일에 의지해오고 있으며, 매장 내 냉장상품 캐비닛을 특화시켜 매장 통로를 돌아다니지 않고도 제이미의 요리들 중의 하나에 필요한 모든 재료들을 손에 넣을 수 있게 하고 있다. 이러한 점에서 볼 때, 제이미 올리버는 강력한 미디어 브랜드의 하나가 되었다.

텔레비전, 레스토랑 그리고 유명 셰프

모든 텔레비전 요리사가 동시에 레스토랑 셰프인 것은 아니지만, 최근의 요리 쇼 붐은 영국의 텔레비전 화면에 훨씬 더 많은 레스토랑 셰프를 출현시켜 왔다. 이 절에서 우리는 텔레비전 산업 내에서 이루어진 셰프들의 고급 브랜드화가 어떻게 경쟁적인 레스토랑 사업 내에서 스스로를 쉽게 알아볼 수 있는 브랜드로 만들어내고자 하는 셰프들의 욕구와 병행하는지를 탐구한다.

'독특한' 스타일과 발상의 소유가 성공한 레스토랑 셰프의 특징이 됨에 따라, 오늘날의 레스토랑 무대 내에서는 마케팅과 홍보가 점점 더 중요해져 왔다. 유명 셰프 또는 스타 셰프의 창출은 부분적으로는 프랑스의 누벨퀴진의 출현과 함께 1960년대 후반 레스토랑의 일 문화에서 발생한 변화의 산물이다. 누벨퀴진은 요리의 '시각적 미학'을 더 많이 강조했는데(Gillespie, 1994: 21), 이러한 강조가 또한 음식을 보다 텔레비전 방송에 알맞게 만든 것으로 보인다. 길레스피의 주장에 의하면, 누벨퀴진의 등장은 종종 특이한 발상이나 틈새시장과 연계되어 있는, 독특한 고유 스타일을 가진 '예술가'로서의 셰프라는 관념과도 연관되어 있다. 끝으로, 누벨퀴진은 또한 셰프-경영자의 등장과도 연관되어 있다. 이전의 최정상 셰프들이 레스토랑 소유주들을 위해 일했다면, 그들은 점차 그들 자신의 레스토랑을 열게 되었다(또한 Mennell, 1996도 보라).

길레스피는 이러한 이유를 들어 셰프-경영자라는 새로운 물결이 "마케팅 (특히 브랜드화)과 재정문제를 예술적 작업을 통해 해결"하게끔 한다고 주장한다(Gillespie, 1994: 21). 새로운 레스토랑을 시작하는 데 필요한 많은 자본투자를 감안할 때, 명성과 평판은 매우 경쟁적인 레스토랑 사업에서 상업적으로 성공을 거두는 데 필수적이다. 다른 한편 소비자들은 "그들이 개별 셰프의 '고유' 스타일과 자신들을 연관지우고 싶다면 레스토랑을 사회적·문화적 표지로 이해하도록" 학습받는다(Ferguson and Zukin, 1998: 92). 이것은 셰프들이 대중의 높은 관심과 차별적인 정체성을 획득하기 위해서는 미디어의 유명 인사가 되어야만 한다는 것을 의미한다. 이것을 가능하게 해준 것이 "문화적 소비경험을 선전하고 평가하고 비교하는 '라이프스타일' 미디어와 여타의 '중요한 하부구조'의 폭발적인 팽창이었다"(ibid.).

그러므로 텔레비전 산업에서 이루어진 셰프의 브랜드화는 또한 레스토랑 사업에서의 셰프의 브랜드화와 병행한다. 안토니오 카르루치오Antonio Carluccio, 릭 스타인 그리고 게리 로즈와 같은 BBC의 셰프들이 참여하는, 대중적 관심이 많은 황금시간대 시리즈들은 아마도 유명세에 편승할 수 있는 가장 좋은 기회를 제공할 것이다. 이를테면 릭 스타인의 TV 시리즈들은 일련의 릭 스타인 제품들을 판촉한다. 즉 그 쇼는 그의 레스토랑을 판매할 뿐만 아니라

> 두 개의 호텔, 작은 술집, 카페 그리고 스타인 잼, 스타인 처트니 등등 스타인 이라는 이름이 붙은 그 밖의 모든 것을 파는 조제식품점 또한 판매한다. 그리고 자기 집에서 안락하게 스타인 경험을 재생하고 싶어 하는 사람들을 위해서는 스타인의 모든 아울렛 판매대 위에 스타인의 책과 비디오, 심지어는 그의 TV 시리즈에 나오는 음악 CD를 대량으로 쌓아 놓고 있다.(Middleton, 1997)

게리 로즈 또한 브랜드화된 레스토랑과 텔레비전 셰프에 관한 훌륭한 연구 사례이다. 로즈가 그의 기함 레스토랑 시티 로즈City Rhodes의 셰프-경영자가 아니라는 점에서 예외적이기는 하지만, 그는 소규모의 로즈 브랜드 레스토랑 체인의 공동 소유자였다. 로즈는 자신의 트레이드마크인 뾰족하게 세운 헤어스타일뿐만 아니라 독특하면서도 쉽게 확인되는 고유한 요리 스타일 – 그는 영국의 '전통' 요리를 '현대적으로' 요리한다 – 또한 가지고 있다. 하지만 로즈의 요리 – 스콘, 셰퍼드 파이, 스카치 에그와 같은 '전통적인 영국식' 음식의 현대적 뒤틀기 – 뿐만 아니라 그의 전체적인 스타 이미지 또한 전통과 근

대성 간의 대립을 화해시키고자 하는 시도를 축으로 하여 만들어진다(Strange, 1998). 이러한 방식으로 일단의 그의 TV 시리즈는 전통적인 나무도리와 화려한 SMEG 냉장고를 결합시킨다. 이러한 스타 이미지의 요소들은 일련의 상품보증 선전들을 통해서도 재확인된다. 그의 일련의 '미식가용' 즉석식품은 산업화된 형태의 전통적인 가정요리였다. 설탕 제조사인 테이트 앤 라일 Tate & Lyle은 기발한 양귀비 광고에 로즈를 이용하여, 그가 '고전적인' 영국식 푸딩을 만드는 데 사용했던 '고전적인' 영국식 제품을 판매한다. 로즈의 이미지는 리처드슨 셰필드Richardson Sheffield의 주방용 칼에도 이용되었다. 이 전통 있는 회사는 자신의 제품에서 현대 기술을 사용하는 장인을 연상시킨다. 하지만 로즈의 이미지는 그가 전통과 결합하고 있음에도 불구하고 전통적인 영국 요리가 지닌 '싫증나게' 하고 '가정적'이라는 함의들과 조심스럽게 거리를 두고 있다. 로즈는 요리시연을 록 스타일의 순회공연으로, 즉 음악, 조명, 비디오 스크린을 동반한 거리의 로즈Rhodes on the Road로 새롭게 만들어냈고, 이것은 그에게 광고주를 추가적으로 얻고 "로즈라는 브랜드가 붙은 쿡어빌리아cookabilia"를 머천다이징하는 기회를 제공했다(Vaughan, 1997). 이들 요소 모두는 확인 가능한 스타 이미지를 구성하는 데 기여했다. 그리고 이러한 이미지가 로즈 레스토랑에서 제공되는 음식 스타일을 홍보해주었고, 게리 로즈를 일련의 영역을 포괄하는 '오락물 패키지'로 만들어주었다.

다른 셰프들은 텔레비전을 그들 자신을 시장에 내놓기 위해서뿐만 아니라 확실히 자신들의 레스토랑에서 제공하는 요리와 소비경험을 팔기 위해서도 이용해왔다. 채널 4의 <이탈리아 키친Italian Kitchen>은 셰프인 로즈 그레이Rose Gray와 루스 로저스Ruth Rogers를 주인공으로 하여 이탈리아 요리라는 브랜드 요소들을 소개하기도 했지만, 그들의 시리즈를 그들의 레스토랑인 리버 카페River Cafe에서 진행함으로써 그들의 레스토랑에서 식사하는 경험 또한 판매했다. 시청자들은 셰프들이 일하는 것과 고객들이 식사하는 것을 보았다. 그들은 또한 이탈리아에서는 '최상의' 재료를 얻기 위해 엄청난 노력을 한다는 것을, 따라서 이들 '고급' 재료들 대부분은 집에서 그들의 레시피를 재현하고자 하는 가정 내의 요리사들이 손에 넣을 수 없다는 것을 알게 되었다. 하지만 유명 인사로서의 셰프에 대한 사람들의 관심과 자신에 대한 '개인숭배'를 창출해야 하는 셰프의 필요성은 또한 요리 포맷을 넘어서는 쇼들을 만들어내왔다(Gillespie, 1994: 19). 채널 4의 <고든 램지의 보일링포인트Gordon Ramsay's Boiling Point>은 다큐멘터리 시리즈로, 폭발적인 인기와 법률소송의 와중에 자신의 예전 일자리를 떠나 1998년 셰프-경영자로서 새로운 레스토랑을 개업한 램지의 뒤를 추적한다.

하지만 명성을 추구하는 것은 또한 셰프에게 문제가 될 수도 있다. 일부 TV 셰프들은 TV 요리사로서의 그들의 성공을 이용하여 셰프라기보다는 주로 TV 유명 인사로서의 경력을 시작했다. 이를테면 낮 시간대 요리게임 쇼에 주로 출현하는 케빈 우드포드Kevin Woodford는 여행 쇼의 고정 출연자가 되었고, 종교 프로그램인 BBC의 <선데이 쇼The Sunday Show>의 공동 사회도 맡았다. 지나치게 빈번한(그것도 특히 여성화된 공간인 낮 시간대에) 텔레비전 노출은 경제적 이익을 얻을 기회를 증대시켜줄 수도 있지만, 또한 '진지한' 셰프로서의 자신들의 정통성을 격하시킬 수도 있다. 실제로 황금시간대를 차지하고 있는 많은 셰프들은 <레디 스테디 쿡>에 출현하기를 거부해왔다. 결국 이러한 거부는 텔레비전 셰프들이 자신들은 "텔레비전 셰프가 아니"라고 주장하는 상황을 낳았다. 그러자 제이미 올리버는 "자신이 아마도 '다소 미숙한 TV 셰프 요리사 집단'의 대부분의 사람들보다 주방에서 더 많은 시간을 보낼 것이며"(Lane, 2000에서 인용) "나는 TV 셰프로 인식되기를 원하지 않는다"라고 주장했다(Fort, 1999b). 셰프들이 여전히 텔레비전의 환심을 사고 책 계약을 따내려고 하면서도, '예술가' ─ 누벨퀴진의 등장 이후 최고 셰프의 정통성에 결정적인 요소인 ─ 로서의 자신들의 이미지를 계발하고자 한다면, 그들은 "아인슬리 해리오트Ainsley Harriott — 그들이 수 년 동안 확인해왔듯이, 그는 결코 진정한 요리사가 아니다 — 처럼 '미디어에 자신을 팔아버리는 것'으로부터 멀리하고자" 노력해야만 한다(ibid.). 이러한 이유 때문에 그들은 그들의 명성이 산출하는 경제적 이익을 자주 깎아내리고 싶어 한다. 이를테면 게리 로즈는 이렇게 주장한다. "나는 복권에 당첨되기를 꿈꾼다. 왜냐하면 나는 백만장자가 아니기 때문이다"(De Bertodano, 1997).

텔레비전 셰프들이 자신들에게 명성을 부여한 미디어, 그리고 그것으로 부터 얻은 경제적 이익과 스스로를 분리하고자 하는 시도는 곧 요리 영역 내에서 자신들의 문화적 정통성을 주장하려는 시도이다. 우리가 살펴보았듯이, 누벨퀴진의 등장은 요리를 "새롭게 부각되는 문화적 장"으로 만들기 위해 요리 영역을 그 정통성이 '기능'보다는 '예술'과 연관되어 있는 영역으로 변경시키고자 하는 시도였다(Ferguson and Zukin, 1998: 93). 셰프들은 요리 영역에 막대한 투자를 해온 사람들이다. 왜냐하면 그들은 벨(Bell, 2002)이 '요리문화자본'이라고 부른 것에 막대한 투자를 해왔기 때문이다. 요리의 맛에 대한 심판자로서의 그들의 정통성은 특정 영역 내에서 그들이 소유하고 있는 문화자본으로부터 나온다. 하지만 부르디외(Bourdieu, 1971; 1993)가 주장하듯이, 문화자본은 경제적 자본과 동일한 안정적 가치를 가지지 않으며, 거기에는 요리의 위세를 경제적 부로 전환하라는 압력이 존재한다. 하지만 그와 동시에 셰프가 경제적 이익에 대해 지나친 욕망을 드러낸다면, 그것은 문화적 정통성을 박탈하는 결과를 초래할 수도 있다. 요리 영역 내에서 최고의 셰프들에게 그들의 정통성을 부여하는 것은 셰프가 지닌 기술, 상상력, 예술성의 상대적 희소성이다. 따라서 만약 '대중의' 입맛과 대중오락의 요구에 자신들을 '팔아버린다'면, 그들은 또한 그들의 정통성을 상실할 위험에 처하게 된다. "자신을 팔아버린다는 것"은 요리 영역 내에서 그들이 차지하고 있는 정통성, 즉 그들의 문화적 권력의 원천을 상실하게 할 수도 있다. 이렇듯 셰프가 셰프로서의 명성과 경제적 성공을 증대시키기 위해 텔레비전을 통해 '대규모' 청중과 경제적 이익을 추구하는 것은 그들이 '예술가'로서의 그들의 작업에 대한 존경을 상실하게 될 위험을 항상 내포한다.[3]

음식지식 전달하기

이 절은 이 새로운 유형의 유명 셰프들이 텔레비전 요리를 통해 음식지식의 형태와 요리성향에 미치는 영향을 논의한다. 물론 텔레비전이 음식지식의 유일한 원천인 것은 아니며, 텔레비전이 조장하는 음식담론과 음식성향들은 가족, 요리책, 광고, 여성 잡지와 같은 여타의 원천들과 경쟁한다. 이러한 이유에서 어떤 직접적인 효과나 영향을 텔레비전 요리 쇼에 귀속시키는 것은 오해를 불러일으킬 수도 있다(Dickinson, 1998). 실제로 카플란Caplan과 그의 동료들이 수행한 음식선택에 관한 연구가 보여주듯이, TV 요리 쇼가 선호하는 음식의 의미가 적극적으로 거부당하거나 또는 이해되지 않을 수도 있다. 한 웨일스 농부는 이렇게 말한다. "텔레비전 [음식 프로그램]이 보여주는 것은 항상 이렇다. 그것들은 [스튜냄비를 가지고 와서] 그것을 불 위에 올려놓고는 그 안에 이것저것을 집어넣는다. 그리고 내가 항상 갖는 유일한 의문은 '위胃가 그러한 것들을 처리할 수 있게 만들어져 있기는 한 것인가?' 하는 것이다"(Caplan et al., 1998: 181). 그럼에도 불구하고 우리는 여전히 요리 쇼를 무엇을 어떻게 먹어야 하는가에 관한 "여러 가능성, 지침, 권고"를 제공하는 하나의 '자원'으로 생각할 수 있다(Dickinson, 1998: 267). 더 나아가 워드가 주장하듯이, 음식 미디어는 "음식, 스타일, 쾌락"에 관한 상상력을 자극할 수도 있다(Warde, 1997: 44). 그리고 그것이 요리관행에 그리 영향을 미치지 않을 수도 있지만, 그것은 새로운 재료와 외식에 관한, 그리고 일상생활에서 음식이 지니는 의미에 관한 우리의 성향을 보다 전반적으로 틀 지을 수도 있다.

데이비드 벨(David Bell, 2002)은 텔레비전 셰프들이 그들 자신의 차별성을 드러내는 동안에도 그들은 또한 음식지식을 민주화하고 우리에게 '요리문화자본'을 획득할 기회를 제공하는 '문화적 중개자' 역할을 한다고 주장했다. 하지만 텔레비전 쇼가 요리의 의미를 전달하는 방식은 다양하다. 니키 스트레인지Niki Strange는 "자신의 요리를 하나의 실제적이고 사회적인 기술로 맥락화하는" 델리아 스미스 같은 셰프들과 요리를 "감각적이고 즐거운 것"으로 제시하는 게리 로즈 같은 여타 셰프들을 구분한다(Strange, 1998: 310; 또한 Bell, 2000도 보라). 이러한 구분은 최근의 텔레비전 요리에서 발생한 몇몇 변화들을 개념화하는 데 하나의 유용한 방식을 제공한다. 이 절은 요리를 "하나의 실제적이고 사회적인 기술"로 제시하는 것이 어떻게 요리, 노동, 그리고 가정이라는 맥락 간의 관계를 유지하는지를 탐구한다. 하지만 우리는 요리를 사회적 기술로 보는 성향이 전문 스타 셰프가 점점 더 부각되면서 최근의 텔레비전 요리 속에서 가려져왔다고 주장하고 싶다. 왜냐하면 그러한 텔레비전 요리 속에서 요리의 의미는 "감각적이고 즐거운 것"과 동일시되어지고, 또 레저와 라이프스타일과 연관되어지기 때문이다.

스트레인지와 벨 모두는 델리아 스미스를 전자의 범주와 연관시킨다. 그리고 우리가 앞서 제기했듯이, 그녀는 또한 "아마도 공공서비스를 지향하는 텔레비전 셰프의 마지막 사례"일 것이다(Moseley, 2001: 36). 델리아는 그녀의 특징적인 설교적 표현 스타일을 사용하여, 요리를 그녀의 청중이 인내와 고된 노동을 통해 획득할 수 있는 하나의 기술로 제시한다. 이를테면 TV 시리즈 <요리법 2>에서 그녀는 시청자에게 좋은 요리의 토대 중의 하나로 적절한 찬장이 필요하다고 조언한다.

만약 당신이 살아가면서 운전하기를 원한다면, 당신이 해야만 하는 것 중 하나가 운전교습을 받는 데 힘을 쓰는 것입니다. 따라서 당신은 운전교습에 얼마간의 돈을 썼을 것입니다. 이제 만약 당신이 요리법을 배우기를 원한다면, 어느 정도는 동일한 것이 그것에 적용됩니다. 따라서 왜 적절한 찬장을 얻기 위해서는 얼마간의 시간과 돈을 쓰는 것부터 시작해야만 하는지를 알려주는 <요리법> 제2탄에 오신 것을 진심으로 환영합니다.

이러한 식으로 요리는 운전처럼 적절한 개인지도를 필요로 하는 어떤 것일 뿐만 아니라 또한 "실제적이고 사회적인 기술로 맥락화된다." 요리가 정성과 책임을 가지고 접근해야만 하는 것이기는 하지만, 운전과의 비교는 또한 요리를 세속적인 일상적 기술의 하나로 특징짓는다. 더 나아가 델리아는 그러한 기술들을 획득하기 위해서는 돈, 시간, '헌신', 노동이 필요할 뿐만 아니라 그러한 기술들은 실제로 "요리에 근본적"이라고 주장한다(Strange, 1998: 302).

궁극적으로 델리아의 <요리법>은 또한 그러한 기술들이 가정이라는 맥락 내에서 사용되게 될 것이라는 점을 강조한다. 그것이 수반하는 노동은 좋은 음식의 생산과 소비를 통해 우리 자신과 우리 주변의 사람들을 풍요롭게 하는 하나의 수단이다. 음식의 '질'과 올바른 방식으로 요리하는 것에 대한 이러한 존중은 도덕적 책임감과도 연관되어 있다. 빵을 주제로 다룬 <요리법>의 한 방송분에서 발췌한 다음 글은 그러한 관계를 분명하게 보여준다.

만약 당신이 하룻밤 사이에 당신의 삶의 질을 향상시키고 싶다면, 나는 당신에게 매우 단순하면서도 매우 저렴하게 그렇게 할 수 있는 법을 이야기해줄 수 있습니다. 그것은 정말로 좋은 어떤 빵을 매일 먹는 것입니다. 당신은 바로 그 최고의 빵을 살 수도 있습니다. 아니면 더 좋은 방법은 집에서 그것을 만드는 것입니다. 애석하게도 요즘 많은 사람들이 소비하는 이 빵은 [얇게 자른 흰 빵 조각을 들어올린다] 실제로 빵이 아닙니다. 이것은 눅눅하고 축축합니다. 음, 이건 좋은 빵의 특징인 기분 좋게 파삭거리는 바삭바삭한 껍질을 갖고 있지 않습니다. …… 실제로 이걸 먹기를 원하나요? 그러지 마세요. 먹지 마세요. 당신에게 정말 부족한 것은 당신이 매일 좋은 빵을 먹을 자격이 있다고 생각할 만큼 충분히 당신 스스로를 소중히 여기는 것입니다.

신체적·도덕적으로 영양가 있는 '좋은' 빵의 소비가 하나의 의무로 제시될 뿐만 아니라, 델리아는 보다 일반적인 라이프스타일 프로그램의 핵심적인 주제들 중 하나, 즉 우리의 삶을 개조함으로써 우리는 또한 자아를 향상시킬 수 있다는 약속을 활용한다.

델리아의 쇼가 요리를 도덕적 책무로 제시한다면, 새로운 유형의 텔레비전 셰프들이 출현하는 몇몇 요리 쇼들은 매우 다른 도덕적 책무를 제시한다. 일상생활의 모든 측면에서 재미와 즐거움을 끌어내야 한다는 식의 그러한 도덕적 의무는 신중간계급에 대한 부르디외의 연구와 결부되어 있다(제4장을 보라). 니키 스트레인지는 게리 로즈를 요리의 "감각적이고 즐거운" 측면들을 강조하는 셰프의 사례로 이용하여, "그의 말과 몸짓들이 지닌 관능성 – 그는 자주 그의 손가락에 키스하고 그의 작품들을 애무한다 – 이 레시피를 에로틱하게 만드는 데 기여하는" 방식에 대해 논한다(Strange, 1998: 310). 델리아와는 달리 게리 로즈는 자신의 창작품을 베어 물고 나서는 그 맛에 대한 자신의 주체할 수 없는 기쁨을 드러낸다. 그는 우리가 믹싱 볼 속의 음식을 느끼고 지글지글 소리 내는 프라이팬에서 올라오는 냄새를 감지할 때 음식의 질감이 우리에게 주는 즐거움을 확인시킨다. 먹기는 우리가 우리 자신과 타인들에게 줄 수 있는 즐거움인 것만이 아니다. 요리는 우리가 혼자서도 탐닉할 수 있는 한 가지 쾌락이다. 이것은 그가 항상 "요리가 얼마나 쉬운 일인지"를 생각나게 하는 것과 함께, 요리가 노동이 아니라 레저임을 우리에게 확인시키는 데 기여한다. 그 과정에서 그는 스스로를 여성의 가사전통과 분리시키면서 전문적 셰프로서 자신이 그것보다 우월하다는 점을 입증한다.

음식의 즐거움에 대한 이러한 강조는 음식의 시각적 미학이 지니는 중요성을 강조함으로써 재확인된다. 우리가 앞에서 살펴보았듯이, 누벨퀴진의 등장은 시각적 미학이 더욱 강조되어온 것과 관련되어 있으며, 이것은 또 다른 방식으로 텔레비전 셰프가 가정 내 요리사와 다르다고 주장할 수 있게 해준다. 이들 새로운 텔레비전 셰프들은 평범한 가정 내 요리나 (여성적 전통과 연관된) 장식이 많은 팬시케이크들보다는 자신들의 예술성과 스타일 의식을 보여주는 대단히 세련된 창작품을 만든다. 그리고 그들은 그러한 요소들 각각이 눈부신 요리 스펙터클에 기여하는 방식을 시각적으로 보여준다. 요리는 그라탱용 접시나 장식 고명을 곁들인 접시 위에 진열되기보다는 낮고 둥근 접시 위에 '가지런히 배열된다'. 심지어는 차별성을 드러내기 위해 단순한 접시가 사용될 수도 있다. 게리 로즈는 <뉴 브리티시 클래식스New British Classics>라는 그의 시리즈에서 치즈토스트를 만든 후 그것을 재치와 예술적 상상력을 발휘하여 단품 요리로 변형시키는데, 그것은 물냉이, 포도, 사과 샐러드와 함께 호두 빵에 곁들인 샬롯 마멀레이드와 집에서 담근 포트와인을 스틸턴치즈와 조합한 것이었다. 그 다음에 그는 즐거움의 원천으로서 시각적인 것이 갖는 중요성으로 우리의 관심을 돌리면서, 시청자들에게 시각적인 것을 '소박한 스타일'로, 그렇지만 극도로 조심스럽게 재료들을 배열함으로써 "우리가 접시 위에서 모든 개개의 맛을 볼 수 있도록" 진열할 것을 권유한다.

음식 프로그램들이 다른 오락물 포맷들과 합체되어온 것과 마찬가지로, 음식 자체도 또한 즐기는 것으로 제시된다. 요리행위를 통한 연회와 즐거움은 더 이상 다른 사람들을 대접할 음식을 만드는 것 – 돌봄을 증명하는 하나의 수단 — 에 관한 것이 아니다. 우리가 제8장에서 살펴보았듯이, 페미니즘 이론이 묘사하는 가정 내 여성 요리사는 음식을 만드는 자신의 행위를 통해 '돌봄과 배려'를 융합하는 사람이다(Skeggs, 1997: 56). 이와는 달리 요리는 요리사 자신을 즐겁고 기쁘게 하는 것, 즉 자아를 돌보는 하나의 수단으로 제시된다. 만약 새로운 텔레비전 셰프들이 들이는 정성이, 음식이 즐거움과 오락의 원천이라는 것을 발견하는 자아에 기초한다면, 이는 또한 음식에 투자하는 그러한 정성이 가사노동이 아니라 '심미화된 레저'라는 것을 시사한다. 조사연구들은 이러한 요리성향은 요리를 취미로 간주하고 그들의 식사를 '특별한 이벤트'로 변화시키는 경향이 있는 남성들과 보다 일반적으로 관련되어 있다고 넌지시 제시한다(Adler; Bell and Valentine, 1997: 73에서 인용함). 요리행위를 통해 '돌보고 배려하는' 자아가 새로운 텔레비전 요리 속에서 마이크 페더스톤이 '연기하는 자아performing self'라고 명명한 것으로 대체되는 경향이 있다. "연기하는 자아는 겉모습, 표현, 인상관리를 더 많이 강조한다." 페더스톤은 이 자아가 신중간계급의 출현과 관련되어 있는 것으로 파악한다(Featherstone, 1991b: 187)(또한 제4장을 보라).

이처럼 요리를 "감각적이고 즐거운" 행위로 강조하는 것은 정체성과 구별짓기가 점점 더 단지 노동을 통해서라기보다는 일상생활에서 이루어지는 레저, 소비관행, 예술투자를 통해 이루어지는 방식에 관한 보다 광범위한 논쟁과도 연관되어 있다. 우리는 이러한 경향을 제이미 올리버의 <네이키드 셰프>에서 가장 분명하게 찾아볼 수 있다. 레저로서의 요리와 라이프스타일에 대한 강조는 제이미가 자신이 텔레비전 셰프로 고용되어 있었을 뿐만 아니라 첫 시리즈 동안에는 리버 카페에서 셰프로도 일했다는 사실에도 불구하고, 다음과 같이 주장하는 데서 볼 수 있다. "나는 이 프로그램이 나의 직업이라고 생각하지 않는다. 나는 단지 사람들을 나의 삶 속으로 안내하고 있는 중일 뿐이다"(Fort, 1999b). 앞서 우리가 주장했던 것처럼, <네이키드 셰

프>가 보여주는 이미지는 특정 라이프스타일을 구성하고 드러내기 위해 우리가 어떻게 음식, 요리, 먹기를 활용할 수 있는지를 제시한다. 실제로 이것을 포착한 것은 제이미에게 매료된 언론이었다. "그는 하나의 인물과 자신을 표현하는 방식, 즉 하나의 완전한 패키지를 제공한다. 제이미의 위대한 혁신은 사람들에게 레시피뿐만 아니라 완전한 라이프스타일도 판매한다는 것이다"(Maxton Walker; Bell, 2000에서 인용함). 델리아의 경우에는 음식은 어느 누구 – 어쩌면 카메라맨들을 제외하고는 – 를 위해서도 준비되지 않으며, 먹지 않은 채로 남아 있으며, 일상생활과 유리되어 있다. 이와는 달리 <네이키드 셰프>는 시청자들에게 요리와 먹기를 보다 광범위한 라이프스타일 기술의 일부로 생각하게 한다. 그것은 "접근 가능성과 성취 가능성이라는 담론을 통해, 즉 옷, 외모, 가사공간을 이용하는 방법, 그리고 남자답게 구는 방식에 관한 담론을 통해 하나의 총체적인 라이프스타일을" 판매한다(Moseley, 2001: 39). <네이키드 셰프>는 또한 가사활동을 노동이라기보다는 레저와 라이프스타일의 영역으로 창조함으로써, 남성행위로서의 요리를 정당화한다.[4]

오늘날의 많은 요리 쇼들은 "교육하고 정보를 제공"하지만, 델리아 스미스와는 매우 다른 방식으로 그렇게 한다. 제이미 올리버와 나이젤라 로슨과 같은 TV 셰프들은 '요리법'에 대한 초보적 지식을 그다지 많이 제공하지 않는다. 대신에 그들은 살아가는 방법을 제공한다. 문화중개자 또는 '신지식인'으로 활동하는 이들 텔레비전 셰프들은 예전에는 오직 지적 엘리트들과만 연계되었던 "독특한 포즈, 독특한 게임 그리고 내면적인 부의 여타 표식들을 **거의** 모든 사람들이 손에 넣을 수 있도록" 만든다(Bourdieu, 1984: 371). 이러한 방식으로 그러한 쇼들은 여전히 "정보를 제공하고 교육한다." 그러나 청중은 더 이상 기본적 기술을 습득하는 것이 아니라, 일상생활의 모든 측면으로부터 즐거움과 재미를 얻는 식으로 구별짓기를 하는 방식과 관련한 '라이프스타일 기술'을 교육받는다. 그러한 쇼들이 약속하는 자아의 변형 또는 개조는 델리아와 결부되어 있는 전통적 형태의 도덕적 개선과는 크게 다르다.

결론

텔레비전 요리에서 이루어지고 있는 요리, 라이프스타일, 구별짓기에 대한 이러한 강조가 대다수 사람들의 요리관행에 많은 영향을 미치게 된 것이 언제부터인지를 추정할 수 있는 증거는 거의 존재하지 않는다. 워드(Warde, 1997)의 조사가 발견한 바에 따르면, 음식소비에서 나타나는 계급 차이에도 불구하고 대부분의 사람들은 그들의 음식관행을 구별짓기와 관련하여 이해하지 않았다. 게다가 한편에서 텔레비전 요리는 우리 자신을 보다 나은 자신으로 개조할 것을 권고하지만, 우리가 스스로를 개조할 수 있을지도 모른다는 또는 개조할 수 있다는 인식은 그 자체로 즐거운, 변화에 대한 환상일 수도 있다. 레슬리 스턴Lesley Stern의 표현을 빌면, "욕구는 환상에서 나온 행위를 통해서가 아니라 공상하기라는 활동 그 자체를 통해서 충족된다"(Ang, 1990: 86에서 인용함). 주방이 만족의 장소일 뿐만 아니라 노동, 긴장 그리고 근심의 장소이기도 하다는 것을 감안할 때, 그러한 쇼들이 주는 즐거움은 그것들이 요리가 즐거운 활동일 수도 있는 세상을 잠시나마 들여다보게 한다는 것이다. 그렇다면 텔레비전 요리 쇼는 일정 정도 '음식허구food fiction'로 이해될 필요가 있다. …… "주방의 꿈은 실제로 결코 실현시킬 의도를 지닌 것이 아니었다"(Marling, 1994: 231). 그렇지만 이것이 그러한 쇼들이 일상적인 음식관행에 어떠한 영향도 미치지 않는다고 주장하는 것은 아니다. 그러한 쇼들의 중요성은 아마도 그것들이 "'우리가 무엇을 어떻게 먹어야 할 것인가'라는 질문에" 새로운 대답을 제공하는 방식에 있을 것이다(Warde, 1997: 44).

마지막으로, 이들 쇼의 중심에 존재하는 모순을 지적할 필요가 있다. 왜냐하면 데이비드 벨이 지적하듯이, TV 셰프들은 우리에게 "요리문화자본을 획득하고 그런 다음 그것을 이용할" 것을 부추기지만, "…… 그와 동시에 그들은 자신들의 지위를 특징짓는 데 이용되는 비밀 지식들을 누설함으로써, **그 자본을 바람에 날려버린다**"(Bell, 2000). 파토리니Fattorini는 음식저널리즘의 사례를 논하면서, 이러한 모순이 레스토랑 셰프와 그들의 고객 간에 갈등을 유발할 수도 있다고 주장한다. 왜냐하면 라이프스타일 미디어가 그들의 청중을 (자신들의 음식지식이 전문 셰프의 그것과 동일하다고 믿는) '전문 소비자' 또는 '의사擬似 전문가'로 만들기 때문이다(Fattorini, 1994: 24.6). 파토리니는 이것이 레스토랑 사업 내에서 분노를 유발한다고 주장한다. 왜냐하면 "가정 내 요리사의 동기(즐거움, 최종 산물의 향유, 레저 활동으로서의 요리)와 음식이 단지 그들 직업에서 한 부분일 뿐인 전문 요리사의 동기는 다르기 때문이다"(ibid.: 27).[5] 게다가 가정 내 요리사와의 구별짓기 의식이 존재하지 않는다면, 전문 셰프들은 그들이 요리문제에서 주장하는 정통성과 전문지식을 상실하게 될 뿐만 아니라 (대부분의 여성들에게는 궁극적으로 노동인) 가정 내 요리의 여성 관련성에 의해서도 위협받게 될 것이다.

제12장

음식윤리와 먹거리 불안

바로 앞의 두 장에서 우리는 음식에 대한 심미적 반응을 다방면에 걸쳐 다루었다. 하지만 음식의 심미적 측면들이 사람과 식재료 간을 매개하는 것과 마찬가지로, 음식문화에는 강력하게 주의를 끄는 도덕적·윤리적 측면이 존재한다. 우리는 이를 전 지구적 식량조달이 어떻게 발전도상 세계에 사는 사람들의 이익을 해치는지, 가정에서의 음식준비가 어떻게 여성들을 불리한 처지에 놓이게 하는지, 그리고 특정한 식재료가 어떻게 특정 사회집단에서 혐오감을 불러일으키는지를 논의하는 자리에서 이미 간략하게 다룬 바 있다. 이 장에서 우리는 소비와 비소비 모두의 윤리적 차원을 채식주의의 사례에 초점을 맞추어 좀 더 깊이 탐구한다.

오늘날 윤리적 소비는 자주 음식에 부착된 위험에 대한 강화된 인식과 밀접하게 관련되어 있다. 최근에 새로운 불안이 증식되면서, 패닉 의식이 가속화되어왔다. 그중에서도 영국에서 가장 이목을 끈 것이 계란 속의 살모넬라균, 치즈, 고기, 아이스크림 속의 리스테리아균, 쇠고기 광우병, 그리고 유전자조작 식품과 관련한 파동이었다. 이 장에서 우리는 이러한 세간의 주목을 받은 사례들을 도덕적 패닉 이론 및 뉴스 미디어에서의 그것들의 재현과 관련하여 검토한다. 하지만 우리는 또한 유기체론과 영양학과 같은 덜 극적인 쟁점들과 관련한 우려들이 어째서 보다 광범위한 문화적 과정 내에서 이해될 필요가 있는지를 검토한다. 우리는 문화적 의미가 얼마나 위험과 불안의 인식에 의해 지배되는지를 비판적으로 검토하는 데 분석의 초점을 맞출 것이다.

그러므로 무엇이 맛이 있는 것이고, 무엇이 맛이 없는 것이고, 무엇이 먹기에 부적절한 것이고, 무엇이 먹을 수 없는 것인가는 심히 문화적인 질문이다. 메리 더글라스는 음식금기의 본질에 대해 다루면서, 그러한 현상이 문화적 경계를 설정하고 특정 문화에 그 문화의 고결성을 유지하거나 단속하는 중요한 수단을 제공한다고 제시해왔다. 그녀는 "모호함에 대한 문화적 불관용은 회피, 차별, 그리고 순응압력으로 표현된다"고 기술한다(Douglas, 1975: 53). 기존의 경계를 넘어서는 식재료와 음식관행은 위험과 타자성을 체현하고 있다. 그리고 초기의 금기 설정에는 자주 진짜 건강상의 이유가 자리하고 있지만(Harris, 1997를 보라), 그러한 생리학적 설명은 특정 문화 내에 착근되어버린 금기를 설명하지 못한다. 식재료와 관련된 의료적 위험이 더 이상 제기되지 않는 경우에도, 금기는 오랫동안 하나의 문화적 위험으로 계속해서 작동한다. 더글라스(Douglas 1997: 52)가 진술하듯이, "사람들이 침입과 위험을 인식할 때마다, 몸속으로 들어오는 것을 통제하는 음식물 규칙들이 위험에 처한 그들의 문화적 범주 전체를 상징하는 하나의 생생한 비유물로 작동했을 것이다." 이 장은 문화적 위험, 음식물 규정, 그리고 신체적 위험 간의 관계를 검토한다. 이들 범주를 가로지르는 특히 널리 퍼져 있는 관행을 검토하기 위해, 우리는 이제 채식주의라는 주제로 돌아갈 것이다.

채식주의의 의미

채식주의가 빈번히 음식소비에 대한 하나의 윤리적 접근방식으로 인식되어 왔지만, 그것은 또한 '하나의 불안관리 행위'로도 인식되어왔다(Beardsworth and Keil, 1992: 290). 유기농 먹거리와 지역 생산 먹거리에 대한 윤리적 선호에 대해서도 유사한 지적을 할 수 있다. 그러므로 채식주의를 도덕적·윤리적 음식소비의 구체적 사례의 하나로 보는 논의는 먹거리 파동과 먹거리 공포라는 보다 광범한 맥락 내에서 이해될 필요가 있다. 우리는 또한 여기서 채식주의에 초점을 맞출 것이다. 왜냐하면 고기가 모든 문화에서 "금기, 제한, 기피의 가장 공통적인 중심 대상"이기 때문이다(Twigg, 1983: 18). 예컨대 우리는 고기 먹기 자체에 대해 어떠한 금지가 이루어지지 않을 때조차 그것이 도덕적 금지의 진원으로 작동한다는 것에 주목한다. 이를테면 우리는 많은 식생활 충고가 '포화'(동물성)지방을 피할 것에 초점이 맞추어져 있음을 볼 수 있다.

그럼에도 불구하고 고기의 엄격한 기피 또는 특정 고기의 기피는 오랜 역사를 가지고 있다. 종교와 고기 간에는 뿌리 깊은 관계가 존재하지만(이를테면 브라만교, 불교, 조로아스타교), 기독교와 이슬람교 같은 다른 종교들은 특정 고기에 대한 금지를 강요하지 않았다. 고기 기피는 일반적으로 그것의 내포적 의미를 전제로 하고 있다. 그중에서도 트위그(Twigg, 1983: 19)가 지적하는 것이 '육욕'과 '타락'이다. 이를테면 몬타나리(Montanari, 1996: 78)가 규명한 그리스의 "채식주의적 '평화주의'" 철학에서 나온 전통이 고기 먹기와 폭력 간에 하나의 관계를 설정했다면, 기독교에서 이러한 함의는 고기를 쾌락주의적이고 그리하여 "과도한 성욕으로 이어지게" 하는 것으로 보는 관념과 결합되었다(ibid.). 우리가 더글라스의 연구와 관련하여 지적했듯이, 이러한 종교적 금기는 종교의 사망에도 불구하고 일정 정도 살아남아 대부분의 서구 사람들이 삶의 지침으로 삼는 일단의 주요한 가치들로 작동하고 있다.

하지만 다른 측면에서 전근대성에서 근대성으로의 이행은 고기 먹기에 대한 종래의 태도와의 단절을 특징으로 한다. 이를테면 영국 채식주의의 **공식적인** 시작은 1847년 채식주의자협회의 창립으로까지 거슬러 올라갈 수 있다. 이러한 제도적 발전은 애드리언 프랭클린Adrian Franklin이 19세기 동안 동물-인간관계에서 일어난 네 가지 핵심적 변화로 규명한 것의 맥락에서 이해될 필요가 있다. "동물에 대한 감상적 사고sentimentalization of animals, …… 동물에 대한 적절한 문명화된 행동을 규제하는 데서 근대국가가 수행한 역할, 동물권리에 대한 요구, 인간 여가에서 동물의 중요성 증대"가 바로 그것들이다(Franklin, 1999: 34). 몇몇 비평가들이 볼 때, 이러한 변화는 19세기 동안의 부르주아 문화의 성장과 문명화 과정의 발전을 비롯하여 그 자체로 보다 광범위하고 다양한 사회적·문화적 변화의 산물이었다. 이를테면 몬타나리는 새로운 부르주아 도시문화는 동물과의 관계를 변화시켰다고 주장한다. 즉 보다 많은 주민들이 고기를 손에 넣을 수 있게 됨에 따라, 고기 먹기는 더 이상 구별짓기의 기호로 인식될 수 없었다. 유사하게 메넬(Mennell, 1996)은 19세기 영국에서 고기 기피가 지닌 호소력을 도시 중간계급의 등장과 연결시키고, 그것을 문명화 과정의 일부로 규명한다. 그러한 문명화 과정 속에는 "인간의 동물적 활동들이 …… 점차 인간의 공동생활의 배후로 밀려나고 인간에게 수치심을 부여하는" 경향이 있었다(Elias; Mennell, 1996: 307에서 인용함). 우리는 이 지점에서 제1장에서 소개한 아일랜드 사람과 돼지의 관계에 대한 엥겔스의 비판적 대비를 기억해낼 수도 있을 것이다. (메넬의 입장에 대한 비판으로는 Franklin, 1999를 보라.)

프랭클린은 20세기 초에 목도된 동물에 대한 감상적 사고는 (우리가 근대성 프로젝트의 핵심적 구성요소로 볼 수도 있는) '진보'에 대한 광범위한 신뢰가 동반한 것이라고 주장한다. 하지만 그는 1960년대 이후 이러한 목적론적·낙관적 세계관이 점차 신뢰를 상실했다고 주장한다. 이 시기는 다수의 고강도 먹거리 파동 - 이는 우리가 아래에서 계속해서 논의할 것으로, 음식에 대한 불안인식의 증대와 결합되어 있다 - 에 의해 특징지어질 뿐만 아니라 채식주의의 인기가 증가한 시기이기도 하다. 채식주의자협회는 영국에서 1970년대 이래로 채식주의운동이 크게 성장했다고 주장한다. 1980년에서 1995년 사이에 회원이 7,500명에서 1만 8,550명으로 증가했고, 협회는 2001년 초에 영국 채식주의자의 수를 약 350만 명쯤으로 추산했다.[1]

이 시기에 음식정치와 음식윤리를 점차 가시화시킨 중대한 방식들 중 하나가 1960년대 후반과 1970년대의 반문화와 결합한 정치적 급진주의이다. 스튜어트 홀과 토니 제퍼슨(Stuart Hall and Tony Jefferson, 1976: 62)은 중간계급 반문화가 어떻게 주로 이데올로기적·문화적 수단을 통해 "그들 자신의 '부모'세대를 지배한 문화에 대한 반발의 선봉에 섰"는지를 지적해왔다. 그 가운데에는 '주류'와 연관된 음식을 조리하고 먹고 제공하는 방식과 그것에 대해 사고하는 방식에 저항하는 것이 포함되어 있었다. 레벤스타인(Levenstein, 1993)은 1960년대 후반 이후 미국에서 신좌파와 당시 성장 중에 있던 환경운동이 식품산업의 관행에 대한 비판을 축으로 어떻게 점차 수렴되었는지를 분석한다. 그러한 관심은 또한 새로운 미디어 채널들을 통해 주류에까지 도달했다. 이를테면 프란시스 라페(Frances Lappe, 1971)의 『작은 행성을 위한 식생활Diet for a Small Planet』과 같은 책은 미국의 식품관행과 '제3세계'의 영양실조 간의 관계를 육류산업이 수행하는 중추적 역할에 초점에 맞추어 규명했다(Levenstein, 1993: 179~180). 음식에 관한 그러한 표현들은 빈번히 먹거리의 생산과 소비를 위한 새로운 프로젝트들과 결합되었다. 그리고 그중 많은 것이 이를테면 자연식품 가게와 채식주의 또는 철저한 채식주의 카페, 채소밭과 집에서 자라는 야채에 대한 새로운 관심, 그리고 야생에서 자란 과일, 야채, 버섯을 수확하여 나누어주는 '무상 먹거리' 운동 등과 같은 채식주의 프로젝트들이었다(Mabey, 1972).

반문화의 음식정치 내에서 "건강에 대한 관심과 도덕적 관심이 자주 서로를 보완하고 있었다면"(Levenstein, 1993: 182), 1960년대와 1970년대의 매크로 바이오틱macro-biotic 식품과 유기농 식품의 증가는 '매우 미국적인 신경과민', 즉 '음식과 불결에 대한 강박 관념'과 관련지어 살펴볼 필요가 있다(ibid.: 183). 당시 천연식품과 자연식품은 빈번히 '민속'요리 전통과 결부지어 정당화되었는데, 그러한 식품의 정당화 작업은 몸을 법인자본주의corporate capitalism의 인공적 산물에 의해 오염되지 말아야 하는 하나의 신전으로 보는 경향의 일부였다. 이러한 방식으로 그들은 먹기에 적합한 것과 적합하지 않은 것의 구분을 확인하기 위해 문화와 자연 간의 대립에 호소했다(이에 대한 보다 자세한 논의로는 제2장을 보라).

여기서 모든 사람들이 그러한 요리에 똑같이 접근하지 않았다는 점을 지적할 필요가 있다. '급진적 요리 스타일'은 대체로 중간계급에 한정되어 있었다. ('민중'의 진정성에 대한 반문화의 가식적 주장에 대한 비판과 '자연식품'과 아프리카계 미국인 중간계급의 '소울 푸드soul food' 간의 관계에 대해서는 Ross, 1989를 보라.) 그럼에도 불구하고 클라우스 에더(Klaus Eder, 1996)는 채식주의의 반부르주아적 성격에 대해 다음과 같이 주장해왔다.

근대세계에서 고급 미식문화와 산업적 음식문화로 분화되어온 육식문화는 반산업적이자 반부르주아적인 채식주의 생활방식에 의해 이중으로 부정된다. …… 사회의 재자연화는 산업문화와 근대사회의 계급화된 구조와 모순된다. 채식주의 문화는 이러한 산업계급문화에 맞서서 "자연으로 돌아갈" 집합적 필요성을 분명하게 표현한다.(Eder, 1996: 136)

하지만 우리가 제시해왔듯이, 19세기에 일어난 채식주의로의 전환이 계급 측면에서 이해될 수 있다면, 반문화와 연관된 성향도 그러할 수 있다. 그 중 많은 것은 이제 신중간계급의 여러 부문들 내에서 널리 재생산되고 있다. 마이크 새비지Mike Savage는 이러한 '금욕적' 생활양식이 신중간계급의 한 분파의 '대안적 생활양식'과 강력하게 연관된 것으로부터 나왔으며, 이제는 "훨씬 더 많은 경제적 자원을 가진 사람들에 의해 널리 채택되었다"고 주장해왔다(Savage et al., 1992: 113; 또한 Franklin, 1999도 보라). 1937년에 영국 평론가 조지 오웰(George Orwell, 1937: 152)이 '음식 기인'을 "영국에서 과일 주스를 마시는 모든 사람, 나체주의자, 샌들 신는 사람, 섹스광, 퀘이커교도, '자연치료' 의사, 평화주의자, 페미니스트"와 연관시킴으로써 간단하게 처리해 버릴 수 있었다면, 채식주의의 최근 역사에 대한 우리의 논의는 '기인'이 어떻게 그것과 신중간계급 생활양식과의 연관을 통해 주류의 일부가 되었는지를 입증해왔다. 이러한 진전은 반문화를 부르주아 문화에 대한 하나의 만개한 대안이라기보다는 중간계급에서 일어난 생산과 소비의 변화의 선봉이라고 보는 홀과 그의 동료들의 견해를 확증한다(Hall et al., 1978). 하지만 우리는 이러한 논평을 통해 모든 채식주의를 균질화하고 싶지는 않다. 우리는 이제 서로 다른 채식주의들 간의 알력관계를 다루고자 한다.

채식주의 관행

채식주의는 서로 다른 사람들에게 상이한 의미를 갖는 애매한 개념이다. 이러한 인식은 "(어린이를 포함하여) 영국 인구 중 자칭 채식주의자 비율을 4%에서 7% 사이로 추정하는 것은 온당해 보인다"는 비어즈워스와 케일(Beardsworth and Keil, 1997: 225)의 주장 속에 암묵적으로 인정되고 있다. 따라서 이들 저자는 채식주의를 정의하고 그 정도를 측정하는 문제에 관심을 기울였다. 우리가 채식주의자의 수를 가늠하면서, 자신을 채식주의자로 간주하는 사람들의 말을 그대로 받아들여야 하는가? 그리고 우리는 사람들의 먹기 행동을 범주화하는 몇몇 객관적 정의를 추구해야만 하는가? 하나의 정의가 존재할 때조차, 어떤 실제적 척도에 근거하여 하나의 신뢰할만한 자료수집 과정을 구상하기란 쉽지 않다. 만약 우리가 자기정의에 의지할 경우에도 많은 예외가 존재한다. 자신을 채식주의자라고 생각하는 사람들 중 많은 이가 물고기, 유제품, 그리고 심어지는 때때로 닭고기를 먹는다. 애나 월레츠(Anna Willetts, 1997: 116)가 수행한 연구에서 자칭 채식주의자의 66%가 그들의 음식물에 고기를 포함시키고 있었다면, 미국의 경우에 스타인가르텐(Steingarten, 1997: 112)은 약 10%의 "채식주의자들이 적어도 일주일에 한 번씩" 붉은 고기를 먹는다고 보고한다. 더 나아가 월레츠는 다음과 같이 주장한다.

> 정체성의 문제는 식단에 고기의 존재 또는 부재로 축소시킬 수 없다. 분명한 것은 채식주의자라는 것에 대한 어떠한 정해진 규칙도 없으며, 오히려 개인들은 각자가 자신의 방식으로 이러한 정체성을 정의하고 규정한다는 것이다.(Willetts, 1997: 128)

월레츠의 연구는 "고기 먹기와 채식주의가 두 개의 독특하고 대립적인 세계관을 대표한다"(ibid.: 112)는 가정이 다른 누구보다도 에더가 제안한 것처럼 반드시 일상적 관행을 설명하는 것은 아니라고 시사한다.

이러한 다양성에 비추어볼 때, 우리는 채식주의자들이 자신들이 선호하는 먹기 스타일에 다양한 이유를 붙이는 것에 전혀 놀랄 필요가 없다. 비어즈워스와 케일(Beardsworth and Keil, 1997: 226)이 지적하듯이, 채식주의자의 동기와 신념에 대한 논의들 가운데 사람들이 처음에 채식주의를 채택했을 법한 이유와 그들이 자신들의 계속되는 관행을 정당화하는 데 이용하는 '수

사적 관용구‘hetorical idiom’를 구분하는 경우는 거의 없다. 도나 모러Donna Maurer는 이러한 구분을 분석하는 데 일정한 기여를 해왔다. 그녀는 채식주의 담론에서 서로 중첩될 수도 있는 두 가지 핵심적인 수사적 관용구, 즉 ‘권한부여entitlement’와 ‘위험유발endangerment’을 확인한다. 그녀에 따르면, 권한부여는 “자유, 선택, 해방을 강조하는 한편, 차별적이고 부당한 태도와 행위를 비난한다”(Maurer, 1995: 146). 채식주의가 동물의 권리를 강조한다는 주장은 자주 그러한 접근방식과 부합한다(하지만 권한부여는 또한 인간 삶의 보다 광범위한 향상을 강조한다). 이것이 바로 1970년대 이후 동물해방운동의 중심에 자리하고 있는 도덕적 입장이다. 그것은 철학적으로 인간의 권리가 항상 동물의 권리를 압도한다는 주장에 의문을 제기하고, 평등과 정의라는 기본적인 관념이 모든 종에 적용된다고 주장한다. 이를테면 싱어(Singer, 1975)는 동물해방운동을 여성해방과 같은 다른 해방운동과 유추하여 설명한다. 실제로 이것은 채식주의를 페미니즘적으로 옹호하는 캐롤 애담스(Carol Adams, 1990)의 논의 속에서 더욱 진전된다. 거기에서 그녀는 고기 소비는 (가부장제에서 여성에게 행사되는 지배와 유사한, 동물에 대한 지배를 함의하는) 본질적으로 남성적 활동이라고 주장한다.

이러한 입장의 한 변종은 그것 나름의 권리를 갖는 도덕적 주체로서의 동물이 아니라 인간의 도덕적 책무, 즉 동물을 단지 착취의 대상으로 간주하는 유형의 행동을 중단하고 동물을 존중하는 것에 초점을 맞추고 있다. 이를테면 싱어는 “채식주의의 주장 중 가장 강력한 것은 채식주의를 우리가 동물을 우리의 편의를 위해 이용할 수 있는 사물에 불과한 것으로 보고 그것을 어떤 방식으로든 가장 싸게 이용할 수 있는 것으로 만드는 관행에 대항하는 하나의 도덕적 저항으로 보는 경우”라고 주장한다(Singer, 1998: 77).

모러의 두 번째 수사적 관용구인 ‘위험유발’은 건강에 관심을 집중하는 경향이 있다. “보다 과학적 스타일을 택하고 있는 이러한 주장은 고기 소비가 잠재적으로 건강에 해롭다는 주장과 더 적은 자원이 동물농업에 들어갈 때 더 많은 수의 사람들이 건강하게 먹고 살 수 있다는 것에 초점을 맞추고 있다"(Maurer, 1995: 147). 현대사회에서 채식주의와 건강한 먹거리운동 간에는 분명한 관계가 있다. 후자는 채식주의 식생활이 본질적으로 비채식주의적 대안들보다 더 건강하다는 가정을 전제로 하고 있다. 그것은 붉은 고기의 소비를 심장질환 및 다양한 암과 연계시키는 의학적 연구에 근거한다. 더 나아가 그것은 고도로 가공된 육류제품의 속성이 육류제품을 상대적으로 다른 것들과 섞이지 않은 과일이나 야채라는 대안들보다 통념상 덜 '자연적'이고, 그리하여 건강에 좋지 않은 것으로 생각하게 만든다고 주장한다. 마지막으로, 육류제품이 박테리아에 쉽게 오염된다는 점(최근 영국에서의 대장균의 발생에서처럼)은 채식주의와 건강한 먹기 간의 관계를 입증해주고, 건강한 생활양식과 불안관리를 연계시키게 한다.

채식주의의 위험유발 주장에 신체적 차원이 존재하는 것과 마찬가지로, 그것은 생태학적 건강이라는 보다 광범한 문제들과도 연계되어 있다. 채식주의자들은 빈번히 고기를 먹기 위한 동물사육이 지구의 자연자원을 낭비한다고 주장한다. 싱어는 다음과 같이 진술한다.

> 가축우리나 비육장에서 사육되는 동물은 곡물이나 콩을 먹는다. …… 곡물 단백질 8kg 내지 9kg을 동물 단백질 1kg으로 전환시키기 위해 우리는 토지 에너지와 물을 낭비한다. 점점 더 증가하는 인구로 붐비는 지구에서 그것은 점점 더 우리가 누릴 수 없는 사치가 되고 있다.(Singer, 1998: 78)

이것은 부와 자원의 분배와 관련한 주장이다. 저소득층은 먹을 것이 충분하지 않은 반면, 부유한 서구인들은 특권 국가들의 먹거리가 되기로 운명지어진 동물들의 먹이로 음식을 낭비한다. 여기서 실제로 위험유발과 권한부여가 중첩된다.

그러나 많은 관심이 중첩되는 것과 마찬가지로, 또한 채식주의에 대한 이러한 서로 대조되는 정당화 간에는 많은 긴장이 존재한다. 키스 테스터(Keith Tester, 1999)는 '윤리적' 형태의 채식주의와 '생활양식' 형태의 채식주의라는 자신의 구분에 존재하는 중요한 모순들을 지적한다. 생활양식 채식주의는 개인적인 도덕적 선택의 고결성보다는 건강과 웰빙 위험에 대한 합리적 평가를 강조한다. 이러한 합리적 평가가 우리의 음식선택 중 많은 것의 토대를 이루고 있지만, 그러한 평가에서 도덕적 선택이 전혀 고려되지 않는 것은 아니다. 테스터는 애나 토마스Anna Thomas가 정식화한 '계몽된 이기심enlightened self-interest'(Tester, 1999에서 인용함)에 의존하여 이러한 형태의 채식주의를 보다 노골적인 물질주의적 성격의 이기심과 구분하고자 한다. 하지만 건강한 먹기를 열망하는 형태의 채식주의의 중심에는 사회적인 것보다는 자신에게 더 초점을 맞추는 일단의 관심사들이 자리하고 있다. 이것은 최근에 채식주의가 쉽게 주류에 진입할 수 있었던 이유를 부분적으로 설명해준다. 비어즈워스와 케일은 다양성, 선택, 유연성의 증대를 최근 몇 십 년간의 음식문화 발전의 핵심적 표지로 삼아, 채식주의적 음식이 소비자들의 일련의 선택지 중의 하나가 된 음식문화를 특징짓기 위해 '메뉴 다원주의menu pluralism'라는 유용한 표현을 만들어낸다(Beardsworth and Keil, 1997: 239). 우리는 점차 (그 엄격성의 수준에서 서로 다른) 채식주의자들과 나란히 **자주 채식주의적 음식을 먹는 개인들**의 존재를 인정할 필요가 있다.

테스터는 윤리적 형태의 채식주의의 순수성과 고결성을 생활양식 형태의 채식주의의 상대적 용이함과 인기와 대비시킨다. 한때 중간계급 문화 내에서 주변적으로 보였던 것이 이제는 신중간계급 생활양식의 확고한 특징 중 하나가 되었다는 우리의 앞서의 논평과 이러한 명제 간에는 밀접한 관계가 있다. 하지만 테스터는 우리로 하여금 이러한 전이가 갈등 없이 일관되게 이루어진 과정이 아니었다는 사실에 주목하게 한다.

> 윤리적 삶의 기준의 어떠한 기준과도 가장 적은 관계를 가지는 채식주의의
> 견해는 아마도 계몽된 이기심을 강조하는 주장일 것이다. …… 윤리적 차원
> 은 …… 마구 제거되어버리고, 이제 남아 있는 것이라고는 공장제 농업과
> 여타 기술적 과정이 낳은 위험에 대비하는 모종의 예방책임을 내세우는 식
> 생활 형태뿐이다.(Tester, 1999: 217)

이러한 논쟁은 우리로 하여금 우리가 근대성 프로젝트에 대해 크게 신뢰를
상실하게 되는 데서 음식이 수행한 역할과 관련한 좀 더 광범위한 문제로 돌
아가게 한다. 닉 피데스(Nick Fiddes, 1997)는 이 문제에 초점을 맞추면서, 채식
주의 담론을 인류와 자연계 간의 관계에 대한 논쟁 내에 위치시킨다. 피데스
는 고기 먹기가 동물과 나머지 물질세계에 대한 인간의 지배를 표상하는 하
나의 상징으로 작동한다고 제시한다. 그는 현재의 채식주의와 동물권리 논
쟁이 이러한 지배관계에 대해 점차 증대하는 현대의 불확실성을 반영한다
고 믿는다.

> 동물에 대한 관심은 항상 적어도 부분적으로는 다른 사회적 담론에 대한 하
> 나의 은유로 등장해왔다. …… 근대 동물착취 논쟁의 배후에는 거대한 해결
> 되지 않은, 그렇지만 점점 더 긴급해지고 있는 문제가 자리하고 있다. 이 문
> 제는 인간이 인간이라는 종 이외의 종들과 관련해서뿐만 아니라 자연계 전
> 체에 대해 행동하는 데 있어 전적으로 토대로 삼아야 하는 것과 관련되어 있
> 다. 이 논쟁은 …… 본질적으로 후기 산업시대의 문화적 위기를 보여준다.
> (Fiddes, 1997: 259~260)

피데스의 주장은 현재의 분위기는 단지 이 관계가 근본적으로 재평가받고 있다는 것이 아니라 실제적 변화가 이미 일어났다는 것이라고 시사한다. 그가 탐구하는 하나의 실례가 과학에 대한 공중의 태도변화이다. 전에는 인간의 지구 지배의 최고의 동력이자 그 자체로 높은 존경을 받던 과학이 이제는 더 이상 그러한 무조건적인 존경을 받지 못한다. 피데스는 하나의 역설적 상황, 즉 그간 과학과 기술이 사람들에게 점점 더 편안한 생활양식을 제공해주었음에도 불구하고 과학자들에 대한 의심과 불신 수준은 더욱 높아져온 듯이 보이는 상황에 대해 지적한다. 그는 다음과 같이 논평한다.

> 새로운 회의주의는 …… 과학을 전적으로 거부하는 것은 아닐 수도 있지만, 과학의 자기이익 도모적이고 자기준거적인 아젠다와 왜곡된 주장들은 그것의 객관성 주장이 거짓임을 보여주며 또한 그것의 파멸적 결과의 일부에 기여해왔다고 인식한다.(ibid.: 260)

그러므로 우리는 이 절에서 채식주의에 부여된 의미들이 복잡하고 항상 서로 양립하는 것은 아니라고 주장해왔다. 그러한 의미들이 서로 일치하는 경우는 사회가 근대성에 투자하기 위해 지불한 대가를 의심할 때이다. 다음 절에서 우리는 피데스의 관념과 유사한 관념들이 보다 광범위한 음식문화와 관련하여 갖는 함의를 고찰할 것이다. 따라서 우리는 이제 채식주의를 떠나 좀 더 광범위한 먹거리 불안을 논의하는 것으로 나아간다.

음식과 위험

이 절은 근대성 프로젝트의 영향에 대한 회의주의와 관련하여 앞서 살펴본 관념들에 의거하여, 우리가 지금 음식에 대한 불안이 만연해 있는 '위험사회' 속에 살고 있다는 관념을 탐구한다. 하지만 음식에 대한 불안은 새로운 것이 아니다. 클로드 피쉴러(Claude Fischler, 1980)는 음식취향의 생리학적 토대에 대해 논의한다. 그는 '잡식동물'의 역설에 대해 지적한다. 즉 인간은 새로운 형태의 음식들을 찾아내어 다양한 음식물을 섭취하지만, 동시에 그러한 새로움의 추구가 낳을 수 있는 잠재적 위험을 인식한다. 피쉴러는 생소한 음식에 대한 호의적 반응을 '새것 애호증neophilia'으로 규명하지만, 이것은 또한 '새것 혐오증neophobia'을 동반하기도 한다. 새것 혐오증은 새로운 것을 위험의 측면에서 인식하여 생소한 것을 거부하고, 친숙한 음식과 '안전한' 음식에 의지하게 한다. 새것 혐오증의 널리 알려진 예들은 휴가 중인 사람들이 토착음식을 '위험한' 것으로 거부하는 데서 자주 관찰된다. 여기서 안전은 항상 친숙함과 등치되고, 그 용어의 보다 과학적인 정의와는 당연히 일치하지 않는다. 우리가 뒤에서 미디어 먹거리 파동을 분석하며 논의하듯이, 먹거리의 불안과 안전이 항상 합리적 궤적을 따르지는 않는다.

앞의 사례가 입증하듯이, 지구화는 여행과 이국적 식재료의 이동을 증가시키는 것과 함께 음식위험에 대한 우리의 지각을 강화시켜온 것으로 인식되기도 한다. 우리가 제6장에서 주장했듯이, 지구화는 점점 더 팽창적이고 이동성이 큰 생산 및 소비 양식, 지역 간의 강화된 상호관계성과 상호의존성 의식, 환경변화, 그리고 과학과 기술의 변화에 의해 점점 더 침투당하는 사회와 연관되어 있다. 사회학자 울리히 벡Ulrich Beck은 이러한 발전을 이전의 위험형태로부터 새로운 사회적 조건 — 즉 그가 위험사회라고 칭한 것 — 을 산출하는 질적 전환을 가져오는 것으로 인식해왔다. 벡은 이러한 전환이 일어나게 된 원인으로 다음과 같은 세 가지를 들고 있다. 첫째, 근대 위험은 대체로 비가시적이다. 둘째로, 근대 위험은 과잉 산업생산에 토대하고 있다. 셋째, 근대 위험은 지구상에 있는 모든 생명체를 위험에 빠뜨린다(Caplan,

2000a를 보라). 하지만 위험의 경험도 그리고 위험의 이해도 균일하지 않다. 일부 종속적인 사회집단이 다른 집단들보다 더 "위험에 처해" 있지만, 자신들이 가장 위험에 처해 있는 것으로 경험하고 강화된 불안의식을 가지고 있는 사람들은 빈번히 고등교육을 받은 중간계급이다. "위험사회는 특권 있는 사람들이 더 많은 지식에 접근하지만 그 지식이 불충분하기 때문에 그로 인해 발생한 불안을 스스로 감수하거나 대처할 수 없을 때 그들이 불안해지게 된다는 모순에 의해 특징지어진다"(Lupton, 1999: 69).

영국에서 발생한 두 번의 '광우병' 위기에 대한 팻 카플란(Pat Caplan, 2000b)의 분석은 그러한 과정이 작동하고 있는 하나의 실례를 제공한다. 광우병이 처음으로 발생한 것은 1984년이었지만, 공중이 커다란 관심을 보인 것은 1987년 늦가을 신문과 텔레비전 뉴스가 '미스터리한 뇌 질병'과 관련한 이야기를 보도하고 난 다음이었다. 그 질병이 인간에게 전이될 수 있음이 처음으로 논의된 것은 1988년 동안이었다. 하지만 이 단계에서 전문가의 의견 대부분은 사람들을 안심시키는 것이었다. 우려가 위기 수준으로 강화된 것은 독일이 영국산 쇠고기 제품의 수입을 금지하고 영국에서 많은 학교, 병원 및 여타 시설들이 그들의 주방 메뉴에서 영국산 쇠고기를 추방한 1989~1990년이었다. 공중의 신뢰를 회복하기 위한 노력의 일환으로 당시 농림부 장관이 텔레비전으로 자신의 네 살짜리 딸에게 햄버거를 먹이는 것을 보여주었다. 1991년에서 1996년 사이에 미디어의 관심은 현저히 줄어들었고, 인간에게는 아무런 위험도 없다는 공식적인 방침은 그대로 유지되고 있었다. 하지만 1996년 보건부 장관은 크로이츠펠트-야콥병Creutzfeldt-Jakob disease(CJD)의 새로운 변형이 발견되었고 광우병과 연계되어 있을 가능성이 크다는 점을 공식적으로 전했다. 이것은 수년간 계속된 보다 강력한 파동을 불러일으켰고, 그것은 영국 이외의 다른 나라의 소떼들로까지 파급되었다.

카플란은 서로 다른 지역의 주민들이 이 위기를 다양한 방식으로 경험한다는 것을 기록하고 있다. 벡의 테제와 일맥상통하게 런던의 정보제공자들은 위험을 (비록 부유한 중간계급 응답자들이 유기농 고기 식품으로 바꿀 가능성이 가장 큰 집단이었지만) 민족성, 젠더, 연령, 계급과 같은 사회적 요소들이 별 영향을 미치지 못하는 '보편화된' 조건으로 간주하는 것으로 보였다(Caplan, 2000a: 190). 이것은 광우병에 대한 유럽인들의 태도에 대한 바타차야 Bhattacharyya의 주장과 일치한다. 유럽에서 "공중의 공포는 이러한 새로운 악의 근원을 제거할 것을 요구했다. 사람들은 과학의 힘을 의심하기 시작했고, 대신에 마법이 자신들을 보호해주기를 기대했다"(Bhattachcharyya, 1998: 59). 하지만 카플란에게 정보를 제공한 웨스트웨일즈 사람들은 훨씬 더 구체적인 위험의식을 가지고 있었다. 이들 응답자들은 광우병의 위협을 일반적인 위협으로 인식하기보다는, "고기가 생산된 지역, 고기가 생산된 조건, 그리고 무엇보다도 그것을 판매한 사람"을 지역에서 추적함으로써 확실한 사실을 발견할 수 있었다(Caplan, 2000b: 193). 그러므로 카플란의 경험적 연구는 벡의 테제의 보편적 성격에 일정한 의문을 제기한다. 하지만 카플란 자신이 지적하듯이, 개인들의 인식은 단지 먹거리 파동의 한 가지 요소일 뿐이다. 그녀의 응답자들은 파동의 생산에서 미디어가 주요한, 신뢰할 수 없는 역할을 수행한다고 인식하고 있었다. 우리가 아래에서 다룰 문제가 바로 이것이다.

미디어 패닉과 먹거리 파동

비어즈워스와 케일(Beardsworth and Keil, 1997: 163)은 먹거리 파동에서 반복되는 형태를 찾아냈다. 즉 먹거리 파동을 구성하는 일련의 사건들은 얼마간 표준화된 순서에 따라 전개된다. 그들은 전형적인 먹거리 파동은 다음과 같은 다섯 단계를 거친다고 주장한다. 첫째, 공중 사이에서 어떠한 잠재적 위험도 거의 인식되지 않는 "'균형'상태"가 존재한다. 둘째, 공중이 잠재적인 먹거리 위험을 인식한다. 셋째, 우려가 '다양한 공적 논쟁의 장'에 등장하여 위험을 부각시킨다. 넷째, 공중이 이러한 새로 부각된 위험의식에 반응하고, 이것이 그들의 음식관행에 영향을 미친다. 그들의 반응은 실제로는 식재료가 제기한 '실제' 위협에 비해 과도한 것일 수도 있다. 마지막으로, 관심이 약해지고, 먹거리 파동이 더 이상 힘을 발휘하지 못한다(하지만 "낮은 수준의 만성적인 불안이 지속되다가, 후일 그 쟁점을 소생시킬 수도 있다")(ibid.).

먹거리 파동의 공통 구조를 확인하려는 이러한 시도는 사회학자들이 그와 관련된 문화적 현상들을 '도덕적 패닉moral panic'으로 특성화하고자 하는 시도와 유사하다. 스탠 코헨(Stan Cohen, 1993: 9)은 도덕적 패닉을 특정한 문제 또는 집단들이 "사회의 가치와 이익에 위협이 되는 것으로 정의되는" 하나의 주기적 사건으로 정의한다. 이 과정에서 중심적인 것이 미디어의 역할이다. 코헨은 미디어가 "양식화·정형화된 방식"으로 패닉을 불러일으킨다고 지적한다. 사람들은 빈번히 미디어가 위험의 성격을 규정하고 틀 지음으로써 패닉의식을 만들어낼 뿐만 아니라 증폭시킨다고 인식해왔다. 이러한 패닉은 결코 전적으로 고립된 채로 발생하지 않는다. 케네스 톰슨(Kenneth Thompson, 1998: 20)이 주장하듯이, "도덕적 패닉은 하나씩보다는 오히려 떼를 지어 출현하는 경향이 있고, …… 보다 광범위한 불안과 사회적 맥락의 요소들과 관련되어 있다." 우리가 쇠고기 파동의 문화적 중요성을 완전히 이해하고자 할 때, 이러한 '보다 광범위한 불안' 의식은 극히 중요하다.

미디어의 먹거리 파동 보도를 다룬 문헌들이 점점 더 증가하고 있다(Mitchell and Greatorex, 1990; Beardsworth and Keil, 1997; Reilly and Miller, 1997; Macintyre et al., 1998; Reilly, 1999; Eldridge, 1999). 이러한 연구 중 많은 것이 먹거리 파동을 보도하고 틀 짓는 것 모두에서 미디어가 수행하는 역할을 확인해주기는 하지만, 먹거리 파동이 **기본적으로** 미디어의 구성물이라는 명제를 지지하는 경우는 별로 없다. 몇몇 기관들이 먹거리 파동에 관여되어 있고 먹거리 파동은 미디어 전문가, 식품생산자, 단속자, 공중을 포함하는 4자 대화의 산물이라는 견해가 보다 일반적이다. 그럼에도 불구하고 미디어의 역할은 중요하고, 그것은 두 가지 관점에서 접근할 수 있다. 하나가 **생산**의 관점이고, 다른 하나는 미디어 메시지 **수용**의 관점이다.

뉴스 내용의 생산에 대한 일차적 책임이 미디어 전문가에게 있다는 주장은 명백한 사실이지만, 그것의 정보원이 수행하는 유력한 역할을 간과해서는 안 된다. 영국에서 발생한 먹거리 파동에서 핵심 정보의 출처에는 보건부와 농업식품수산부(그 후 환경식품농무부)와 같은 정부 부처가 포함되어 있었다. 몇 년 동안 농업식품수산부는 뉴스의 흐름을 실제로 통제할 수 있었다. 첫 번째 광우병 위기 동안 농업식품수산부는 기존의 다양한 조사위원회 위원들의 실제적 임명권을 유지하고 있었고, 뉴스 미디어들은 이들 다수의 전문가들로부터 의견을 구했다(Reilly and Miller, 1997). 그렇다고 우리가 농업식품수산부가 전적으로 뉴스의 흐름을 결정했다고 주장하는 것은 아니다. 하지만 농업식품수산부가 중요한 역할을 했다는 것은 분명하며, 이는 우리에게 광우병 파동의 보도를 틀 지은 것은 미디어 전문가들만이 아니라는 점을 알게 해준다. 실제로 전국농민연맹National Farmers' Union, 그리고 나중의 파동 동안에는 농촌경관국Countryside Agency을 비롯한 다른 기관들도 일정한 역할을 수행했다.

먹거리 파동에 대한 묘사는 (비록 미디어 형태들 간에 차이가 있을 수 있지만) 또한 미디어 자체의 내부 관행에 의해 조정된다. 먹거리 파동의 미디어 보도가 신문과 텔레비전의 '뉴스 가치' 인식에 의해 틀 지어진다는 데에는 매우 명백한 증거가 존재한다. 매킨타이어와 그의 동료들(Macintyre et al., 1998)은 살모넬라균 파동과 광우병 파동과 관련한 보도에서 그리고 또한 음식물과 관상동맥 심장질환의 관계에 대한 보도에서 매우 강하게 드러나는 다섯 가지의 뉴스 가치를 규명했다. 그들이 확인한 뉴스 가치는 '과학적 진보', '전문가들의 분열', '국가의 문제', '정부의 분열', '정부의 은폐'였다. 그리고 그 연구는 언론사별로 개별 뉴스 가치를 부각시키는 기준이 다르다는 것을 밝혀냈다. 이를테면 심장질환에 대한 보도를 놓고 보면, 타블로이드판 신문은 "지방이 많은 음식이 살인자는 아니다"(Daily Express, 23 December 1991)라는 헤드라인에서처럼 전문가들의 의견불일치를 부각시키는 스토리라인을 선호하며, 그 신문의 암묵적인 독자층은 전문가들이 일관적인 신뢰할만한 어떠한 지침을 제공하지 못하는 것을 참지 못하는 일반인들이다. 다른 한편 자유주의적 성향의 일반 신문들의 경우에서는 "과학자들, 고도불포화지방에 대해 전혀 다른 입장을 표명하다"(Sunday Times, 3 September 1989)라는 기사에서처럼 정부의 은폐를 특히 부각시켜왔다. 공중의 '실망감' 관점이 다시 한 번 채택되고 있지만, 이 경우에 철저하고 객관적인 연구의 수행을 방해하는 것은 정부의 정치적 아젠다, 분열된 충성심 또는 비결정이다(Macintyre et al., 1998: 236.7).

이제 미디어의 먹거리 파동 보도의 수용에 관한 연구를 살펴보자. 매킨타이어와 그의 동료들(Macintyre et al., 1998)은 청중을 미디어 메시지의 수동적 수용자라고 가정하기보다는 청중들이 먹거리 관련 문제들을 보도하는 미디어에 어떻게 반응하는지를 탐구한다. 그의 연구에서 대부분의 응답자들은 사람들에게 먹거리의 위험과 안전 문제에 대한 경각심을 불러일으키는 것이 기본적으로 미디어의 보도라는 데 동의했다. 하지만 카플란처럼, 그들은 미디어의 역할과 위험의 성격에 대한 사람들의 인식에는 상당한 차이가 있음을 발견했다.

매킨타이어와 그의 동료들의 연구는 남성보다 여성이 위험에 더 민감한 반응을 보인다고 지적했다. 즉 음식과 관련된 일을 하는 사람들이 "미디어가 유발한 패닉"에 더 비판적인 경향을 보였다. 그리고 음식과 관련한 건강

문제를 개인적으로 경험한 사람이 그것에 대해 더욱 민감한 반응을 보였다. 이 연구자들은 또한 먹거리 파동과 관련한 전문가들의 조언에 대해 사람들이 상당히 회의적이라는 데 주목했다. 상충하는 메시지 앞에서도 사람들이 당황하지 않는 하나의 단계가 존재한다는 증거가 있다. 이 단계에서 사람들은 어떤 전문가의 조언에도 짜증을 내고, 대신에 친숙한 먹기 관행에 기초한 개인적 결정에 의존한다.

　우리는 ≪인디펜던트 온 선데이Independent on Sunday≫가 유전자조작 식품의 공포에 대한 반응을 묘사한 것을 분석함으로써, 사람들이 먹거리 파동을 인식하는 담론의 일부를 더 잘 이해할 수 있다. 1999년 2월 14일자 신문은 한 면 전체를 그 주제에 대한 독자들의 편지에 할애했다. 우리는 그것들 속에서 다음의 다섯 가지의 테마를 식별해낼 수 있었다. 첫째, 선택이 하나의 핵심적 테마로 등장했다. 한 독자는 "나는 나의 가족을 보호할 수 있는 선택을 요구한다"고 주장했다. 선택에 대한 이러한 관심은 전문가의 지식에 대한 보다 광범위한 의심과 자율성의 결여 모두와 관련되어 있다. 둘째, '손쉬운 확인'과 적절한 명칭 부여에 대한 한 독자의 요구는 정보제공에 대한 열망을 반영했다. 셋째, 이러한 불안들은 환경책임에 대한 요구와 결부되어 있었다. 한 독자는 이를 "미래를 위해 전적으로 금지하는 것만이 우리가 수용할 수 있는 결과이다"라고 표현했다. 넷째, 독자들의 공포는 "자연에 대한 쓸데없는 간섭"에 대한 두려움과 밀접하게 관련되어 있다. 이 테마에는 두 가지 친숙한 가정이 내재되어 있다. 하나는 조작되지 않은 식품이 '자연적인' 것이며, 따라서 제조된 제품보다 오히려 더 낫다는 것이고, 다른 하나는 제한받지 않는 과학이 전적으로 유익하지는 않다는 것이다. 마지막으로, 독자들은 몬산토와 같은 다국적 식품회사에 대해 의구심을 드러냈다(거대 생명공학기업들은 유전자조작 연구에 연루되어 있고, 1999년 파동의 중심에 서 있었다). 한 독자는 "거대 식품기업들이 세계를 움직이게 할 것인가?"라고 물었다.

독자들이 제기한 이러한 문제들은 채식주의와 윤리적 소비를 뒷받침하는 핵심 논쟁의 일부와 다시 연관된다. 매트레스(Matless, 1998: 281)가 주장하듯이, "조물주의 지위가, 그리고 유기체와 기계장치, 즉 인간과 기계의 구분이 점점 더 불확실해짐에 따라, 유기체론적 사고가 확실하고 당연해 보이는 도덕적인 근거를 제시함으로써 대중적 호소력을 획득하고 있다.

이 절에서 우리는 미디어의 묘사가 불안과 위험의 분위기에 기여하지만 사람들이 그러한 분위기를 이해하는 방법을 결정하지는 않는다는 점을 입증했다. 실제로 사람들은 음식이 지닌 일련의 복잡한 의미들을 위험상황과 결부시킨다. 이러한 반응들 중 일부는 불안경험을 강화하지만, 보다 일반적으로는 경험을 통해 지식을 재착근시키고자 시도한다. 스태사르트와 와트모어(Stassart and Whatmore, 2003: 460)가 주장하듯이, "먹거리 파동과 같은 '달아오른' 상황에서 경쟁하는 지식 주장들의 풍경이 가장 뜨거워진 상태에 있을 때, 소비자들은 인간의 몸과 우리가 먹는 것 간의 존재론적 연속성을 강화하는 경험적 지식에 크게 의존한다." 이런 점에서 사람들로 하여금 위험을 인식하게 하는 담론은 고기 거부를 뒷받침하는 담론과 매우 유사하다.

다이어트 하기, 불안, 몸

위험 이론이 사람들이 점점 더 자신들이 먹는 음식을 자신들이 통제할 수 없다고 느낀다고 암시한다면, 다이어트 하기와 관련한 문제들은 음식섭취를 통제하고자 하는 열망과 관련된 또 다른 문제를 제기한다. 먹기에 대한 불안은 전통적으로 여성과 관련되어 있었다. 그리고 섭식장애가 점점 더 가시화되면서 그것은 빈번히 도덕적 패닉의 대상이 되어왔다. 미디어가 과도하게 마른 몸매를 묘사하고 있다는 이유로 악마 취급을 받아왔지만, 여성성을 육체화된 몸으로 전환시키는 표현들은 분명 그것이 시사하는 것보다 더욱 정교화되고 있다. 수잔 벤슨(Susan Benson, 1997: 124)이 주장하듯이, 섭식장애는 "오늘날의 여성성의 요구와 속박에 대한 복잡한 반응으로, 즉 젠더화된 몸을 둘러싼 문화적 규범들과 공모하는 것과 그것에 반항하는 것 모두를 포함하는 것"으로 이해될 필요가 있다. 따라서 이를테면 섭식장애가 자주 몸에 대한 통제력의 **상실**로 인식되어왔지만, 럽톤(Lupton, 1996: 133)은 신경성 무식욕증은 먹기가 혼란에 빠진 상황에서 이루어지는 "자기통제와 자기정화의 기술"로 더 잘 이해된다고 주장한다. 럽톤이 수잔 보르도Susan Bordo의 저작에 의지하여 제시하듯이, "배고픔은 통제력을 상실하라는 유혹으로 경험된다. …… 배고픔의 부정"은 "몸에 대한 결의의 승리를 알리는 하나의 신호"가 된다(ibid.: 135).

그럼에도 불구하고 다이어트 하기와 몸 이미지에 대한 논의에서 젠더가 초점의 대상이 되는 것은 쉽게 이해할 수 있는 일이다. 이것 이외에도 또 다른 형태의 사회적 차별이 젠더화된 몸을 가로지르고 있다. 통제와 규율의 문제가 섭식장애를 이해하는 데서도 중요하지만, 그것은 또한 몸에 대한 보다 광범위한 불안의 근원이 되고 있다. 그러한 불안은 현대사회에서 다이어트 하기와 운동에 대한 대대적인 관심을 축으로 하여 응집된다. 몸은 점차 "자아정체성을 전달하는" 중요한 수단이 되었다. "왜냐하면 몸은 계급, 젠더, 세대"(누군가는 여기에 '인종'을 덧붙일 수도 있다)"의 수행적·인지적 측면과 깊이 연관되어 있기 때문이다"(Warde, 1997: 96). 그러므로 날씬한 몸이 이상화된 여성의 몸과 등치된다면, 우리의 몸은 또한 계급 아비투스가 하나의 물질적 형태를 부여받는 장소이기도 하다. 뚱뚱하고 '비대한' 몸이 통제력을 상실한 자아를 의미한다면, 이러한 몸의 통제불능은 빈번히 하층 사회계급과 연관지어져왔다. 이와는 대조적으로 중간계급의 몸은 부르디외와 바흐친이 부르주아의 먹기 관행과 동일시한 자제 및 통제와 연계지어진다.

하지만 많은 비평가들이 지적해왔듯이, 이것은 반드시 다이어트 하기가 금욕주의를 시사한다는 것을 의미하지는 않는다. 실제로 조안 엔트위스틀 Joanne Entwistle이 지적하듯이, 다이어트 하기는 점점 더 쾌락을 부정하기보다는 증대시키는 것과 관련하여 인식되고 있다. "금욕주의가 쾌락주의에 의해 대체되었다. …… 다이어트 하기와 운동을 통한 몸의 규율은 섹시하고 매력 있는 몸을 **획득하는** 열쇠들 중 하나가 되었으며, 이것은 다시 당신에게 쾌락을 가져다줄 것이다"(Entwistle, 2000: 20). 다이어트에 대한 그러한 접근을 '계산된 쾌락주의'로 기술하는 마이크 페더스톤(Mike Featherstone, 1991b)이 볼 때, 이러한 성향은 전통적 부르주아와 연계된 금욕주의와 전통적 노동계급과 연계된 탐닉 둘 다를 거부하는 신중간계급과 특히 연계되어 있다. 이들 집단은 다이어트 및 운동과 연계된 자제와 규율에서 자기탐닉이라는 쾌락주의적 쾌락으로 급선회할 수 있는 능력을 특징으로 한다.

비록 페더스톤이 분명히 옳게 자기규율의 쾌락을 부각시키고 있지만, 그러한 몸 프로젝트가 전적으로 만족스러운 경우는 드물다. 왜냐하면 섹시한 몸을 유지하기 위해 필요한 부단한 자기규제와 자기단속은 또한 불쾌와 불안의 원천들이기 때문이다. 벤슨에 따르면, 이러한 "자신을 규제하는 자아"는 더 나아가 현대 자본주의의 가치 ― 그녀가 "모든 것을 원하고 모든 것을 가지며 충동에 따라 행동하는" 것으로 묘사하는 ― 와 불안한 모순에 빠진다(Benson, 1997: 137). 즉 규율되는 몸은 부단히 소비하는 쾌락주의적 몸과 불화관계에 놓인다. 수잔 보르도가 볼 때, 따라서 병든 몸은 이러한 모순을 관리하는 하나의 수단이 된다.

일부 비평가들이 이러한 모순을 화해할 수 없는 것으로 보지만, 많은 다이어트는 바로 그러한 불확실성을 해소해준다고 약속한다. 세간에서 가장 주목을 받은 다이어트 중 하나가 앳킨스 다이어트Atkins Diet이다. 이 다이어트는 1970년대에 첫 성공자가 나왔고, 1990년대에 다시 부상하여 유명인들이 빈번히 텔레비전 등에서 효과를 입증하는 선전을 했다. 이 다이어트는 많은 전통적인 영양학적 지식을 무시하고 지방보다는 탄수화물과 전쟁을 하며, 단백질 소비를 장려한다. 이처럼 그것은 다른 다이어트들이 비방하는 베이컨, 스테이크, 치즈와 같은 많은 탐닉적인 식재료들에 대해 관대하다. 하지만 몽티냐크 식이요법Montignac Regime과 사우스 비치 다이어트South Beach Diet와 같은 유사한 프로그램과 함께 이 다이어트법은 부유한 서구인을 위한 다이어트로 묘사되어왔다. 왜냐하면 사치스러운 식재료 소비가 도덕적으로 비난받지 않고, 고기 생산은 환경파괴적이고 개발도상 세계의 이익을 해치기 때문이다. 그럼에도 불구하고 앳킨스 다이어트 및 그와 유사한 다이어트는 탐닉적이고 쾌락주의적인 음식소비를 매력적인 몸의 획득이라는 환상과 결합시킨다. 그 결과 이러한 다이어트 방법들의 부상은 계산된 쾌락주의에 기초하는 미의식을 가지고 있는 신중간계급의 부상과 자리를 나란히 하고 있다.

보다 일반적으로는 워드가 제기하는 건강과 탐닉(도락) 간의 이율배반은 현대 먹기의 문화적 구성 내에 존재하는 보다 광범위한 모순을 일부 인식할 수 있게 해준다. 그는 영국 여성 잡지에 대한 분석을 통해 그 잡지들이 요리를 추천하는 방식을 규명한다. 그 잡지들은 "건강에 좋을 것으로 기대된다는 이유에서, 그리고 신체적·감정적 욕망을 충족시켜준다는 이유에서 특정 요리"를 추천한다(Warde, 1997: 96). 그러므로 음식에 대한 자기통제가 커다란 불안을 창출할 수 있다는 것은 놀랄 일이 아니다. 만약 날씬한 몸에 대한 열망이 "일정한 맥락에서 일부 사람들에게 불안과 자기혐오의 한 원천을 이룰 수 있다면," 우리가 앞서 논의한 사례들은 "음식물에 대한 누군가의 성공적인 통제력 행사는 또한 만족"과 쾌락"의 한 원천을 제공할 수도 있음"을 시사한다(Lupton, 1996: 142).

이 마지막 절에서 우리는 먹거리 불안이 어떻게 몸에 영향을 미치는지, 그리고 그것이 어떻게 마음속으로부터 우리의 자아의식의 일부로 경험되는지를 강조해왔다. 그러나 이러한 문제들은 또한 보다 광범위한 위험범주들과 성찰적으로 관련되어 있는 것으로 인식될 수도 있다. 건강한 몸매를 약속하는 앳킨스 다이어트의 사례는 또한 그간 건강에 위협이 되는 것으로 인식되어왔으며, 입 냄새에서 결장암, 신장질환, 칼슘 배설에 이르는 일련의 증상과도 연관되어 있다. 벤슨이 지적하듯이, 우리는 "'건강위험'으로부터 스스로를 지킬" 것을 권고 받지만, "우리가 통제할 **수 없는** 우리의 사회적·물리적 환경 속에 존재하는 '위험'이라는 유령뿐만 아니라 자기통제력의 상실이라는 유령 또한 점점 더 위험의 한 원천이 되고 있다"(Benson, 1997: 124). 21세기의 변화하는 음식문화의 이해에서 이것들은 점점 더 중요한 문제가 될 것이다.

사회학에서 사회변동을 설명하는 이론으로 '단선적 진화론'과 '다선적 진화론'이라는 것이 있다. 전자에 따르면, 인류는 기본적으로 비슷하기 때문에 유사한 경로를 따라 발전하며, 단지 차이가 있다면 여러 조건과 상황에 따라 그 발전단계가 빠르고 늦을 뿐이다. 따라서 서로 다른 국가와 민족 간에 차이가 있다고 하더라도 이것은 상이한 발전단계에 있는 것이지 발전경로가 서로 다르기 때문이 아니다. 반면 후자에 따르면, 상이한 기후와 풍토에서 성장한 사람들은 서로 다른 물리적 환경의 영향을 받기 때문에 육체 및 생활방식의 속성뿐만 아니라 모든 감성과 영혼의 면면들이 서로 다르게 형성된다고 주장한다. 옮긴이들이 음식과 관련한 문화현상을 다루는 이 책의 옮긴이 후기를 쓰면서 갑자기 이처럼 거창한 역사변동의 논의를 끌어들이는 것은 이 책에 소개된 돼지고기 요리에 관한 책 『샤르퀴드리와 프랑스 돼지고기 요리』에서 제인 그릭슨이 문명과 돼지를 연관지어 서술한 것처럼 '점강법bathos'적 서술을 흉내 내려는 것이 아니다. 그 이유는 옮긴이들이 이 책을 읽고 우리말로 옮기면서 들은 생각 때문이다.

옮긴이들이 이 책을 읽고 번역하게 만든 것은 우리 사회에서 일고 있는 음식열풍 때문이었다. 언제부터인가 길을 가다 보면 일명 '맛집' 앞에서 길게 줄을 서 있는 사람들을 자주 목격하게 되고, TV를 켜면 바로 그 음식점 앞에

줄 서 있는 사람들을 인터뷰하는 모습을 보게 된다. 그리고 그 식당의 음식의 질과 맛이 음식전문가들에 의해 평가되고, 그 평가는 다시 그 식당 앞의 줄을 더 길게 만들고, 그리하여 이른바 '대박집'이 탄생한다. 이러한 모습은 우리 옮긴이들에게는 생물학적 음식욕구를 꿈틀거리게 하는 것을 넘어 직업병을 도지게 했다. 다시 말해 그것은 맛있는 음식을 먹고 싶다는 욕망을 부추기는 것을 넘어 도대체 왜 그러한 사회문화적 현상이 발생하는가 하는 사회학적 호기심을 유발하는 것이었다. 우리가 이 책을 손에 잡아 든 것은 혹시나 이 책에서 이 직업병을 치료할 수 있는 단서를 발견할 수 있지 않을까 하는 희망 때문이었다. 그러면서도 이 책을 통해 하나의 단서 정도를 기대한 것은 문화상대주의적 입장에 이미 젖어 있는 우리에게 이 책이 다루고 있는 영국적 상황과 우리 사회의 상황은 다를 것이라는 선입견이 작동하고 있었기 때문이다.

그러나 이 책은 그 첫머리에서부터 우리 사회와 너무나도 유사한 영국의 모습을 보여준다. 이 책 역시 1980년대 중반부터 영국에서 일어난 '음식 붐'에 대한 사회학적, 더 나아가 문화연구적 성찰의 산물이었고, 이 책이 대상으로 삼고 있는 주제들도 우리 사회에서 목도되고 있는 여러 음식 관련 현상들과 서로 겹쳐지는 것들이었다. 이를테면 우리 사회에서 고급요리보다도 '시골밥상'이 사람들의 관심의 대상이 되고, 요리책과 요리칼럼집이 서점에서 인기를 끌고, 셰프와 요리평론가들이 TV 유명 인사가 되어 갈채를 받고, 또 이들 직업이 젊은이들이 선망하는 직업으로 떠오르는 것 등이 그것들이다. 바로 이러한 유사점이 우리로 하여금 정말로 역사는 같은 길을 가고 있는 것이 아닌가 하는 생각을 들게 하며, 우리의 뇌리 저편에 박혀 있던 단선적 진화론을 다시 떠오르게 했던 것이다. 그렇다고 영국과 우리 사회의 모습이 다 똑같다는 것은 아니다. 그리고 우리가 여기서 단선적 진화론을 설파하려는 것은 더더욱 아니다. 그보다는 이 책이 현재 우리 사회에서 일고 있는 음식 관련 문화현상을 이해하는 데 매우 유용할 수 있다는 점을 에둘러 표현하고자 하는 것뿐이다.

이 책은 영국 노팅엄 트렌트대학교에서 저자들이 진행했던 '음식문화'에 관한 팀티칭에 토대하고 있는 만큼 음식문화와 관련한 다양한 현상들을 다루고 있다. 이 책은 음식과 몸, 테이블 매너, 음식취향, 집에서와 밖에서의 음식 먹기, 먹거리 공포 등 전통적인 음식 관련 사회학 서적이 담고 있는 내용은 물론 슈퍼마켓 및 인터넷 식품쇼핑과 농민시장, 음식 관련 서적의 인기와 텔레비전 셰프현상 등 아주 최근에 주목받고 있는 음식 관련 문화현상들까지를 치밀하고 세련되게 다루고 있다. 특히 저자들은 그간 '문화연구'가 소비를 찬양하거나 미화해왔다는 비난을 의식적으로 벗어나기 위해 음식문화를 일상생활의 맥락으로 끌어들여 분석하고 있다.

하지만 이 책은 단지 음식과 관련한 문화현상들을 세세하게 소개하는 데에 머무는 것이 아니라 그것들을 레비스트로스의 구조인류학, 바르트의 기호학, 엘리아스의 문명화과정 이론, 부르디외의 구별짓기 이론 등에 이르는 여러 학문분야에서 그간 제출된 다양한 이론적 입장들을 음식문화 현상 사례에 초점을 맞추어 학문적으로 소개하고 그 이론들의 한계 및 문제점까지를 일일이 검토하는가 하면, 각 음식문화 현상에 대해 제기된 서로 각축하는 이론적 입장들 ─ 이를테면 지구화에 따른 음식문화의 균질화와 다양화 논쟁 등 ─ 까지를 그들 나름의 입장에서 해석하고 결론을 제시한다. 이러한 점에서 이 책은 단지 음식문화 현상에 대한 하나의 교과서를 넘어 학술연구서로서의 성격을 지니고 있다. 이러한 성격이 이 책을 돋보이게 하기도 하지만, 다른 한편으로는 이 분야의 이론적 지식에 친숙하지 않은 일반 독자들에게는 이 책을 읽어내는 것을 녹녹하지 않게 할 수도 있다. 그러나 이 책이 음식 관련 문화현상에 관심을 가진 독자들에게 그러한 현상을 이해할 수 있는 하나의 준거점을 제공해줄 것이라는 점에는 의문의 여지가 없다.

도서출판 한울은 『메뉴의 사회학』에 이어 이 책 『음식의 문화학』을 음식 문화 연구에 새로운 '메뉴'로 추가할 수 있게 해주었다. 특히 이 메뉴의 요리 과정에서 편집부의 염정원 씨는 여전히 거친 채로 남아 있던 재료들을 잘 다듬고 갈아주어 쉽게 먹을 수 있게 해주었고, 디자인 팀은 이 음식을 맛깔스럽게 보이게 해주었다. 이들을 포함하여 독자들에게 음식을 차릴 장을 마련해주고 즐길 수 있게 해준 도서출판 한울의 모든 분들께 감사의 말을 전한다. 하지만 여전히 남아 있을 먹기에 껄끄러운 부분들은 모두 우리 옮긴이들의 솜씨 없음 때문이다. 다음번에는 더 맛있고 편하게 먹을 수 있는 음식을 만들겠다는 약속으로 독자의 양해를 구한다.

2014년 화창한 봄날에
옮긴이들 씀

| 미주 |

제1장 음식문화 연구: 세 가지 패러다임

1 가족이 어린이의 소비관행에 영향을 미치는 유일한 구조인 것은 아니다. 제임스는 케트와 보다 완전히 자본화되고 중재된 형태의 사탕 간의 관계를 검토한다.

2 통조림 식품은 '대중문화 이론'의 또 다른 핵심적 저작인 아도르노와 호르크하이머 (Adorno and Horkheimer, 1944)의 『계몽의 변증법Dialectic of Enlightenment』에서 도 문화적 침식의 또 다른 형태들을 측정할 수 있는 기준으로 등장한다. 그들은 캘리포니아 풍경을 조사하면서, "콘크리트 도심지 바로 외곽의 낡은 집들은 슬럼처럼 보이고 교외의 새 방갈로들은 …… 빈 음식 캔처럼 얼마 후에 폐기될 것을 요구받는다"고 지적한다(During, 1993: 30에서 인용함). 캔과 빌딩은 부적절한 장소의 문제뿐만 아니라 진정한 음식 및 진정한 문화와 대립하는 문화적 메마름의 '위생학적' 엠블럼이기도 하다.

3 물론 이러한 상황은 '구조적 제약' 그 이상은 아니다. 특히 우리는 대영제국의 가치와 산물이 찻집에서 중심적인 자리를 차지하고 있음을 확인할 수 있다. 스튜어트 홀은 영국 흑인들의 역사에 대해 저술하며, 다음과 같이 지적한다.

> 나처럼 1950년대에 잉글랜드에 온 사람들은 수세기 동안 거기에 있었다. 나는 집으로 돌아갈 예정이었다. 나는 영국 찻잔 밑바닥에 있는 설탕이다. 나는 단 것을 좋아하는 사람, 즉 영국 어린아이 세대들의 이를 썩게 만든 설탕농장 재배원이다. 거기에는 나 말고도 찻잔 그 자체인 …… 무수한 다른 사람들이 있다.(Hall, 1991: 48~49)

4 영국과 아르헨티나 각각에서 여러 집단이 코카콜라를 활용한 방식에 대한 대안적 설명들로는 Gillespie(1995)와 Classon(1996)을 보라.

제2장 날 것과 익힌 것

1 우리가 제1장에서 살펴보았듯이, 레비-스트로스와는 다소 상이한 목적에서이기는 하지만, 바르트 자신도 『신화』에서 구조주의적 형태의 문화분석을 전개한다.

제4장 소비와 취향

1 메넬의 연구에 대한 보다 철저한 비판적 평가를 위해서는 Warde(1997)를 보라.
2 하지만 이들 젠더화된 몸과 취향은 또한 계급을 관통한다. 부르디외의 연구는 육체노동을 하는 몸을 덩치나 힘과 연관시키는 노동계급의 문화에서 젠더 차이가 특히 뚜렷하게 나타난다고 시사한다. 음식소비는 이러한 남성적 몸 개념을 재확인해준다. 즉 노동계급 남성은 "강한 그리고 강하게 만들어주는" 고기에 대한 취향을 가진다. 부르디외가 주장하듯이, "남성이 더 많이 마시고 먹는 것 그리고 보다 강한 것을 먹고 마시는 것은 당연한 것이다"(Bourdieu , 1984: 192). 중간계급 남성들은 정신노동과 관련될 뿐만 아니라 작업장 내에서 단정하고 스마트할 것을 요구받기 때문에, 점점 더 새로운 신체적 규율에 종속된다(Adkins, 2002). 따라서 이들은 여성적 취향이라고 여겨져온 것과 보다 밀접히 관련되어 있을 수도 있다.

제5장 국민음식

1 이 질문에 대한 답변의 한 가지 예로는 Bell and Valentine(1997: 170)을 보라.
2 또한 제10장에서 다루고 있는, 엘리자 액튼의 빅토리아 시대 요리책에 관한 논의도 보라. 이 책은 영국의 음식준비 방법이 프랑스에 비해 열등하다는 19세기의 인식에 대한 또 다른 통찰을 제공한다.
3 1995년 BBC 채널 2의 <인생의 단면Slice of Life> 제4부 "영국의 바지(Bhaji)" 중에서.
4 물론 쇠고기의 아이콘적 지위가 영국 음식에만 배타적인 것은 아니다. 미국과 프랑스도 두 가지 분명한 또 다른 사례이다. 텍사스 사람들이 소비하는 막대한 양의 쇠고기는 신화적 지위를 누리고 있다. 그리고 스테이크와 프랑스다움에 대한 바르트의 독해에 대한 논의로는 제1장을 참조하라.
5 생선은 영국과 아이슬란드가 1958년, 1972년, 1975년 세 차례에 걸쳐 벌인 '대구전쟁'의 진원이었다. 감정은 격해졌으며, 작은 충돌과 그물과 배에 대한 파괴가 빈

번히 발생했지만, 국민감정의 강도는 BSE가 유발한 그것에는 미치지 못하는 것이
었다.

6 특히 Murcott(1998)를 보라. 이 책은 ESRC 기금의 지원으로 이루어진 많은 연구 프
로젝트의 조사결과들을 보고하고 있다. 1992년에서 1998년에 걸쳐 이루어진 이들
프로젝트는 음식선택 과정에 대한 이해를 향상시키는 것을 목적으로 한 것이었다.

7 하지만 여기서는 우리가 이것에 대해 더 이상 논의할 수 있는 공간이 없다. 이에 대
한 개관으로는 Matless(1998)를 보라.

제7장 식품 쇼핑

1 영국에서의 분산에 관한 고전적 연구로는 Wilmott and Young(1957)를 보라. 미국
의 교외화에 관한 비교 연구로는 Spigel(1997)을 보라. 오스트레일리아에 대해서는
Humphery(1998)와 Putnam(2000)을 보라.

2 여기서 우리는 이 두 저자들의 방법 — 워드의 잡지에 대한 텍스트 분석과 밀러의
현지조사 — 이 매우 상이하며 그것이 상이한 결과들을 도출하고 있다는 점을 유념
할 필요가 있다.

3 시장 내에서 근대적 식재료 형태와 전통적 식재료 형태 간에는 분명한 모순이 존재
한다. 니프시와 일버리(Kneafsey and Ilbery, 2001)는 영국에서 '전통적인' 지역 농
산물 생산자들이 자주 '유산'이라는 이미지를 활용하는 것을 꺼려하는 까닭은 그것
이 위생과 같은 '근대적' 가치들에 대한 소비자들의 요구와 상충되기 때문이라고
지적한다.

4 재개발을 책임졌던 건축가들인 그레이그Greig와 스테픈슨Stephenson 또한 버로우
마켓의 '무정부적이고 상충되는 결합구조'에 호감을 드러내며 '질감 있는 공간'에
대한 담론에 참여했다. 다음을 보라. http://www. boroughmarket.org.uk(2002년 7
월 10일에 접속).

5 이러한 관행은 성찰적 평가의 대상이 되고 있다. 신문들은 대체관행에 대한 불만이
만연하다고 보도해왔다. 왜냐하면 피킹 매장들이 아무 생각 없이 재고 없는 상품을
비슷할 것 같은 또는 비슷하지 않을 수도 있는 상품들로 대체하기 때문이다. 영국의
웨이트로즈Waitrose 체인과 함께 일하는 온라인 상점 오카도Ocado는 이러한 성찰
성에 기초하여 마케팅 전략을 짰다.

제8장 집에서의 식사

1 파스타 요리와 보다 전통적인 영국 요리의 구조적 차이를 감안할 때, 이것은 근본적
인 이탈을 보여주는 것일 수도 있다. 레벤스타인(Levenstein, 1993)은 파스타가 전
후 미국에서 국민 음식물을 바꾸는 데서 수행한 역할을 지적한 바 있다.
2 옮긴이 주 - 전통적인 하루 세끼의 식사패턴을 무시하고, 언제든지 원할 때 소량의
음식을 일하면서도 걸어가면서도 먹는 현상을 말한다. 즉 편의성과 시간절약을 위
한 방식의 식사를 지칭한다.
3 비록 이 논의와 역사적으로 부합하지는 않지만, 정부의 신체저하대책 범부처위원회
는 1904년 이후 영국 주부에 관해 다음과 같이 흥미롭게 특성화하고 있다.

한 증인이 힘주어 말하고 다른 사람들이 거의 분명하게 지지하듯이, 영국 주부의
대부분이 구제할 수 없는 게으름과 가정생활의 책무에 대한 염증에 젖어 있다면,
그들은 자연히 가족에게 음식을 제공하는 데 있어 자신들을 최소한으로 수고스럽
게 만드는 편법에 의지할 것이다.(Mennell, 1996: 263에서 인용함)

그러한 논평들은 또한 이 장에서 나중에 논의하는, 여성들의 정성과 편의성 간의 긴
장을 강조하고 있다.

4 2002년경 유니레버Unilever가 옥소를 인수하고 옥소 가족이 브랜드에 중심적이었
다는 결정을 내린 후에 옥소 가족은 소생되었다. 옥소 가족이 다시 태어난 것은 언
론으로부터 훨씬 덜 주목받았다(Archer, 2002).
5 1940년대와 1950년대의 미국 잡지 ≪에스콰이어Esquire≫와 ≪플레이보이Playboy≫
의 여러 페이지들이 입증하듯이, 실제로 이것은 새로운 현상이 아니다(Hollows, 2002).
요리와 관련하여 남성성과 가사를 보다 상세히 다루고 있는 것으로는 Moseley(2001)
와 Hollows(2003b)를 보라. 그리고 TV 셰프와 관련한 남성성과 요리에 대한 보다
광범한 논의에 대해서는 제11장을 참조하라.
6 요리를 여가 또는 노동으로 젠더화하기는 빈번히 텔레비전 토크쇼 - 특히 <네이
키드 셰프>와 <니겔라 바이츠Nigella Bites>와 같이 요리를 라이프스타일로 강조
하는 쇼들 - 에서 다루어지고 있다.
7 이 논쟁에 대한 유익한 평가로는 Segal(1987)을 보라.
8 젠더 불평등을 분석하는 데서 부르디외가 갖는 유용성에 대해서는 상당한 논쟁이
있다. 이에 대해서는 이를테면 Moi(1991), McCall(1992), 그리고 Laberge(1995)를
보라.

9 BBC Good Food Magazine, August 1999에서.

10 이러한 입장에 대한 다른 비판들에 대해서는 Cowan(1983)과 Forty(1986: 207~221)를 보라.

11 BBC Good Food Magazine, November 1999.

12 영국에서 돌봄 주체가 역사적으로 어떻게 변화되어왔는지에 대한 설명으로는 Skeggs(1997)를 보라.

제10장 음식 관련 저술

1 옮긴이 주 - 신부가 결혼식에서 순결의 상징으로 머리 장식에 이용하는 꽃을 말한다.

2 아주 최근에 이르러서야 우리는 남성들의 요리 무능력 또는 남성에게 불편한 집 주방을 강조하는 요리책들이 출간되고 있음을 볼 수 있었다(Anderson and Walls, 1996; Bastyra, 1996; Zen, 2000을 보라).

3 이러한 발전은 100년도 더 전에 있었던 커피하우스의 출현에 필적한다. 두 장소 모두는 봉건제도의 사회적 위계질서를 훼손했고, 예의와 점잖음의 관례들을 새로운 중간계급 분파들로 확대시켰다. 스탤리브래스와 화이트(Stallybrass and White, 1986: 99)의 지적에 따르면, "커피하우스는 문화지도에 하나 '추가된 것'이었음도 불구하고, 하나의 추가물이라기보다는 하나의 대체물, 즉 그 도시의 새로운 상위계층의 대안적 장소이자 그것의 일부로 등장했다." 그리고 우리는 이러한 분석이 혁명 후의 레스토랑에도 그대로 적용된다고 생각한다.

4 브리야사바랭이 레스토랑에서 식사하는 사람으로 잘 알려져 있었다는 것을 감안할 때, 그가 이러한 가정적인 장면을 강조하고 있다는 것은 놀라운 일이다. 하지만 레스토랑이라는 새로운 공간에는 메넬이 미식문학의 핵심 수사어구라고 밝힌 것, 즉 기억할만한 식사를 향수적으로 환기시키거나 신화화를 할 수 있는 여지가 거의 없다. 반대로 가정은 다양한 기억과 이야기들의 중심지이다. 퍼거슨의 주장에 따르면, 『미각의 생리학』은 레스토랑에 거의 어떠한 지면도 할애하지 않는데, 그 이유는 그것이 "사회구조를 해체할 수도 있을 과도한 개인주의를 조장"했기 때문이다 (2001: 25).

5 실제로 해리스는 요리책을 공동으로 집필했다(Harris and Warde ,2002).

제11장 텔레비전 셰프

1 우리는 이러한 정보 중 많을 것을 제공해온 조이스 할로우스Joyce Hollows에게 감사한다.
2 델리아 스미스를 공공서비스 방송과 관련하여 보다 상세하게 논의하고 있는 것으로는 Moseley(2000)과 Bell(2000)을 보라.
3 부르디외는 보다 추상적이지만 정확한 용어로 이러한 과정을 다음과 같이 설명한다.

> 이러한 경제적 영역[상징적 재화의 경제]에서는 그것의 기능 자체가 '상업적인 것'의 '거부' ― 실제로는 상업적 이해관계와 이윤에 대한 집합적 부정 ― 에 의해 규정된다. 이 영역에서는 가장 '반경제적'이고 가장 가시적으로 '사욕 없는' 행동 ― 아마도 '경제적' 영역에서 가장 분명하게 비난받을 ― 이 (제한된 의미에서나마) 경제적 합리성의 한 형태를 취하며, 그것의 창조자들을 '경제적' 이익 ― 그 영역의 법칙에 순응하는 사람들이 기대하는 ― 으로부터도 결코 배제하지 않는다. "상업적이 되는" 생산자와 판매자는 스스로를 질책한다. 그리고 이러한 질책이 윤리적 또는 미학적 관점에서만 이루어지는 것은 아니다. 왜냐하면 그들은 (그들 자신과 다른 사람들에게 실제로 문제가 되는 이해관계들을 은폐함으로써) 사욕이 없다는 것으로부터 이익을 얻는 수단을 획득한 …… 사람들에게 열려 있는 기회를 박탈당하기 때문이다.(Bourdieu, 1993: 75)

4 남성성, 요리, 레저 간의 관계와 관련한 더 많은 논의를 보고자 한다면, Hollows (2002; 2003b)를 보라. 나이젤라 로슨이 요리를 레저인 동시에 노동으로 인식하는 중간계급 여성성의 한 가지 양식을 어떻게 다루는지에 관한 논의로는 Hollows(2003a)을 보라.
5 이 갈등은 그 자체로 <밤을 위한 셰프Chef for a Night>라는 시리즈 속에서 텔레비전 드라마로 만들어졌다. 거기에서 숙련된 아마추어들은 밤에 레스토랑 주방을 자신들의 손으로 운영하려고 노력하지만, 대개는 아주 제한적인 성공만을 거두게 된다.

제12장 음식윤리와 먹거리 불안

1 자료: http://www.vegsoc.org(2003년 8월 14일 접속).

참고문헌

Acton, E. 1968. *The Best of Eliza Acton*(ed. Elizabeth Ray). Harmondsworth: Penguin.

Adair, G. 1986. *Myths and Memories*. London: Flamingo.

Adams, C. 1990. *The Sexual Politics of Meat: a feminist-vegetarian critical theory*. Cambridge: Polity.

Adkins, L. 2002. *Revisions: gender and sexuality in late modernity*. Buckingham: Open University Press.

Ainsworth, J.(ed.). 1995. *The Good Food Guide*. London: Consumers' Association.

Allen, J. 1995. "Global worlds." in J. Allen and D. Massey(eds). *Geographical Worlds*. Oxford: Oxford University Press.

Anderson, B. 1983. *Imagined Communities*. London: Verso.

Anderson, D. and M. Walls. 1996. *Cooking for Blokes*. London: Warner Books.

Ang, I. 1985. *Watching Dallas: soap opera and the melodramatic imagination*. London: Methuen.

_____. 1990. "Melodramatic Identifications: television fiction and women's fantasy." in M. E. Brown(ed.). *Television and Women's Culture*. London: Sage.

Anon. 1898. *Manners and Rules of Good Society, or Solecisms to be Avoided, by a Member of the Aristocracy* (23rd edn). London: Frederick Warne and Co.

Appadurai, A. 1988. "How to Make a National Cuisine: cookbooks in contemporary India." *Comparative Studies in Society and History*, 30, 1.

Archer, B. 2002. "Risen From the Gravy." *The Guardian*, 7 January.

Author Unknown. 1988. *The Guardian*, 15 April: 15.

Author Unknown. 1999. *Independent on Sunday*, 21 March.

Bakhtin, M. M. 1984. *Rabelais and His World*. Bloomington: Indiana University Press.

Barker, M. and A. Beezer. 1992. "Introduction: What's in a text?" in M. Barker and A. Beezer(eds). *Reading into Cultural Studies*. London: Routledge.

Barlow, M. 2001. "The Global Water Crisis and the Commodification of the World's Water Supply." accessed 4 December 2002. http://www.corpwatchindia.org/issues/PID.jsp?articleid =503

Barr, A. and P. Levy. 1984. *The Official Foodie Handbook*. London: Ebury Press.

Barrett, F. 2000. "Allez Calais, innit." *Mail on Sunday*, 26 November: 98.

Barrie, C. 1999. "BBC Brands New Global Strategy." *The Guardian*, 19 February.

Barthes, R. 1972. *Mythologies*. London: Paladin.

_____. 1997. "Toward a Psychosociology of Contemporary Food Consumption." in C. Counihan and P. van Esterik(eds). *Food and Culture: a reader*. London: Routledge.

Barwick, S. 1999. "Last Dinner as Oxo Family Finally Crumbles." *Daily Telegraph*, 31 August.

Bastyra, J. 1996. *Cooking with Dad*. London: Bloomsbury.

Bati, A. 1991. "Britannia Rules the Waves." *Sunday Times*, 22 September.

Bayless, R. and D. G. Bayless. 1987. *Authentic Mexican: regional cooking from the heart of Mexico*. New York: William Morrow.

Beardsworth, A. and T. Keil. 1992. "The Vegetarian Option: varieties, conversions, motives and careers." *Sociological Review*, 40, 2.

_____. 1997. *Sociology on the Menu: an invitation to the study of food and society*. London: Routledge.

Bell, D. 2000. "Performing Taste: celebrity chefs and culinary cultural capital." paper delivered at the Third International Crossroads in Cultural Studies conference, University of Birmingham, June 2000.

_____. 2002 "From Writing at the Kitchen Table to TV Dinners: food media, lifestylization and European eating." paper presented at Eat Drink and Be Merry? Cultural Meanings of Food in the 21st Century conference, Amsterdam(June 2002), accessed on 20 August 2002. http://cf.hum.uva.nl/research/asca/Themediareader. html

Bell, D. and G. Valentine. 1997. *Consuming Geographies: we are where we eat*. London: Routledge.

Bennett, T. 1981. "Popular Culture: history and theory." Open University U203, 1, 3.

Benson, S. 1997. "The Body, Health and Eating Disorders." in K. Woodward(ed.). *Identity and Difference*. London: Sage.

Bentley, A. 1998. *Eating for Victory: food rationing and the politics of domesticity*. Urbana: University of Illinois Press.

_____. 1999. "Bread, Meat and Rice: exploring cultural elements of food riots." proceedings of the conference Cultural and Historical Aspects of Food: Yesterday, Today, Tomorrow, Oregon State University, April 9.11.

Bhattacharyya, G. 1998. "Sex, Race and Meat: cultural studies, cultural materialism and the end of the world as we know it." *Keywords*, 1.

Billig, M. 1995. *Banal Nationalism*. London: Sage.

Boshoff, A. 1997. "BBC's £9m Epic is Outdone by Cookery Shows." *Daily Telegraph*, 6 February.

_____. 1998. "Delia Goes to Work on the Egg." *Daily Telegraph*, 16 June.

Bourdain, A. 2000. *Kitchen Confidential: adventures in the culinary underbelly*. London: Bloomsbury.

_____. 2001. *A Cook's Tour*. London: Bloomsbury.

Bourdieu, P. 1971. "Intellectual Field and Creative Project." in M. F. D. Young(ed.). *Knowledge and Control: new directions for the sociology of education*. London: Collier-Macmillan.

_____. 1984. *Distinction*. London: Routledge.

_____. 1990. *The Logic of Practice*. Stanford: Stanford University Press.

_____. 1993. *The Field of Cultural Production*. Cambridge: Polity.

Bowlby, R. 1997. "Supermarket Futures." in P. Falk and C. Campbell(eds). *The Shopping Experience*. London: Sage.

Branca, P. 1975. *Silent Sisterhood: middle-class women in the Victorian home*. London: Croom Helm.

Bridge, S. 2002. *Mail on Sunday*, 28 April, Financial Mail: 7.

Brillat-Savarin, J.-A. 1976. *Physiologie du Gout: meditations de gastronomie transcendante*. Harmondsworth: Penguin.

Broadcasting Standards Commission. 1998. *The Bulletin*, No. 11.

Brunsdon, C. 2000. *The Feminist, the Housewife and the Soap Opera*. Oxford: Oxford University Press.

Burch Donald, E.(ed.). 1990. *Debrett's Etiquette and Modern Manners*. Exeter: Webb and Bower.

Burgoyne, J. and D. Clarke. 1983. "You Are What You Eat: food and family reconstitution." in A. Murcott(ed.). *The Sociology of Food and Eating*. Aldershot: Gower.

Burke, P. 1978. *Popular Culture in Early Modern Europe*. London: Temple Smith.

Burkeman, O. 2002. "Not So Big, Mac." *The Guardian*, 22 November: G2.

Burnett, J. 1989. *Plenty and Want: a social history of food in England from 1815 to the present day*(3rd edn). London: Routledge.

Caplan, P.(ed.). 1997. *Food, Health and Identity*. London: Routledge.

_____. 2000a. *Risk Revisited*. London: Pluto.

_____. 2000b. " 'Eating British Beef with Confidence': a consideration of consumers' responses to BSE in Britain." in P. Caplan(ed.). *Risk Revisited*. London: Pluto.

Caplan, P., A. Keane, A. Willetts and J. Williams. 1998 "Studying Food Choice in its Social and Cultural Contexts: approaches from a social anthropological perspective." in A. Murcott(ed.). *The Nation's Diet: the social science of food choice*. Harlow: Longman.

Caraher, M., P. Dixon, T. Lang and R. Carr-Hill. 1999. "The State of Cooking in England: the relationship of cooking skills to food choice." *British Food Journal*, 101, 8.

Carrier, R. 1992. *Feasts of Provence*. London: Weidenfeld and Nicolson.

Castell, H. and K. Griffin. 1993. *Out of the Frying Pan: seven women who changed the course of postwar cookery*. London: BBC.

Charles, N. 1995. "Food and Family Ideology." in S. Jackson and S. Moores(eds). *The Politics of Domestic Consumption*. Hemel Hempstead: Harvester Wheatsheaf.

Charles, N. and M. Kerr. 1988. *Women, Food and Families: power, status, love, anger*. Manchester: Manchester University Press.

Clarke, A. J. 1997. "Tupperware: suburbia, sociality and mass consumption." in R. Silverstone (ed.). *Visions of Suburbia*. London: Routledge.

_____. 1998. "Window Shopping at Home: classifieds, catalogues and new consumer skills." in D. Miller(ed.). *Material Cultures: why some things matter*. London: UCL Press.

Clarke, J. 1975. "Subcultures, Cultures and Class." in S. Hall and T. Jefferson(eds). *Resistance Through Rituals*. London: Routledge.

_____. 1979. "Capital and Culture: the post-war working class revisited", in J. Clarke, C. Critcher and R. Johnson(eds). *Working-class Culture: studies in history and theory*. London: Hutchinson.

_____. 1991. *New Times and Old Enemies: essays on cultural studies and America*. London: Harper-Collins.

Clarke, S. 1981. *The Foundations of Structuralism: a critique of Levi-Strauss and the structuralist movement*. Brighton: Harvester Press.

Classen, C. 1996. "Sugar Cane, Coca-cola and Hypermarkets: consumption and surrealism in the Argentine northwest." in D. Howe(ed.). *Cross-Cultural Consumption*. London: Routledge.

Cohen, S. 1993. *Folk Devils and Moral Panics: the creation of the mods and rockers*. Oxford: Blackwell.

Con Davis, R. and R. Schleifer. 1991. *Criticism and Culture: the role of critique in modern literary theory*. Harlow: Longman.

Cook, I. 1995. "Constructing the Exotic: the case of tropical fruit." in J. Allen and D. Massey(eds). *Geographical Worlds*. Oxford: Oxford University Press.

Cook, I. and P. Crang. 1996. "The World on a Plate: culinary culture, displacement and geographical knowledges." *Journal of Material Culture*, 1, 2.

Cook, I., P. Crang and M. Thorpe. 2000. "Regions to be Cheerful: culinary authenticity and its geographies." in I. Cook, D. Crouch, S. Naylor and J. Ryan(eds). *Cultural Turns/Geographical Turns: perspectives on cultural geography*. London: Pearson.

Cook, S., T. Perry and G. Ward. 1998. *USA: the rough guide*. Harmondsworth: Penguin.

Corner, J. and S. Harvey. 1991. "Mediating Tradition and Modernity: the heritage/enterprise couplet." in J. Corner and S. Harvey(eds). *Enterprise and Heritage: cross-currents of national culture*. London: Routledge.

Counihan, C. and van P. Esterik(eds). 1997. *Food and Culture: a reader*. London: Routledge.

Coveney, J. 1999. "The Government of the Table: nutrition expertise and the social organization of family food habits." in J. Germov and L. Williams(eds). *A Sociology of Food and Nutrition: the social appetite*. South Melbourne: Oxford University Press.

Cowan, R. 1983. *More Work for Mother: the ironies of household technology from the open hearth to the microwave*. New York: Basic Books.

Coward, R. 1999. "Guess Who's Cooking the Dinner." *The Guardian*. 23 December.

Coxon, T. 1983. "Men in the Kitchen: notes from a cookery class." in A. Murcott(ed.). *The Sociology of Food and Eating*. Aldershot: Gower.

Crotty, P. 1999. "Food and Class." in J. Germov and L. Williams(eds). *A Sociology of Food and Nutrition: the social appetite*. South Melbourne: Oxford University Press.

Daft, R. 1998. "The Dish that Ate a Nation." *Mail on Sunday*. 20 December.

David, E. 1966. *French Country Cooking*(2nd rev. edn). Harmondsworth: Penguin.

_____. 1968. "Introduction." in E. Acton. *The Best of Eliza Acton*. Harmondsworth: Penguin.

_____. 1986. *An Omelette and a Glass of Wine*. Harmondsworth: Penguin.

_____. 1989. *Italian Food*(rev. edn). Harmondsworth: Penguin.

_____. 1991. *A Book of Mediterranean Food*(2nd rev. edn). Harmondsworth: Penguin.

Davies, C. 1988. "The Irish Joke as a Social Phenomenon." in J. Durrant and J. Miller(eds). *Laughing Matters: a serious look at humour*. Harlow: Longman.

Davis, B. 2000. *Home Fires Burning: food, politics and everyday life in World War One Berlin*. Chapel Hill: University of North Carolina Press.

Davis, M. 1990. *City of Quartz*. London: Verso.

De Bens, E. 1998. "Television Programming: more diversity, more convergence?" in K. Brants, J. Hermes and L. van Zoonen(eds). *The Media in Question: popular cultures and public interests*. London: Sage.

De Bertodano, H. 1997. "All Rhodes Lead to the City." *Daily Telegraph*, 25 January.

De Certeau, M., L. Giard and P. Mayol. 1998. *The Practice of Everyday Life. Vol. 2: Cooking and Eating*. Minnesota: University of Minnesota Press.

Derrida, J. 1992. "Structure, Sign and Play in the Discourse of the Human Sciences." in S. Sim(ed.). *Art: context and value*. Milton Keynes: The Open University.

DeVault, M. 1991. *Feeding the Family: the social organization of caring as gendered work*. Chicago: University of Chicago Press.

Dickinson, R. 1998. "Modernity, Consumption and Anxiety: television audiences and food choice." in R. Dickinson, R. Haraindranath and O. Linne. *Approaches to Audiences: a reader*. London: Arnold.

Donald, J. 1988. "How English is it?" *New Formations*, 6.

Douglas, M. 1966. *Purity and Danger: an analysis of the concepts of pollution and taboo*. London: Routledge and Kegan Paul.

_____. 1975. *Implicit Meanings: essays in anthropology*. London: Routledge and Kegan Paul.

_____. 1997. "Deciphering a Meal." in C. Counihan and P. van Esterik(eds). *Food and Culture: a reader*. London: Routledge.

Drake McFeeley, M. 2001. *Can She Bake a Cherry Pie? American women and the kitchen in the twentieth century*. Amherst: University of Massachusetts Press.

Du Gay, P., S. Hall, L. Janes, H. MacKay and K. Negus. 1997. *Doing Cultural Studies: the story of the Sony Walkman*. London: Sage.

During, S.(ed.). 1993. *A Cultural Studies Reader*. London: Routledge.

Eagleton, T. 1983. *Literary Theory: an introduction*. Oxford: Blackwell.

_____. 2000. *The Idea of Culture*. Oxford: Blackwell.

Eder, K. 1996. *The Social Construction of Nature: a sociology of ecological enlightenment*. London: Sage.

Eldridge, J. 1999. "Risk, Society and the Media: now you see it, now you don't." in G. Philo(ed.). *Message Received: Glasgow Media Group research 1993-1998*. London: Longman.

Elias, N. 1978a. *The Civilizing Process: the history of manners*. Oxford: Blackwell.

_____. 1978b. *What is Sociology?* London: Hutchinson.

_____. 1982. *The Civilizing Process: state formation and civilization*. Oxford: Blackwell.

Ellis, R. 1983. "The Way to a Man's Heart: food in the violent home." in A. Murcott(ed.). *The Sociology of Food and Eating*. Aldershot: Gower.

Engels, F. 1958. *The Condition of the English Working Class*. Oxford: Basil Blackwell.

Entwistle, J. 1997. "'Power Dressing' and the Construction of the Career Woman." in M. Nava, A. Blake, I. MacRury and B. Richards(eds). *Buy This Book: studies in advertising and consumption*. London: Routledge.

_____. 2000. *The Fashioned Body: fashion, dress and modern social theory*. Cambridge: Polity.

Environment, Transport and Regional Affairs Select Committee. 1998. *Report on Allotments*. accessed 2 December 2002. http://www.parliament.the-stationery-office.co.uk/pa/cm199798/cmselect/cm envtra/560/56002.htm

Ezard, J. 2000. "Harry Makes Mincemeat out of Hannibal and Delia." *The Guardian*, 12 July.

Falk, P. 1994. *The Consuming Body*. London: Sage.

Fantasia, R. 1995. "Fast Food in France." *Theory and Society*, 24, 2.

Fattorini, J. 1994. "Food Journalism: a medium for conflict?" *British Food Journal*, 96, 10: 24-8.

Fearnley-Whittingstall, H. 1999. "Setting an Example." *The Guardian*, 29 August.

_____. 2001. *The River Cottage Cookbook*. London: HarperCollins.

Featherstone, M. 1991a. *Consumer Culture and Postmodernism*. London: Sage.

_____. 1991b. "The Body in Consumer Culture." in M. Featherstone, M. Hepworth and B. Turner(eds). *The Body: social process and cultural theory*. London: Sage.

Felski, R. 2000. *Doing Time: feminist theory and postmodern culture*. New York: New York University Press.

Ferguson, M. and P. Golding(eds). 1997. *Cultural Studies in Question*. London: Sage.

Ferguson, P. 2001. "A Cultural Field in the Making." in L. Schehr and A. Weiss(eds). *French Food on the Table, on the Page and in French Culture*. London: Routledge.

Ferguson, P. and S. Zukin. 1998. "The Careers of Chefs." in R. Scapp and B. Seitz(eds). *Eating Culture*. Albany: SUNY Press.

Fiddes, N. 1997. "Past, Present ... and Future Imperfect?" in P. Caplan(ed.). *Food, Health and Identity*. London: Routledge.

Fine, B. 1998. *The Political Economy of Diet*. Health and Food Policy, London: Routledge.

Finkelstein, J. 1989. *Dining Out: a sociology of modern manners*. Cambridge: Polity.

_____. 1999. "Rich Food: McDonald's and modern life." in B. Smart(ed.). *Resisting McDonaldization*. London: Sage.

Fischler, C. 1980. "Food Habits, Social Change and the Nature/Culture Dilemma." *Social Science Information*, 19.

_____. 1988. "Food, Self and Identity." *Social Science Information*, 27.

_____. 2000. "The 'McDonaldization' of Culture." in J.-L. Flandrin and M. Montenari(eds). *Food: a culinary history*. New York: Columbia University Press.

Fiske, J. 1989. *Understanding Popular Culture*. Boston: Unwin Hyman.

Fort, M. 1999a. "A Question of Taste." *The Guardian*, 21 December.

_____. 1999b. "Ready, Steady, Write." *The Guardian*, 16 July.

_____. 1999c. "A Beginner's Guide to Cook Books." *The Guardian*, 10 November.

Forty, A. 1986. *Objects of Desire: design and society since 1750*. London: Thames and Hudson.

Fox Genovese, E. 1991. *Feminism Without Illusions*. Chapel Hill: University of North Carolina Press.

Franklin, A. 1999. *Animals and Modern Cultures: a sociology of human-animal relations in modernity*. London: Sage.

Friedman, J. 1990. "Being in the World: globalization and localization." in M. Featherstone(ed.). *Global Culture: nationalism, globalization and modernity*. London: Sage.

Gellner, E. 1983. *Nation and Nationalism*. Oxford: Blackwell.

Giard, L. 1998. "Doing-Cooking." in M. De Certeau, L. Giard and P. Mayol(eds). *The Practice of Everyday Life. Vol. 2: Living and Cooking*. Minneapolis: University of Minnesota Press.

Giddens, A. 1990. *The Consequences of Modernity*. Cambridge: Polity.

_____. 1991. *Modernity and Self Identity: self and society in the late modern age*. Cambridge: Polity.

Gillespie, C. H. 1994. "Gastrosophy and Nouvelle Cuisine." *British Food Journal*, 96, 10.

Gillespie, M. 1995. *Television, Ethnicity and Cultural Change*. London: Routledge.

Glancy, J. 1999. "The Lure of the Aisles." in C. Catterell(ed.). *Food: design and culture*. London: Lawrence King.

Goody, J. 1997. "Industrial Food: towards the development of a world cuisine." in C. Counihan and P. van Esterik(eds). *Food and Culture: a reader*. London: Routledge.

Gramsci, A. 1991. *Selections from the Prison Notebooks*. London: Lawrence and Wishart.

Gray, R. and R. Rogers. 1995. *The River Cafe Cookbook*. London: Ebury Press.

Greenslade, R. 1996. "With Some Guns Blazing." *The Guardian*, 3 June.

Gregoriadis, L. 1999. "Oxo Serves Up New Ad Recipe." *The Guardian*, 20 December.

Gregson, N. and L. Crewe. 1994. "Beyond the High Street and the Mall: car boot fairs and the new geographies of consumption." *Area*, 26, 3.

Grigson, J. 1975. *Charcuterie and French Pork Cookery*. Harmondsworth: Penguin.

_____. 1991. *Good Things*(rev. edn). Harmondsworth: Penguin.

_____. 1992 *English Food*(2nd rev. edn). Harmondsworth: Penguin.

Grossberg, L. 1996. "The Circulation of Cultural Studies." in J. Storey(ed.). *What is Cultural Studies? A reader*. London: Arnold.

Grunow, J. 1997. *The Sociology of Taste*. London: Routledge.

Hall, S. 1981. "Notes on Deconstructing 'The Popular'." in R. Samuel(ed.). *People's History and Socialist Theory*. London: Routledge.

_____. 1991. "Old and New Identities, Old and New Ethnicities." in A. King(ed.). *Culture, Globalization and the World-System*. London: Macmillan.

_____. 1997. "The Work of Representation." in S. Hall(ed.). *Representation: cultural representations and signifying practices*. London: Sage.

Hall, S. and T. Jefferson(eds). 1976. *Resistance Through Rituals: youth cultures in post-war Britain*. London: Hutchinson.

Hannerz, U. 1990. "Cosmopolitans and Locals in World Culture." in Mike Featherstone(ed.). *Global Culture: nationalism, globalization and modernity*. London: Sage.

Harbutt, J. 1997. "Champion Cheeses." *The Good Food Magazine*. November.

Hardyment, C. 1995. *Slice of Life: the British way of eating since 1945*. London: BBC.

Harman, C. 2000. "Anti-capitalism: theory and practice." *International Socialism Journal*, 88.

Harris, J. 2000. *Chocolat*. London: Abacus.

_____. 2001. *Blackberry Wine*. London: Abacus.

_____. 2002. *Five Quarters of the Orange*. London: Abacus.

Harris, J. and F. Warde. 2002. *The French Kitchen: a cook book*. London: Doubleday.

Harris, M. 1997. "The Abominable Pig." in C. Counihan and P. van Esterik(eds). *Food and Culture: a reader*. London: Routledge.

Haitalis, D. 1992. *The Best Traditional Recipes of Greek Cooking*. Athens: Editions D. Haitalis.

Hebdige, D. 1979. *Subculture: the meaning of style*. London: Methuen.

_____. 1988. *Hiding in the Light*. London: Routledge.

Henderson, F. 2000. *Nose to Tail Eating*. London: Macmillan.

Hoggart, R. 1968. *The Uses of Literacy*. Harmondsworth: Penguin.

Hollows, J. 2002. "The Bachelor Dinner: masculinity, class and cooking in Playboy, 1953-61." *Continuum: Journal of Media and Cultural Studies*. 16, 2.

_____. 2003a. "Feeling Like a Domestic Goddess: post-feminism and cooking." *European Journal of Cultural Studies*, 6, 2.

_____. 2003b. "Oliver's Twist: leisure, labour and domestic masculinity in The Naked Chef." *International Journal of Cultural Studies*, 6, 2.

Horner, J. R. 2000. "Betty Crocker's Picture Cookbook: a gendered ritual response to social crises of the postwar era." *Journal of Communication Inquiry*, 24, 3.

Horrigan, S. 1988. *Nature and Culture in Western Discourses*, London: Routledge.

Howell, S. 1997. "Cultural Studies and Social Anthropology: contesting or complementary discourses?" in S. Nugent and C. Shore(eds). *Anthropology and Cultural Studies*, London: Pluto.

Humphery, K. 1998. *Shelf Life: supermarkets and the changing cultures of consumption*. Cambridge: Cambridge University Press.

Hyman, P. and M. Hyman. 1999. "Printing the Kitchen: French cookbooks, 1480-1800." in J.-L. Flandrin and M. Montanari(eds). *Food: a culinary history*, New York: Columbia University Press.

Inness, S.(ed.). 2000. *Kitchen Culture in America*. Philadelphia: University of Pennsylvania Press.

_____. 2001a. *Dinner Roles: American women and culinary culture*. Iowa City: University of Iowa Press.

_____. 2001b. *Pilaf, Pozole and Pad Thai: American women and ethnic food*. Amherst: University of

Massachusetts Press.

Jackson, P. 1993. "Towards a Cultural Politics of Consumption." in J. Bird, B. Curtis, T. Putnam, G. Robertson and L. Tickner(eds). *Mapping the Futures: local cultures and global change*. London: Routledge.

Jackson, P. and N. Thrift. 1995. "Geographies of Consumption." in D. Miller(ed.). *Acknowledging Consumption: a review of new studies*. London: Routledge.

James, A. 1982. "Confections, Concoctions and Conceptions." in B. Waites, T. Bennett and G. Martin(eds). *Popular Culture: past and present*. London: Croom Helm.

_____. 1997. "How British is British food?" in P. Caplan(ed.). *Food, Health and Identity*. London: Routledge.

Jenks, C. 1993. *Culture*. London: Routledge.

Jennings, C. 1999. "Can I Get Down Now?" *The Guardian*, 25 June.

Johnson, R. 1986. "The Story So Far: and further transformations?" in D. Punter(ed.). *Introduction to Contemporary Cultural Studies*. Harlow: Longman.

_____. 1996. "What is Cultural Studies Anyway?" in J. Storey(ed.). *What is Cultural Studies? A reader*. London: Arnold.

Jones, S. and B. Taylor. 2001. "Food Writing and Food Cultures: the case of Elizabeth David and Jane Grigson." *European Journal of Cultural Studies*, 4, 2.

Kapoor, S. 2001. "Take One Hot Cookery Writer and Allow to Stew." *The Independent*. Features Section, 23 June.

Kemmer, D. 1999. "Food Preparation and the Division of Labour among Newly Married Couples." *British Food Journal*, 101, 8.

Kneafsey, M. and B. Ilbery. 2001. "Regional Images and the Promotion of Speciality Food and Drink in the West Country." *Geography*, 86, 2.

Laberge, S. 1995. "Towards an Integration of Gender into Bourdieu's Concept of Cultural Capital." *Sociology of Sport Journal*, 12, 2.

Lane, H. 1999. "Twenty Years On, We're Still in Love with Delia." *The Observer*, 12 December.

_____. 2000. "Lord of the Gas Rings." *The Observer*, 26 March.

Lappe, F. 1971. *Diet for a Small Planet*. New York: Ballantine.

Laudan, R. 1999 "A World of Inauthentic Cuisine." proceedings of the conference Cultural and Historical Aspects of Food: Yesterday, Today, Tomorrow, Oregon State University, April 9.11.

Lawrence, S. 1998. "Turks' Delight." *The Sainsbury's Magazine*, March.

Lawson, N. 1998b. "Can't Cook, Don't Want to." *The Guardian*, 13 October.

_____. 1999. "The Family that Eats Together..." *The Observer*, 5 September.

_____. 2000 *How to be a Domestic Goddess: baking and the art of comfort cooking*. London: Chatto & Windus.

Le Roy Ladurie, E. 1979. *Carnival: a people's uprising at Romans 1579-1580*. London: Scolar Press.

Leach, E. 1970. *Levi-Strauss*. London: Fontana.

_____. 1973. "Structuralism in Social Anthroplogy." in D. Robey(ed.). *Structuralism: an introduction*, Oxford: Clarendon Press.

Leavis, F. and D. Thompson. 1933. *Culture and Environment: the training of critical awareness*. London: Chatto & Windus.

Lee, M. 1993. *Consumer Culture Reborn: the cultural politics of consumption*. London: Routledge.

Levenstein, H. 1993. *Paradox of Plenty: a social history of eating in modern America*. Oxford: Oxford University Press.

Levi-Strauss, C. 1963. *Structural Anthropology*, Vol. 1, New York: Basic Books.

_____. 1966. "The Culinary Triangle." *Partisan Review*, 33, 4.

_____. 1981. *The Naked Man(Introduction to a Science of Mythology: 4)*. London: Jonathan Cape.

_____. 1994. *The Raw and the Cooked(Introduction to a Science of Mythology: 1)*. London: Pimlico.

Light, A. 1991. *Forever England: femininity, literature and conservatism between the wars*. London: Routledge.

Linley, D. 1999. *Sunday Times*, 30 June, News Review section.

Luard, E. 2000. *Saffron and Sunshine: tapas, mezze and antipasti*. London: Bantam Press.

Lunt, P. and S. Livingstone. 1992. *Mass Consumption and Personal Identity*. Buckingham: Open University Press.

Lupton, D. 1996. *Food, the Body and the Self*. London: Sage.

_____. 1999. *Risk*. London: Routledge.

Lury, C. 1996. *Consumer Culture*. Cambridge: Polity.

Mabey, R. 1972. *Food for Free*. London: Collins.

McCall, L. 1992. "Does Gender Fit? Bourdieu, feminism, and conceptions of social order." *Theory and Society*, 21, 6.

McGuigan, J. 1996. *Culture and the Public Sphere*. London: Routledge.

Macintyre, S., J. Reilly, D. Miller and J. Eldridge. 1998. "Food Choice, Food Scares and Health: the role of the media." in A. Murcott(ed.). *The Nation's Diet: the social science of food choice*. London: Longman.

Mackay, H.(ed.). 1997a. *Consumption and Everyday Life*. London: Sage.

_____. 1997b. "Consuming Communication Technologies at Home." in H. Mackay(ed.). *Consumption and Everyday Life*. London: Sage.

McLellan, D.(ed.). 1977. *Selected Writings of Karl Marx*. Oxford: Oxford University Press.

McRobbie, A. 1989. "Second-Hand Dresses and the Role of the Ragmarket." in A. McRobbie(ed.). *Zoot Suits and Second-Hand Dresses*. London: Macmillan.

Marling, K. A. 1994. *As Seen on TV: the visual culture of everyday life in the 1950s*. Cambridge, MA: Harvard University Press.

Martens, L. 1997. "Gender and the Eating Out Experience." *British Food Journal*, 99, 1.

Martens, L. and A. Warde. 1997. "Urban Pleasure? On the meaning of eating out in a northern city." in P. Caplan(ed.). *Food, Health and Identity*. London: Routledge.

Marx, K. 1970. *Capital: a critique of political economy. Vol. 1*. London: Lawrence and Wishart.

Marx, K. and F. Engels. 1973. *Manifesto of the Communist Party*. Peking: Foreign Language Press.

Massey, D. 1994. *Space, Place and Gender*. Cambridge: Polity.

Matless, D. 1998. *Landscape and Englishness*. London: Reaktion.

Maurer, D. 1995. "Meat as a Social Problem: rhetorical strategies in the contemporary vegetarian literature." in D. Maurer and J. Sobal(eds). *Eating Agendas: food and nutrition as social problems*. Hawthorn: Aldine de Gruyter.

May, J. 1996. "In Search of Authenticity Off and On the Beaten Track." *Environment and Planning D: Society and Space*, 14.

Mennell, S. 1985. *All Manners of Food: eating and taste in England and France from the Middle Ages to the present*. Oxford: Blackwell.

_____. 1992. *Norbert Elias: an introduction*. Oxford: Blackwell.

_____. 1996. *All Manners of Food: eating and taste in England and France from the Middle Ages to the present*(2nd edn). Chicago: University of Illinois Press.

Mercer, C. 1984. "Generating Consent." *Ten*, 8, 18.

Middleton, C. 1997. "The King of Padstein." *Daily Telegraph*, 12 April.

Miller, D. 1994. *Material Culture and Mass Consumption*(2nd edn). Oxford: Blackwell.

_____. 1997a. "Coca-Cola: a black sweet drink from Trinidad." in D. Miller(ed.). *Material Cultures*. London: UCL Press.

_____. 1997b. "Consumption and its Consequences." in H. Mackay(ed.). *Consumption and Everyday Life*. London: Sage.

_____. 1998a. *A Theory of Shopping*. Cambridge: Polity.

_____(ed.). 1998b. *Material Cultures: why some things matter*. London: UCL Press.

Miller, R. 1994. " 'A Moment of Profound Danger': British cultural studies away from the centre." *Cultural Studies*. 8, 3.

Mintel Marketing Intelligence. 1999. *Eating Out Review*.

Mitchell, J. 1999. "The British Main Meal in the 1990s: has it changed its identity?" *British Food Journal*, 101, 11.

Mitchell, V. and M. Greatorex. 1990. "Consumer Perceived Risk in the UK Food Market." *British Food Journal*, 92, 2.

Moi, T. 1991. "Appropriating Bourdieu: feminist theory and Pierre Bourdieu's sociology of culture." *New Literary History*, 22, 4.

Montanari, M. 1996. *The Culture of Food*. Oxford: Blackwell.

Moore, S. 2000. "Did we Fight for the Right to Bake?" *Mail on Sunday*, 22 October.

Moores, S. 1993. *Interpreting Audiences*. London: Sage.

_____. 2000. *Media and Everyday Life in Modern Society*. Edinburgh: Edinburgh University Press.

Morley, D. 1986. *Family Television*. London: Comedia.

_____. 1991. "Where the Global Meets the Local: notes from the sitting room." *Screen*, 32, 1.

_____. 1992. "Electronic Communities and Domestic Rituals", in M. Skovmand and K. Schroder(eds). *Media Cultures: reappraising transnational media*. London: Routledge.

_____. 2000. *Home Territories: media, mobility and identity*. London: Routledge.

Morphy, Countess. 1937. *Good Food From Italy: a receipt book*. London: Chatto & Windus.

Morris, J. 1953. "No Kickshaws, Whole Bellyfulls." *Wine and Food*, 78.

Moseley, R. 2001. "Real Lads Do Cook... But Some Things Are Still Hard To Talk About: the gendering of 8-9." *European Journal of Cultural Studies*, 4, 1.

Mounin, G. 1974. "Levi-Strauss's Use of Linguistics." in I. Rossi(ed.). *The Structuralism of Claude Levi-Strauss in Perspective*. New York: E. P. Dutton and Co.

Mullan, J. 2001 "From Sweetheart to Cook." The Star Online, accessed 4 February 2003. http://thestar.com.my/lifestyle/story.asp?file=/2001/12 /12/features/moe1212

Munt, I. 1994. "The 'Other' Postmodern Tourism: culture, travel and the new middle classes." *Theory, Culture and Society*, 11, 3.

Murcott, A. (1983) "Cooking and the Cooked: a note on the domestic preparation of meals." in A. Murcott(ed.). *The Sociology of Food and Eating*. Aldershot: Gower.

_____. 1995. "'It's A Pleasure to Cook for Him': food, mealtimes and gender in some South Wales households." in S. Jackson and S. Moores(eds). *The Politics of Domestic Consumption*. Hemel Hempstead: Harvester Wheatsheaf.

_____. 1997. "Family Meals . a Thing of the Past?" in P. Caplan(ed.). *Food, Health and Identity*. London: Routledge.

_____(ed.). 1998. *The Nation's Diet: the social science of food choice*. London: Longman.

Murdock, G. 1995. "Across the Great Divide." *Critical Studies in Mass Communications*, 12, 1.

Murphy, E., S. Parker and C. Phipps. 1999. "Motherhood, Morality and Infant Feeding." in J. Germov and L. Williams(eds). *A Sociology of Food and Nutrition: the social appetite*. South Melbourne: Oxford University Press.

Nairn, T. 1977. *The Break-up of Britain: crisis and neo-nationalism*. London: New Left Books.

Narayan, U. 1995. "Eating Cultures: incorporation, identity and Indian food." *Social Identities*, 1, 1.

Nead, L. 1988. *Myths of Sexuality: representations of women in Victorian Britain*. Oxford: Basil Blackwell.

Negus, K. 1992. *Producing Pop: culture and conflict in the popular music industry*. London: Arnold.

Nelson, M. 1993. "Social-class Trends in British Diet, 1860.1980." in C. Geissler and D. J. Oddy(eds). *Food, Diet and Economic Change: past and present*. Leicester: Leicester University Press.

Neuhas, J. 2001. "Women and Cooking in Marital Sex Manuals, 1920-1963." in S. Inness(ed.). *Kitchen Culture in America: popular representations of food, gender, and race*. Philadelphia: University of Pennsylvania Press.

Normand, J.-M. 1999. "McDonald's, critique mais toujours frequente." *Le Monde*, 24 September.

Orwell, G. 1937. *The Road to Wigan Pier*. Harmondsworth: Penguin.

_____. 1968a. "A Nice Cup of Tea." *The Collected Essays, Journalism and Letters of George Orwell, Vol. 3*. Harmondsworth: Penguin.

_____. 1968b. "In Defence of English Cooking." *The Collected Essays, Journalism and Letters of George Orwell, Vol. 3*. Harmondsworth: Penguin.

Pendergrast, M. 2002. *Uncommon Grounds: the history of coffee and how it transformed our world*. New York: Basic Books.

Peregrine, A. 2001. "French Liberation on Bastille Day." *Daily Telegraph*, 14 July.

Perry, N. 1995. "Travelling Theory/Nomadic Theorising." *Organization*, 2, 1.

Pook, S. 1999. "Third of Population Dine Alone . With Food from a Packet." *Daily Telegraph*, 19 October.

Probyn, E. 2000. *Carnal Appetites: foodsexidentities*. London: Routledge.

Putnam, R. 2000. *Bowling Alone*. New York: Simon and Schuster.

Putnam, T. 1990. "Introduction." in T. Putnam and C. Newton(eds). *Household Choices*. London: Middlesex Polytechnic and Future Publications.

Rabelais, F. 1955. *Gargantua and Pantagruel*. Harmondsworth: Penguin.

Radway, J. 1987. *Reading the Romance*. London: Verso.

Raven, C. 2000. "A Half-baked Fantasy: on why Nigella Lawson has become an icon." *The Guardian*, October 3.

Ray, E. 1968. "Preface." in E. Acton. *The Best of Eliza Acton*. Harmondsworth: Penguin.

Rée, J. 1992. "Internationality." *Radical Philosophy*, 60.

Reilly, J. 1999. "Just Another Food Scare? Public understanding and the BSE crisis." in G. Philo(ed.). *Message Received: Glasgow Media Group research, 1993-1998*. London: Longman.

Reilly, J. and D. Miller. 1997. "Scaremonger or Scapegoat? The role of the media in the emergence of food as a social issue." in P. Caplan(ed.). *Food, Health and Identity*. London: Routledge.

Rex-Johnson, B. 1997. *The Pike Place Market Cookbook: recipes, anecdotes and personalities from Seattle's renowned public market*. Seattle: Sasquatch Books.

Rhodes, G. 1996. *Open Rhodes Around Britain*. London: BBC.

Richardson, P. 2000. *Cornucopia: a gastronomic tour of Britain*. London: Little Brown.

Riddell, M. 2003. "We Just Can't Keep Out of Supermarkets." *The Observer*, 19 January.

Rifkin, J. 1993. "Anatomy of a Cheeseburger." *Granta*, 38, Harmondsworth: Penguin.

Ritzer, G. 1993. *The McDonaldization of Society*. London: Sage.

_____. 1998. *The McDonaldization Thesis*. London: Sage.

_____. 2000. *The McDonaldization of Society*(New Century edn). Thousand Oaks: Pine Forge Press.

Robertson, R. 1992. *Globalization: social theory and global culture*. London: Sage.

_____. 1995. "Glocalization: time.space and homogeneity.heterogeneity." in M. Featherstone, S. Lash and R. Robertson(eds). *Global Modernities*. London: Sage.

Robins, K. 1996. *Into the Image: culture and politics in the field of vision*. London: Routledge.

Roden, C. 2000. "The Global Kitchen." *The Observer*, 12 November, Life magazine supplement.

Roos, G., R. Prattala and K. Koski. 2001. "Men, Masculinity and Food: interviews with Finnish carpenters and engineers." *Appetite*, 37, 1.

Ross, A. 1989. *No Respect: intellectuals and popular culture*. London: Routledge.

Ross, P. 2001. "Globalizing and the Closing of the Universe of Discourse: the contemporary relevance of Marcuse's 'Marxism'." accessed 4 December 2002. http://www.psa.as.uk/cps/2001/Ross Phil.pdf

Rowe, D. 1999. "A Brief History of Meal Time." *The Guardian*, 1 September.

Rowe, M. 1999. "Has the Great British Curry House Finally had its Chips?" *Independent on Sunday*, 14 February.

Rozin, P., J. Haidt, C. McCauley and S. Imada. 1997. "Disgust: preadaptation and the cultural evolution of a food-based emotion." in H. Macbeth(ed.). *Food, Preference and Taste: continuity and change*. Providence: Berghan Books.

Rushe, D. 2001. "www.basketcase." *Sunday Times*, 2 September, Business section.

Samuel, R. 1989. "Exciting to be English." in R. Samuel(ed.). *Patriotism: the making and unmaking of British national identity. Vol. 3*. London: Routledge.

Schlesinger, P. 1987. "On National Identity." *Social Science Information*, 26, 2.

Schlosser, E. 2001. *Fast Food Nation*. Harmondsworth: Penguin.

Schwarz, B. 1994. "Where is Cultural Studies?" *Cultural Studies*, 8, 3.

Seenan, G. 1999. "Ladies and Gentlemen, the Queen." *The Guardian*, 8 July.

Segal, L. 1987. *Is the Future Female? Troubled thoughts on contemporary feminism*. London: Virago.

Shields, R. 1991. *Lifestyle Shopping*. London: Sage.

Shiva, Vandana. 2001. "World Bank, WTO, and corporate control over water." accessed 4 December 2002. *International Socialist Review*, August/September. http://www.thirdworld traveler.com/Water/Corp_Control_Water_Vshiva.html

Shove, E. and D. Southerton. 2000. "Defrosting the Freezer: from novelty to convenience." *Journal of Material Culture*, 5, 3.

Silva, E. 2000. "The Cook, The Cooker and the Gendering of the Kitchen." *Sociological Review*, 48, 4.

Simmonds, D. 1990. "What's Next? Fashion, foodies and the illusion of freedom." in A. Tomlinson(ed.). *Consumption, Identity and Style*. London: Comedia.

Singer, P. 1975. *Animal Liberation*. New York: Random House.

_____. 1998. "A Vegetarian Philosophy." in S. Griffiths and S. Wallace(eds). *Consuming Passions*. Man-chester: Manchester University Press.

Skeggs, B. 1997. *Formations of Class and Gender*. London: Sage.

_____. (forthcoming) *Class, Self and Culture*. London: Routledge.

Slater, N. 1993. *Real Fast Food*. Harmondsworth: Penguin.

Smart, B. 1993. *Postmodernity*. London: Routledge.

_____. 1994. "Digesting the Modern Diet: gastro-porn, fast food and panic eating." in K.

Tester(ed.). *The Flaneur*. London: Routledge.

_____. 1999. "Resisting McDonaldization: theory." in B. Smart(ed.). *Resisting McDonaldization*. London: Sage.

Smith, A. 1991. *National Identity*. Harmondsworth: Penguin.

Smith, D. 1980. *One is Fun!*. London: Coronet.

_____. 1982. *Complete Cookery Course*. London: BBC.

_____. 1990. *Delia Smith's Christmas*. London: BBC.

_____. 1993. *Summer Collection*. London: BBC.

_____. 1995. *Winter Collection*. London: BBC.

_____. 1998. *How to Cook: Book One*. London: BBC.

_____. 1999. *How to Cook: Book Two*. London: BBC.

_____. 2001. *How to Cook: Book Three*. London: BBC.

Soper, K. 1995. *What is Nature? Culture, politics and the non-human*. Oxford: Blackwell.

Spigel, L. 1997. "From Theatre to Space Ship: metaphors of suburban domesticity in postwar America." in R. Silverstone(ed.). *Visions of Suburbia*. London: Routledge.

Stallybrass, P. and A. White. 1986. *The Politics and Poetics of Transgression*. Ithaca: Cornell University Press.

Stassart, P. and S. Whatmore. 2003. "Metabolizing Risk: food scares, and the un/re-making of Belgian beef." *Environment and Planning A*, 35, 3.

Stedman Jones, G. 1982. "Working-class Culture and Working-class Politics in London, 1870-1900: notes on the remaking of a working class." in B. Waites, T. Bennett and G. Martin (eds). *Popular Culture: past and present*. London: Croom Helm.

Steingarten, J. 1997. *The Man Who Ate Everything: and other gastronomic feats, disputes and pleasurable pursuits*. New York: Vintage.

Steptoe, A., J. Wardle, Z. Lipsey, G. Oliver, T. M. Pollard and G. J. Davies. 1998. "The Effects of Life Stress on Food Choice." in A. Murcott(ed.). *The Nation's Diet: the social science of food choice*. Harlow: Longman.

Stevens, S. 2001. *Feeding Frenzy*. London: Abacus.

Strange, N. 1998. "Perform, Educate, Entertain: ingredients of the cookery programme genre." in C. Geraghty and D. Lusted(eds). *The Television Studies Book*. London: Arnold.

Straw, J. 2001. "Globalization is good for us." *The Guardian*, 10 September.

Swallow, K.(ed.). 1994. *Cooking Class Mexican Cookbook*. London: Merehurst.

Taylor, B. 2001. "Food in France: from la nouvelle cuisine to la malbouffe." in J. Marks and E. McCaffrey(eds). *French Cultural Debates*. Newark: University of Delaware Press.

Taylor, I., K. Evans and P. Fraser. 1996. *A Tale of Two Cities*. London: Routledge.

Tester, K. 1994. *Media, Culture and Morality*. London: Routledge.

_____. 1999. "The Moral Malaise of McDonaldization: the values of vegetarianism." in B. Smart(ed.). *Resisting McDonaldization*. London: Sage.

Theophano, J. (2002) *Eat My Words: reading women's lives through the cookbooks they wrote*, New York: Palgrave.

Thompson, E. P. 1982. *The Making of the English Working Class*. Harmondsworth: Penguin.

Thompson, K. 1998. *Moral Panics*. London: Routledge.

Tomlinson, J. 1991. *Cultural Imperialism: a critical introduction*. Baltimore: Johns Hopkins University Press.

_____. 1999. *Globalization and Culture*. Cambridge: Polity.

Tomlinson, M. 1998. "Changes in Taste in Britain, 1985.1992." *British Food Journal*, 100, 6.

Tudor, A. 1999. *Decoding Culture*. London: Sage.

Turner, G. 1990. *British Cultural Studies: an introduction*. London: Unwin Hyman.

Twigg, S. 1983. "Vegetarianism and the Meanings of Meat." in A. Murcott(ed.). *The Sociology of Food and Eating*. Aldershot: Gower.

Urry J. 1990a. "The 'Consumption' of Tourism." *Sociology*, 24, 1.

_____. 1990b. *The Tourist Gaze: leisure and travel in contemporary societies*. London: Sage.

Vaughan, J. 1997. "Gary Hits the Rhodes." *Daily Telegraph*, 27 September.

Vidal, J. 1997. *McLibel: burger culture on trial*. New York: New Press.

Warde, A. 1997. *Consumption, Food and Taste: culinary antinomies and commodity culture*. London: Sage.

_____. 1999. "Convenience Food: space and timing." *British Food Journal*, 101, 7.

Warde, A. and K. Hetherington. 1994. "English Households and Routine Food Practices: a research note." *The Sociological Review*, 42, 4.

Warde, A. and L. Martens. 1998a. "A Sociological Approach to Food Choice: the case of eating out." in A. Murcott(ed.). *The Nation's Diet: the social science of food choice*. Harlow: Longman.

_____. 1998b. "Eating out and the Commercialization of Mental Life." *British Food Journal*, 100, 3.

_____. 2000. *Eating Out: social differentiation, consumption and pleasure*. Cambridge: Cambridge University Press.

Webster, S. 2000. "A.Z of World Food." *The Observer*, 12 November, Life magazine supplement.

Willetts, A. 1997. "'Bacon Sandwiches Got the Better of Me': meat-eating and vegetarianism in South-East London." in P. Caplan(ed.). *Food, Health and Identity*. London: Routledge.

Williams, R. 1974. *Television: technology and cultural form*. London: Fontana.

_____. 1975. *Culture and Society*(3rd edn). Harmondsworth: Penguin.

_____. 1980. *Marxism and Literature*. Oxford: Oxford University Press.

_____. 1983. *Towards 2000*. London: Chatto & Windus.

_____. 1993. "Culture is Ordinary." in A. Gray and J. McGuigan(eds). *Studying Culture: an introductory reader*. London: Arnold.

Williamson, J. 1978. *Decoding Advertisements: ideology and meaning in advertising*. London: Marion Boyars.

Willis, P. 1977. *Learning to Labour: how working class kids get working class jobs*. Farnborough: Saxon House.

Wilmott, P. and M. Young. 1957. *Family and Kinship in East London*. London: Routledge and Kegan Paul.

Wilson, J. 1999. "Delia's Omelette in the Dock Again." *The Guardian*, 4 February.

Winner, M. 1998. "Winner's Dinners." *Sunday Times*, 19 April.

Wood, R. C. 1994. "Dining out on Sociological Neglect." *British Food Journal*, 96, 10.

_____. 1995. *The Sociology of the Meal*. Edinburgh: Edinburgh University Press.

_____. 1996. "Talking to Themselves: food commentators, food snobbery and market reality." *British Food Journal*, 98, 10.

Wouters, C. 1986. "Formalization and Informalization: changing tension balances in civilizing processes." *Theory, Culture and Society*, 3, 2.

_____. 1987. "Developments in the Behavioural Codes Between the Sexes: the formalization of informalization in the Netherlands, 1930.85.", *Theory, Culture and Society*, 4, 2-3.

Wright, P. 1985. *On Living in an Old Country*. London: Verso.

Wrigley, N. 1998. "How British Retailers have Shaped Food Choice." in A. Murcott(ed.). *The Nation's Diet: the social science of food choice*. Harlow: Longman.

Wyatt, J. 1994. *High Concept: movies and marketing in Hollywood*. Austin: Texas University Press.

Young, T., M. Burton and R. Dorsett. 1998. "Consumer Theory and Food Choice in Economics, with an Example." in A. Murcott(ed.). *The Nation's Diet: the social science of food choice*. Harlow: Longman.

Zen, Z. 2000. *A Cookbook for a Man Who Probably Only Owns One Saucepan: idiot-proof recipes*. Boston: Lagoon.

Zukin, S. 1991. *Landscapes of Power: from Detroit to Disneyland*. Berkeley: California University Press.

|찾아보기|

■ **책이름 찾아보기**

■ 신문 · 잡지 · TV 프로그램 이름 찾아보기

지은이
소개

밥 애슬리 Bob Ashley는 영국 노팅엄 트렌트대학교 미디어와 문화연구의 책임자를 지냈고, 『The Study of Popular Fiction: a source book』(1989), 『Reading Popular Narrative: a source book』(1997)를 편집했다.

조안 홀로스 Joanne Hollows는 같은 대학에서 미디어와 문화연구 부교수를 지내다가 지금은 음식문화, 가정문화, 소비문화, 페미니즘을 전문영역으로 하는 프리랜서 저술가로 활동하고 있다. 저서로 『Feminism, Femininity and Popular Culture』(2000), 『Domestic Cultures』(2008) 등이 있다.

스티브 존스 Steve Jones 역시 같은 대학의 미디어와 문화연구 부교수로 일하고 있으며, 국민정체성과 물질문화 분야의 연구를 진행하고 있다. 또 다른 저서로 『Antonio Gramsci』(2006)가 있다.

벤 테일러 Ben Taylor도 현재 같은 대학 미디어와 문화연구 부교수로 일하고 있으며, 카니발적인 것, 미하일 바흐친, 코미디와 음식에 관심을 가지고 연구를 진행하고 있다.

옮긴이
소개

박형신은 고려대학교 대학원 사회학과에서 석사와 박사 학위를 취득했다. 강원대학교 사회과학연구소 연구교수, 고려대학교인문대학 사회학과 초빙교수를 지냈다. 현재 연세대학교 사회발전연구소 연구교수로 있다. 『정치위기의 사회학』, 『사건으로 한국사회 읽기』(공저), 『열풍의 한국사회』(공저) 등의 책을 썼고, 『사회학적 야망』, 『탈감정사회』, 『메뉴의 사회학』(공역), 『감정과 사회학』 등 여러 책을 우리말로 옮겼다.

이혜경은 고려대학교 대학원 사회학과에서 석사와 박사 학위를 취득했다. 대진대학교 사회복지학과 초빙교수, 서울시립대학교 경제학부 BK21 연구교수를 지냈다. 현재 고려대학교에서 강의하고 있다. 『사회문제론』이라는 책을 함께 썼고, 『시민사회와 정치이론 1·2』(공역), 『사회이론의 역사』(공역), 『사회변동의 비교사회학』(공역)을 우리말로 옮겼다.

한울아카데미 1679

음식의 문화학

지은이 ｜ 밥 애슬리·조안 홀로스·스티브 존스·벤 테일러
옮긴이 ｜ 박형신·이혜경
펴낸이 ｜ 김종수
펴낸곳 ｜ 도서출판 한울

편집 ｜ 염정원

초판 1쇄 인쇄 ｜ 2014년 5월 10일
초판 1쇄 발행 ｜ 2014년 5월 15일

주소 ｜ 413-756 경기도 파주시 광인사길 153 한울시소빌딩 3층
전화 ｜ 031-955-0655
팩스 ｜ 031-955-0656
홈페이지 ｜ www.hanulbooks.co.kr
등록번호 ｜ 제406-2003-000051호

Printed in Korea.
ISBN 978-89-460-5679-4 93330(양장)
       978-89-460-4856-0 93330(무선)

* 가격은 겉표지에 표시되어 있습니다.
* 이 도서는 강의를 위한 학생판 교재를 따로 준비하였습니다.
  강의 교재로 사용하실 때에는 본사로 연락해주십시오.